소설처럼 읽는

이야기 문학상식

이승하(중앙대학교 문예창작학과 교수)감수

최유희 · 민병인 · 김병덕
정복여 · 송승환 · 신경범 공저

하이비전

소설처럼 읽는 이야기 문학상식

초판 1쇄 인쇄 2006년 7월 7일
초판 1쇄 발행 2006년 7월 15일

감수 : 이승하
지은이 : 최유희 민병인 김병덕 정복여 송승환 신경범
편집/디자인 : 박옥자/유인숙
펴낸이 : 서지만
펴낸곳 : 하이비전
등록번호 : 제6-0630
등록일 : 2002년 11월 7일
주소 : 서울특별시 동대문구 용두2동 724-1 화성빌딩 302호
전화 : 02) 929-9313
E-mail : bosaga@hanmail.net

값 : 12,000원
ISBN 89-91209-12-2(03810)

책주문 • 내용문의 안내

●이 책을 주문하실 때-
〈하이비전〉의 전국총판인 〈도서출판 문장〉으로 주문하여 주십시오.
〈도서출판 문장〉 전화 : 02)929-9495 팩스 : 02)929-9496
●내용문의 안내-
〈하이비전〉 전화 : 02) 929-9313으로 연락주십시오.

소설처럼 읽는

이야기 문학상식

하이비전

머리말

재미있는 문학 공부를 위하여

이승하
(중앙대 문예창작학과 교수)

근년에 들어 공무원시험의 국어문제에 상당한 높은 수준의 것이 나온다. 대입논술과 수학능력시험은 말할것도 없고 기업체 입사시험에도 단순한 문학 상식 테스트가 아니라 현대문학의 흐름을 알고 있어야 풀 수 있는 문제가 나온다. 하지만 내용이 있으면서도 폭넓게 문학 공부를 할 수 있게 하는 참고서로 적합한 책이 시중에는 나와 있지 않다. 각종 시험의 국어과목을 준비하면서 두툼한 『한국문학사』를 읽을 수는 없는 노릇이다.

15년째 대학강단에서 학생들에게 문학을 가르쳐온 나로서는 여러 해 전부터 전국의 중·고등학교 학생과 대학생, 입사시험과 공무원시험을 준비하고 있는 사람들이 읽을 만한 이야기 체의 문학 상식 책을 만들고 싶었다. 그 책에는 100년에 이른 우리의 문학사가 일목요연하게 정리되어 있어야 한다. 그리고 그 무엇보다 딱딱한 수험서가 아니라 재미있는 이야기책을 읽으면서 그대로 공부가 되게 하는 요술 같은 책이어야만 한다. 이런 점을 염두에 두고 책을 만들면서 유의한 것은 아래의 일곱 가지이다.

첫째, 100년의 역사를 지니게 된 우리 문학을 아주 쉽게, 이야기 식으로 정리하였다. 즉, 책 자체는 재미있는 문학 이야기가, 이 책을 읽는 독자에게는 재미있는 문학 공부가 되게 하였다.

둘째, 시와 소설에 가장 많은 지면을 할애했지만 대중문학·수필·희곡·문학비평도 함께 실었다.

셋째, 주요한 작가 소개와 작품 줄거리 소개, 문학비평용어, 시사용어 등을 일일이 첨부하였다. 즉, 읽을거리가 풍부한 책이 되게 하였다.

넷째, 사진 자료를 적절히 넣어 비주얼한 책이 되게 하였다.

다섯째, 이 한 권의 책이면 시험을 준비하는 이들에게는 충분한 문학 공부가, 일반 독자들에게는 풍부한 문학상식을 얻도록 세목을 충실히 하였다.

여섯째, 시인과 소설가, 극작가와 수필가, 문학평론가 등 대상 작가의 범위를 모두 지금

이 시대에 한창 활동하고 있는 이들까지 넓혀서 다루었다.

일곱째, 시대 배경을 중요시했다. 시와 소설이 따로 기술되었지만 시대 배경을 설명하는 부분에 있어 상호 보완이 되도록 했다. 또한 소설과 문학비평이 상호 보완이 되고, 소설과 대중문학이 상호 보완이 되도록 했다.

이 책을 기술한 이는 중앙대학교 대학원 문예창작학과에서 박사과정을 마쳤거나 박사학위를 받은 분들이다. 소설편은 최유희·민병인·김병덕이, 시편은 정복여·송승환·신경범이 썼다. 희곡문학편은 신경범, 비평사는 최유희, 대중문학편은 김병덕이 썼고, 수필문학편은 이승하가 썼다. 여러 차례 만나 회의를 하면서 일관된 흐름을 유지하고자 했지만 각자의 개성을 존중, 문체상 약간의 차이를 보이는 것은 용인하기로 했다. 감수자인 나의 역할은 교정과 교열을 보며 교통정리를 한 것에 지나지 않는다. 이들은 모두 대학 강단에서 후학들을 가르치고 있고, 시나 소설, 혹은 문학평론을 쓰고 있는 분들이다. 혹간 기존의 문학사와 백과사전을 참고한 흔적도 보이지만 일반인이 문학의 세계로 나아가기 위한 길안내의 책을 이분들이 쓰는 과정에서 다소간의 취합은 불가피한 일이었으리라 생각한다.

문자 표기는 아래의 원칙대로 했다.

〈 〉: 신문 이름

《 》: 잡지와 동인지 이름

「 」: 작품 이름(단편소설·중편소설·장편소설 포함)

『 』: 창작집, 시집 이름(특히 책으로 묶여진 것을 지칭할 때)

간혹 장편소설에 문자표『 』를 넣기도 했지만 그런 예가 많지는 않다.

이 책에서 거론된 수많은 작품이 하나의 상식으로 여러분의 뇌리에 들어 있는 데서 그치지 말고 언젠가 꼭 원 텍스트를 읽어보기를 권한다. 우리가 우리 문학에 대한 관심과 사랑이 없다면 어떻게 문화국민이라고 할 수 있겠는가. 아무쪼록 이 책을 발판으로 독자 여러분 모두 문학에 관한 상식도 많이 얻고, 문학에 관한 관심도 많이 기울이게 되고, 각종 시험에서도 좋은 성적을 얻기를 바란다. 여러분의 마음에 모국어와 우리 문학을 아끼는 마음이 깃들기를 간절히 바라면서

2006년 6월 30일

감수자 이승하

C.o.n.t.e.n.t.s

1장 소설

2장 시

3장 대중문학

4장 수필

5장 희곡

6장 비평

1장

소설

Ⅰ. 개화기에서 1920년대까지의 소설

Ⅱ. 1930년에서 1945년까지의 소설

Ⅲ. 해방 직후의 소설

Ⅳ. 전후소설의 양상

Ⅴ. 1960년대의 소설

Ⅵ. 1970년대의 소설

Ⅶ. 1980년대의 소설

Ⅷ. 1990년대의 소설

Ⅸ. 2000년대의 소설

Ⅰ. 개화기에서 1920년대까지의 소설

1. 개화기의 소설

1894년 갑오개혁[1)]을 전후한 때부터 1910년대까지를 흔히 '개화기'라고 합니다. 개화기는 새로운 문명을 향한 열망과 민족 자존을 수호하기 위한 변혁의 시기인데, 이 시기는 연구자에 따라 개화기, 애국계몽기, 혹은 근대 여명기라고 부르기도 합니다. 우리 역사에서 개화기는 전근대 사회에서 근대 사회로 넘어가는 전환기였으므로 큰 변화와 혼란이 일어나는 시기입니다. 개항과 갑오개혁은 삶의 양식을 바꿔놓았고, 문화적으로 민간 신문이 발행되었으며, 출판사가 성장하면서 작가와 독자라는 문학 공간이 수요와 공급의 요건을 갖추게 되었습니다. 이런 변화와 더불어 문학 내부에서도 새로운 양식인 신소설이 등장합니다.

1) 갑오개혁
1894년 7월부터 1896년 2월까지 개화파 내각이 주도한 근대적 제도개혁을 말한다. 갑오경장(甲午更張)이라고도 한다. 1894년에 단행된 이 개혁을 통해 정부와 왕실 분리, 의정부 개편, 과거제 폐지, 청국 연호 폐지, 신분제 철폐, 연좌제 폐지, 은본위제 채택, 조혼 금지 및 과부 재가 허용 등이 실시되었다.

1) 개화기에 등장한 소설

개화기 소설의 주제는 자주독립과 민권사상의 확립, 신교육, 과학 지식의 보급과 미신 타파, 자유연애와 자유결혼, 평등사상 등을 들 수 있지만 완전히 새로운 문학이라고는 할 수 없습니다. 개화기 소설에는 신소설, 역사전기소설, 토론체 소설 등이 포함됩니다. 신소설은 고전소설과는 달리 구어체 문장으로 씌어졌고, 근대적인 주제의식을 담고 있으며, 구성의 새로움 등을 특징으로 하고 있습니다. 장지연의 「애국부인전」, 박은식의 「서사건국지」, 신채호의 「을지문덕」 등이 역

최초의 신소설 「혈의 누」를 쓴 이인직

사전기소설이며, 안국선의 「금수회의록」, 김필수의 「경세종」 등이 토론체 소설입니다. 역사전기소설은 실제로 있었던 역사적 사실을 소재로 하고 있고 토론체 소설은 토론 형식을 빌리고 있어서 소설의 범주로 확정지을 수는 없지만 신소설보다 내용면에서는 현실을 보다 적극적으로 반영하고 있습니다.

2) 최초의 신소설 「혈의 누」

개화기에는 여러 가지 이야기물이 있었습니다. 구소설·정치소설·잡설·풍자물·전기물·역사물 등을 통칭하여 이야기물이라고 했습니다. 그런데 이 가운데 이인직①의 「혈의 누」가 신소설의 효시가 된 이유는 무엇일까요? 신소설2)이라는 말은 1906년 〈중앙신보〉 발간 광고에서 처음 등장합니다. 사실 개화기에는 이전의 여러 소설 형태들이 혼재되어 있었습니다. 개화파 지식인들이 고대소설과는 다른 새로운 소설 형태를 만든 것입니다. 이인직의 「혈의 누」 외에도 이해조의 「자유종」, 최찬식의 「추월색」 등을 신소설이라 부릅니다.

2) 신소설
신소설이라는 용어는 1906년 대한매일신보사의 〈중앙신보〉 발간 광고에서 처음 등장했다. 두 번째로 등장한 것은 1906년 「혈의 누」가 단행본으로 간행될 때 '新小說 血의 淚'라고 밝혀서 일반적인 명칭이 되었다.

「혈의 누」는 1906년 〈만세보〉에 연재되었으며, 주인공인 김옥련이 청일전쟁의 피난길에서 부모를 잃은 시련을 극복해가는 과정을 그리고 있습니다. 먼저 「혈의 누」의 줄거리를 말씀드릴까요? 청일전쟁 피난길에서 부모와 헤어지게 된 옥련은 이노우에라는 일본인 군의관의 도움으로 일본에서 학교를 다니게 됩니다. 이노우에가 전쟁에서 전사한 뒤에는 구완서를 만나 연애를 하고 함께 미국으로 갑니다. 미국 워싱턴에서 공부하던 옥련이 헤어진 아버지를 만나고 구완서와 약혼하고 결국은 어머니까지 찾게 됩니다. 「혈의 누」를 신소설이라고 부르는 것은 개화기의 근대적 가치를 담고 있기 때문입니다. 이 소설에는 나라의 독립, 남녀평등의 이념, 새로운 교육의 가치 등이 그려져 있으며, 김옥련과 구완서의 자유연애는 당시 사람들이 생각하던 근대의 표상이었기 때문에 소설 내용에서 신소설

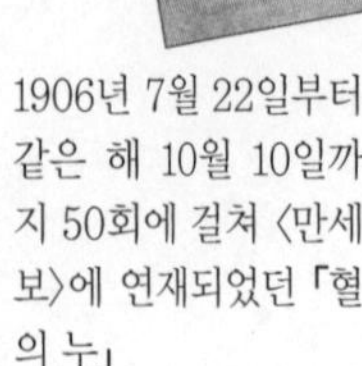
1906년 7월 22일부터 같은 해 10월 10일까지 50회에 걸쳐 〈만세보〉에 연재되었던 「혈의 누」

의 조건을 갖출 수 있었습니다. 이전의 소설들이 한 사람의 삶을 탄생부터 죽음까지의 일대기를 그리는 방식이었다면 「혈의 누」는 옥련의 어머니가 피난길에서 잃어버린 옥련과 남편을 찾아다니는 것으로 시작해서 과거로 올라가는 등 구성에서도 새로움을 보여주었습니다. 내용과 형식면에서 이전의 소설들과는 확연히 달랐으며, 계몽과 소설적 흥미 두 마리 토끼를 다 잡았던 것입니다. 또한 이전의 이야기 장르와는 달리 이야기의 시간과 공간, 장소와 사건 등이 구체적이고 현실적인 것도 특징입니다. 이렇듯 한글소설로서 계몽적 의식과 서술적 현대성 등을 갖춘 작품이었기 때문에 「혈의 누」는 명실상부 신소설로 일컬어졌습니다. 물론 신소설에서 소설의 근대적 틀이 완성되는 것은 아닙니다. 진정한 의미의 근대소설은 1910년 이후에나 등장하지요.

3) 토론조의 소설 이해조의 「자유종」

이해조②의 「자유종」[3]은 토론소설을 표방하고 있습니다만 「혈의 누」와는 달리 소설적 형식에서는 미흡하다고 평가됩니다. 그 이유는 토론이라기보다는 연설에 가까운 것이기 때문입니다. 일종의 계몽서나 단막 희곡 같다는 의견이 있을 정도로 이야기성은 떨어지는 작품이었습니다. 그렇지만 당시 이러한 토론소설이 한 축을 이루고 있었기 때문에 개화기 문학사에서 「자유종」 또한 중요한 역할을 합니다.

그렇다면 신소설 작가들이 생각한 소설은 어떤 것이었을까요? 이해조는 「화의 혈」의 후기에서 “소설이라 하는 것은 매양 빙공착영(憑空捉影)[4]으로 인정에 맞도록 편집하여 풍속을 교정하고 사회를 경성(警省)하는 것이 제일 목적”이라고 말합니다. 즉 이들은 허구의 이야기를 흥미롭게 전개해서 사람들을 교화하는 것이 소설이라고 보았습니다. 그런데 신소설은 후기로 갈수록 교화나 계몽은 사라지고 상업성과 결탁한 통속적 흥미 위주의 소설이 되고 맙니다.

4) 빙공착영
빙공착영(憑空捉影)의 憑은 의지할 빙, 空은 빌 공, 捉은 잡을 착, 影은 그림자 영으로, 허공에 의지해 그림자를 잡는다는 의미로 소설의 허구성을 가리키는 말이다. 중국 한나라의 역사가 반고(班固)가 말한 포풍착영(捕風捉影)에서 유래되었다. 포풍착영은 바람을 잡고 그림자를 붙든다는 말로, 허무맹랑해서 실현 가능성이 없다는 뜻이다.

3) 이해조의 토론체 소설 「자유종」

1910년 7월 광학서포(廣學書鋪)에서 간행되었다. '토론소설'이라는 표제가 붙어 있으며, 처음과 끝 부분의 지문을 제외하고는 대화만으로 이루어져 있는 정치소설이다. 1908년 음력 1월 16일 밤 이매경이라는 부인의 생일잔치에 모인 신설헌·홍국란·강금운 등 4명의 부인이 중심이 되어 초저녁부터 새벽까지 토론을 벌이는 특이한 내용이다. 신설헌 부인이 토론회를 제의한 다음 자신의 의견을 제시한다. 신설헌은 구시대의 유습, 여성의 인종(忍從)과 예속이 타파되어야 하며, 여성 스스로도 새 시대 국가와 민족의 앞날을 생각해야 한다고 주장한다. 개화기 지식인의 비판의식과 반봉건·반외세 정신 등이 잘 드러나 있다.

1900년에서 1910년 사이에 활동한 작가들은 계몽이라는 이념을 신소설에 담아내고자 했습니다. 작가들이 대부분 신교육을 받은 사람들이어서 계몽과 개혁으로 개화를 해야 한다고 믿었던 것입니다. 일본에서 신교육을 받거나 국내에서 교육을 받은 사람들이 자주적 민족주의보다는 계몽을 통한 개화를 소설의 이념으로 삼았습니다. 개화기 작가들이 비록 완전한 의미의 근대적 소설을 형성하지는 못했지만 과도기 우리 사회의 모습을 여러 방식으로 담아냈습니다.

2. 1910년대의 소설

1910년대는 일본의 강제 점령으로 시작해서 1919년 3·1운동에 이르는 기간으로, 식민지가 시작된 시기이자 일본에 대한 저항이 시작된 때이기도 합니다. 1910년 일제의 강점으로 국권이 상실되는 것과 동시에 저항의 움직임이 커졌고, 그것이 '대한독립만세'를 외쳐 부른 3·1운동으로 나타났습니다. 이 시기 동안 일본은 문화적 종속을 강요하였으므로 모든 언론·출판·집회·결사 등의 자유가 규제되었

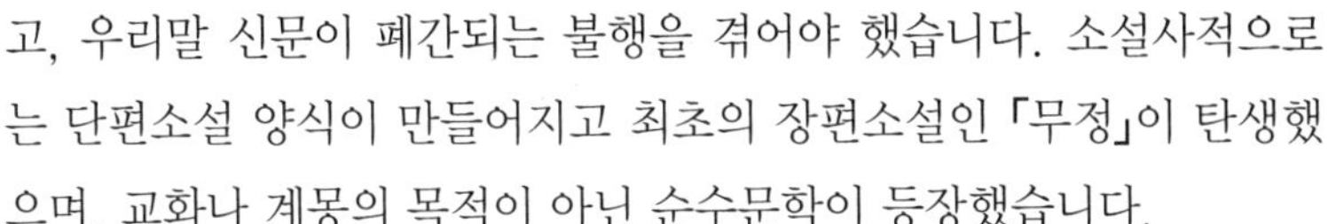

고, 우리말 신문이 폐간되는 불행을 겪어야 했습니다. 소설사적으로는 단편소설 양식이 만들어지고 최초의 장편소설인 「무정」이 탄생했으며, 교화나 계몽의 목적이 아닌 순수문학이 등장했습니다.

1) 단편소설의 탄생

1910년대 당시 교육을 받은 사람들은 소수의 일본 유학생이었기 때문에 소설 창작을 담당한 사람들도 일본 유학생들이었습니다. 그들은 유교적 이데올로기와 서구적 이데올로기 사이에서 갈등하며 조선시대 사회제도의 모순에 대해 목소리를 내고 싶어했습니다. 그러나 지도자들은 낡은 의식에 사로잡혀 있었고 민중은 근대적인 의식을 흡수할 준비가 되어 있지 않았습니다. 이러한 상황에서 그들이 할 수 있었던 것이 소설의 형식을 빌리는 것이었습니다. 특히 일본 유학생들은 경험 미숙과 역사의식의 부족 등으로 장편 형식에 도전하기에는 한계가 있었기 때문에 단편 창작에 집중했습니다. 여기에다 이광수가 잡지 《청춘》을 내면서 시행한 단편소설 현상문에 모집 등도 단편의 성행에 영향을 주었습니다. 매체가 요구하는 형식에 맞게 작가들이 단편소설을 쓰게 된 것입니다. 신소설류의 통속적인 이야기를 만들어내고 싶지 않았던 유학생들은 소설 기법면에서 언문일치와 시제일치 등을 확립하면서 단편소설의 형식을 점차 확립시켜 갔습니다. 이들은 서구의 새로운 소설 기법을 우리 소설에 접목하고 당대의 시대적 절망을 개인적 의식에 투영하여 소설화했습니다.

1914년 10월에 창간된 한국 최초의 종합월간지

한국 소설문학의 개척자 이광수

2) 이광수와 첫 장편소설 「무정」[5]

「무정」은 이광수③가 쓴 우리나라 최초의 장편소설입니다. 「무정」은 1917년 1월 1일에서부터 1917년 6월 14일까지 〈매일신보〉에 연재된 뒤 1919년 신문관에서 단행본으로 간행되었습니다. 「무정」이 최초의 현대소설로 불리는 이유는 형식적인 면과 내용적인 면으로 나눠볼 수 있습니다. 「무정」은 우선 한글 전용 문장을 사용했으며, 말과 글이 일치하는 문장을 사용했습니다. 겹문장보다는 홑문장을 많이 사용했고 소재에서도 현실적인 환경을 설정하고 근대적인 생활 양식을 표현하고 있습니다. 내용면에서도 자아 인식을 드러내는 자유연애와 삼각관계 및 계몽주의사상 등을 표현하고 있다는 점에서 다른 소설들과는 많이 달랐습니다.

「무정」은 현재 시점에서 과거를 거슬러 올라가 기술하고 있는데, 이러한 소설 기법은 이전의 소설에서 보이던 연대기적 서술보다 독자에게 훨씬 새롭게 느껴졌을 것입니다. 또한 보수적인 인물과 진보적인 인물을 드러냄으로써 이념적 대립을 선명하게 그리고 있다는 점에서도 의미가 큰 작품입니다.

1917년 1월 1일부터 〈매일신보〉에 126회에 걸쳐 연재되었던 최초의 장편소설 「무정」

5) 「무정」의 줄거리

이형식은 동경에서 공부하고 돌아와서 경성학교에서 영어를 가르치고 있다. 그는 김 장로의 딸 선형을 개인 지도하다가 선형을 연모하게 된다. 그런데 어린 시절 친구인 영채의 방문을 받고 형식은 선형과 영채 사이에서 고민을 하게 된다. 박 진사의 딸 영채는 투옥된 아버지를 위해 기생이 되었다. 영채는 경성학교 배 학감에게 순결을 빼앗기게 되자 유서를 남기고 사라져 버린다. 영채를 사모하던 경성학교 교주의 아들 김현수가 배 학감을 사주한 것이었다. 자살을 시도했던 영채는 동경 유학중인 병욱을 만나서 자아에 눈뜨고 동경으로 유학 갈 것을 결심한다. 일본으로 가는 영채, 선형과 함께 미국으로 향하던 형식은 같은 기차로 유학을 떠난다. 선형과 형식은 미국에서 공부를 마치고 영채는 일본에서 음악학교를 마치고 돌아와서 문명사상 보급과 계몽에 힘쓰게 된다.

3) 김동인과 《창조》파의 순수문예

김동인④은 평양 출생으로 도쿄 메이지학원 중학부를 졸업하고 가와바타 미술학교를 중퇴했습니다. 최초의 문학동인지 《창조》[6]를 1919년에 발간하고 「약한 자의 슬픔」[7]을 발표합니다. 그는 사실주의적 수법으로 신경향파 및 프로문학에 맞선 동시에, 예술지상주의를 내세워 순수문학 운동을 벌였습니다. 김동인의 가장 큰 공적은 작중 인물의 호칭 'he'와 'she'를 '그'로 통칭하고, 과거시제를 도입해서 문장의 시간관념을 명백히 한 것에 있습니다.

6) 우리나라 최초의 종합 문예동인지 《창조》

우리나라 최초의 종합 문예동인지이다. 1919년 2월 1일 창간하였고, 1921년 5월 30일까지 통권 제9호를 발행하였다. 편집과 발행은 주요한(1~2호), 김환(3~7호), 고경상(8호), 김동인·김찬영·김환·전영택(9호) 등이었다. 사실주의 문학 경향을 내세워 현대 문학 발전에 크게 이바지했다.

김동인은 "사천 년 조선에 신문학 나간다"고 외칠 정도로 자신만만한 문학상의 개척자이자 예술성 자체의 중요성을 강조했던 소설가입니다. '작가는 신'이며, '예술의 위대함이 자연의 위대함보다 큰 것'이라고 생각해서 작가나 예술의 가치를 높게 평가했습니다. 그에게 문학이란 "인생을 손바닥 위에 올려놓고, 인형 놀리듯 하는 놀이"(일명 인형조종술)의 일종일 정도로 문학적 가치와 예술적 가치를 중요하게 생각했습니다. 그는 특히 문장의 개혁을 완성한 사람이기도 합니다. 삼인칭 대명사를 사용하고 과거시제를 확립했으며, 구어체와 방언 등을 의식적으로 소설 작품에 활용했습니다.

김동인 문학비

또 다른 《창조》파 소설가인 전영택⑤은 「운명」「생명의 봄」「독약을 마시는 여인」 등의 소설을 발표했습니다. 그는 작가가 자신을 주인공으로 내세워 내면의 고뇌를 그리면서 고백체를 사용하기도 합니다.

7) 「약한 자의 슬픔」의 줄거리

고아로 자란 강 엘리자벳은 K남작 집의 입주가정교사이다. 친구 S의 외사촌 오빠인 이환을 짝사랑하지만 표현하지 못한다. 그런데 어느 날 엘리자베스는 K남작에게 강간을 당하고 임신하게 된다. 그런데 K남작은 임신중인 그녀를 내쫓아버린다. 시골의 오촌 고모 집으로 내려간 엘리자벳은 K남작을 상대로 소송을 제기한다. 그러나 그녀는 패소하고 만다. 패소로 인한 충격으로 낙태를 하게 된 그녀는 아이를 품에 안고 사랑에 대해 생각한다. 엘리자벳은 스스로 과거를 돌아보며 20년 동안의 생활을 회의한다. 그 세월 동안 너무나 약한 인간으로 살아왔다는 것을 깨닫게 되는 동시에 사랑에 대해 생각한다. 참사랑이야말로 강한 자로 살아가는 기초가 된다는 것을 깨닫게 된다.

3. 1920년대의 소설

3·1운동 이후 일본은 문화통치체제로 식민지 관리 방식을 바꿉니다. 국내의 독립운동도 어느 정도 인정되었으며, 교육의 기회도 확대되었습니다. 문화통치는 일종의 회유책이었기 때문에 표면적으로는 변화가 옵니다. 폐간되었던 신문사도 다시 문을 열었고 헌병경찰이 일반경찰로 바뀌었으며 한국인 관리도 고용되는 등 변모의 모습이 가시화 됩니다. 그러나 형식적으로만 문화정치를 표방했을 뿐 신문은 여전히 검열을 받아야 했고 기사가 삭제되는 것도 여전했습니다. 일반경찰의 수는 헌병경찰일 때보다 훨씬 늘어났습니다.

이 시기의 소설은 크게 개인과 사회라는 화두를 중심으로 분류할 수 있습니다. 개인적 삶과 사회적 삶의 두 지평에서 개인주의적 소설은 낭만주의·유미주의·예술지상주의 등을 포함할 수 있습니다. 사회주의적 소설은 비판적 사실주의·사회주의적 사실주의·혁명적 낭만주의 등을 포함할 수 있습니다. 낭만주의와 혁명적 낭만주의, 사실주의와 비판적 사실주의의 연속성 등도 말할 수 있기 때문에 이분법적 분류를 하기보다는 큰 틀에서 개인과 사회에 대한 관심의 축으로 생각해보아야 합니다.

1) 염상섭과 《폐허》[8]의 탄생

염상섭의 동상

"옛 것은 멸하고 시대는 변한다. 새 생명은 이 폐허에서 피어난다." 독일의 시인 실러의 시구를 참고하여 '폐허'라는 동인지의 이름이 정해졌는데, 여기서 폐허란 파괴가 아니라 부활과 갱생을 의미합니다. 《폐허》 동인으로는 김억·남궁벽·오상순·황석우·변영로·염상섭·이익상·민태원 등이 있습니다. 《폐허》의 정신인 퇴폐적 낭만주의는 시대적으로 3·1운동의 실패에 대한 좌절감과 경제적 빈궁을 경험한 식민지 지식인들의 쓰라린 자의식을 반영하고 있습니다.

8) 1920년 7월에 창간된 문예동인지 《폐허》

1920년 7월에 창간되어 1921년 1월 통권 2호로 종간된 문예동인지이다. 4·6판, 130면 내외이며 창간호의 편집과 발행은 고경상, 제2호의 발행인은 이병조이다. 김억의 「스핑크스의 고뇌」, 남궁벽의 「오산통신」, 오상순의 「시대고와 그 희생」, 황석우의 「태양의 침몰」 등의 작품이 수록되어 있다. 1924년 2월 염상섭이 《폐허 이후》라는 이름으로 복간했지만 창간호만 펴내고 폐간되었다.

《폐허》의 대표적인 작가는 염상섭⑥입니다. 김동인이 작가가 소설을 마음대로 조종할 수 있는 것이라 생각했다면 염상섭은 소설은 작가가 "있는 그대로의 세계"를 그리는 것이라고 생각했습니다. 작가가 실제 인생을 재단하여 그리는 것은 작가의 영역을 벗어난 것이라는 인식이 그의 주된 문학관이라 할 수 있습니다. 그래서 그는 '있는 그대로의 삶을 실감 있게 묘사하는 것을 작가의 임무'로 생각합니다. 이 때문에 염상섭의 작품은 객관적 묘사나 의식에 대한 묘사가 많습니다. 사진을 찍듯이 이야기를 전달하는 이 방식을 자연주의라고 부릅니다. 우리가 익히 잘 알고 있는 「표본실의 청개구리」[9]가 바로 대표적인 작품입니다. 그러나 이러한 인식이 지나치게 일상적인 삶에 매몰되면서 그의 작품은 사회적 현실과는 거리가 먼 것으로 평가되기도 합니다. 이러한 비판에도 불구하고 염상섭의 소설이 진정한 의미의 근대소설로 불리는 것은 인간 내면의 발견과 고백, 성장이 잘 드러나 있기 때문입니다. 초기 3부작인 「삼대」 「무화과」 「백구」와 「만세전」 「해바라기」를 관통하는 염상섭의 문제의식은 거대한 공적 체제 안의 개인에 관한 것이었습니다. 당시 변화의 물결은 거셌지만 그 변화를 체험하며 살아가는 사람의 인식은 하루아침에 바뀌는 것이 아니었기 때문에 사회는 여전히 신분과 국가, 민족 등의 공적 개념으로 개인을 규제하고 억압했습니다. 염상섭은 이러한 현실에 대한 탐구와 모색을 소설을 통해 구체화시켰습니다.

9) 「표본실의 청개구리」의 줄거리

나는 권태와 무기력으로 알코올과 니코틴에 젖어 불면증에 시달리던 중에 남포로 향한다. 중학교 2학년 시절 김이 모락모락 나는 청개구리 오장을 해부한 일을 회상하며 8년 전 그때를 떠올리며 전율한다. 남포에서 Y라는 친구의 소개로 김창억이라는 정신이상 증세가 있는 사람을 만난다. 김창억은 굴지의 객주였던 아버지 밑에서 자랐지만 아버지의 주색잡기로 개인적으로 불행한 삶을 살았다. 사범학교를 졸업하고 소학교에서 교편을 잡았지만 아내가 죽고 나자 술과 방랑으로 세월을 보낸다. 그러다가 세계 평화를 위한 동서 친목회를 조직한다. 그는 겉보기에 나의 권태와 무기력을 없애줄 수 있는 사람처럼 생각되었다. 그가 하고자 하는 일은 영감을 받고 하느님의 영에 따라 세계평화를 위한 조직을 만든다는 것이었다. 그렇지만 나는 얼마 지나지 않아 북만주에서 김창억의 소식을 듣게 된다. 김창억이 친목회를 위해 쓰던 자신의 집을 불살라버리고 걸식하며 지낸다는 것이었다.

2) 현진건의 등장

현진건⑦은 《폐허》와 《백조》[10]의 동인입니다. 그는 처녀작인 「희생화」에서 봉건적 가족제도와 인습에 희생당한 여인의 삶을 그려내는데, 대개의 등장인물이 식민지의 암담한 현실에 고뇌하는 모습을 보입니다. 개인의 일상적 삶이 아니라 사회적 삶에 관심을 가진 작가의 인식은 1924년 《개벽》에 발표된 「운수 좋은 날」[11] 같은 작품을 만들어내는 원동력이었습니다.

10) 근대 낭만주의의 화원 – 문학동인지 《백조》

1922년 1월 9일 창간된 문학동인지이다. 편집은 홍사용, 발행은 H.G.아펜젤러가 맡았다. 홍사용·박종화·현진건·이상화·나도향·노자영·박영희·이광수·오천석 등이 동인이며, 3호부터는 김기진도 참여했다. 근대 낭만주의의 화원으로 불리는 이 동인지는 제1호에 박종화의 시 「밀실로 가다」, 이상화의 「말세의 희탄」, 나도향의 소설 「젊은이의 시절」, 1922년 5월에 간행된 제2호에는 나도향의 소설 「별을 안거든 우지나 말걸」, 현진건의 「유린」, 이장희 시 「꿈의 나라로」, 홍사용의 「봄은 가더이다」, 박종화의 「흑방비곡(黑房悲曲)」, 1923년 9월에 간행된 제3호에는 시 이상화의 「나의 침실로」, 홍사용의 「흐르는 물을 붙들고서」 「나는 왕이로소이다」 「그것은 모두 꿈이었지마는」, 소설 나도향의 「여이발사」, 박종화의 「목매이는 여자」, 희곡 박종화의 「죽음보다 아프다」(전1막) 등이 실려 있다.

그의 아내가 기침으로 쿨룩거리기는 벌써 달포가 넘었다. 조밥도 굶기를 먹다시피 하는 형편이니 물론 약 한 첩 써본 일이 없다. 구태여 쓰려면 못 쓸 바도 아니로되, 그는 병이란 놈에게 약을 주어 보내면 재미를 붙여서 자꾸 온다는 자기의 신조(信條)에 어디까지 충실하였다. 따라서 의사에게 보인 적이 없으니 무슨 병인지는 알 수 없으나, 반듯이 누워 가지고 일어나기는커녕 새로 모로도 못 눕는 걸 보면 중증은 중증인 듯. (중략)

인제 설렁탕을 사줄 수도 있다. 앓는 어미 곁에서 배고파 보채는 개똥이(세살먹이)에게 죽을 사줄 수도 있다. 팔십 전을 손에 쥔 김 첨지의 마음은 푼푼하였다.

—「운수 좋은 날」에서

「운수 좋은 날」의 작가 현진건

1920년대 민중이 사는 모습을 진솔하게 그리고 있는 이 작품을 통해 독자는 서민들의 생활상을 엿볼 수 있습니다. 그 당시 사람들은 가난이 천형과도 같다고 생각했을 뿐 그 원인이나 사회제도의 모순 등에 대해서는 고민하지 못했습니다. 그러나 현실의 모습을 사실적으로 드러낸 이 작품은 사실주의 소설의 백미로 불려집니다.

「추운 밤」의 작가 주요섭

11) 「운수 좋은 날」의 줄거리

인력거로 생활을 하는 김첨지는 열흘 동안 돈을 벌지 못했다. 그런데 비가 내리는 어느 날 문안에 들어가는 마나님을 태우고, 학생 손님을 만나 1원 50전이나 벌었다. 김첨지는 정말 운수 좋은 날이라고 생각한다. 아내가 집에서 앓고 있는 것이 마음에 걸렸지만 집에 가는 길에 기분이 좋아 친구를 만나 술까지 한 잔 걸친다. 아내가 좋아하는 설렁탕을 사들고 집에 갔는데, 아내가 늘 앓던 기침 소리가 들려오지 않는다. 불길한 느낌에 소리를 지르며 방으로 들어가 보니 아내는 이미 죽어 있다. 이상하게 운 좋은 하루가 아내의 죽음으로 끝나버린다.

3) 주요섭과 나도향의 등장

「물레방아」의 작가 나도향

주요섭⑧과 나도향⑨은 세계 인식의 극명한 대립을 보여주는 작가입니다. 이들 작품에서는 식민지의 빈곤한 삶이 고스란히 드러납니다. 주요섭의 「추운 밤」이나 최서해의 「탈출기」[12] 등에서는 이러한 현실이 예리하게 묘사되고 있습니다. 그런데 이러한 사회 인식은 최서해에게서는 사회적 계급의식으로 발전해서 「큰물 진 뒤」나 「홍염」 같은 작품에 이르면 노동자와 농민의 집단적 움직임까지 그려집니다. 그러나 같은 식민지 현실을 그리면서도 나도향은 구시대의 계층적 틀을 당연시하고 새로운 계급의 등장이나 각성 등에 대해서는 그리지 않습니다. 물론 이들 두 가지 모두 당대 현실의 일면을 나타내는 것이었습니다. 단지 최서해는 첨예한 의식의 각성을 촉구하며 현장의 예리함을 포착했고, 나도향의 경우에는 이념적 각성과는 무관하게 우리 사회의 현상만을 그려냅니다.

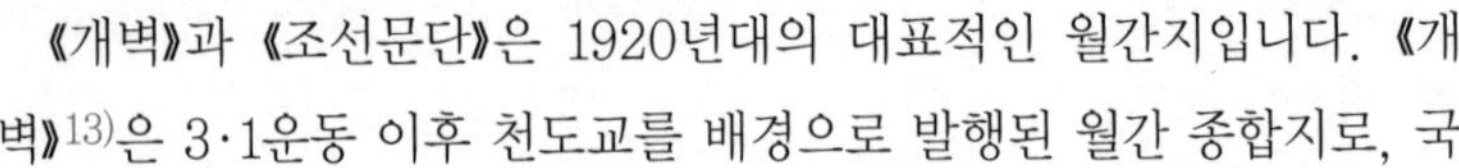

《개벽》과 《조선문단》은 1920년대의 대표적인 월간지입니다. 《개벽》[13]은 3·1운동 이후 천도교를 배경으로 발행된 월간 종합지로, 국

판 160면 내외에 국한문혼용체를 사용했습니다. 경향파 작가들이 계급주의를 표방하여 만든 이 잡지에는 김기진·박영희의 평론과 조포석·현진건·김동인·이상화·염상섭·최서해·김동환·나도향·박종화 등의 작품이 실렸습니다.

12) 「탈출기」의 줄거리

소설은 '나'가 쓰는 편지 형식의 글이다. '나'는 어머니와 아내를 데리고 간도(間島) 땅으로 갔다. 간도에서 농사를 지으면 배불리 먹을 수 있고 농민들도 가르칠 수 있을 것이라는 꿈을 안고 갔지만 그에게 주어지는 것은 아무것도 없었다. 농사지을 땅도 없고 소작을 얻기도 어려웠다. 굶기를 밥 먹듯 하다가 아내가 귤껍질을 먹는 것을 보고 뭐든 열심히 하고자 한다. 그러나 별의별 종류의 일을 해도 가난과 허기에서 벗어날 수 없었다. 나는 가족을 위해 열심히 살았다고 자부하지만 세상은 나와 가족의 노력을 모욕하는 것처럼 느껴졌다. 나는 이렇게 기아에 허덕일 수밖에 없는 세상을 바꾸기 위해 ××단에 가입하게 되었다.

경향파 문학에 반대하는 사람들을 주축으로 해서 만들어진 잡지가 《조선문단》[14]입니다. 김동인의 「감자」, 전영택의 「화수분」, 현진건의 「B사감과 러브레터」, 최서해의 「탈출기」, 나도향의 「물레방아」, 계용묵의 「백치 아다다」 등의 작품이 게재되었으며, 작시법·소설작법·문학강화 등에 관한 논문이 실렸습니다.

13) 경향파 작가들이 만든 《개벽》

천도교를 배경으로 한 월간지였으며, 평등주의에 입각한 사회개조와 민족문화의 창달을 표방하였다. 필연적으로 일제에 대한 항쟁을 표방하였기 때문에 창간호부터 탄압을 받았다. 1920년 6월 25일에 발행된 창간호가 압수되었고, 이틀 후에 발행된 호외(號外)도 역시 일제에 압수되었으며, 사흘 후 30일에 다시 임시호를 발행하였다.《개벽》지는 발행기간 중 발매금지(압수) 34회, 정간 1회, 벌금 1회의 수난을 당하고, 1926년 8월 1일에 발행된 72호를 끝으로 강제 폐간되었다. 《개벽》지가 폐간된 후 1934년 11월에, 1946년 1월 1일에 두 번 복간이 시도되었으나 1949년 3월 25일 통권 9호를 끝으로 폐간되었다.

◦14) 우수한 인재의 등용문 《조선문단》

1924년에 창간된 문학잡지다. 제1~4호는 이광수가, 제5~18호는 방인근이 주재하였다. 휴간했다가 1935년 2월 통권 21호를 속간 1호로 발간하여 26호까지 펴내고 종간하였다. 《조선문단》에 추천되어 작가가 된 사람은 최학송·채만식·박화성·이은상·임영빈 등이다.

4. 사회의식과 소설과의 거리

3·1운동 실패 이후 침체된 분위기와 허무주의 등을 극복하고자 하는 움직임 속에서 새로운 문학에 대한 욕구가 분출됩니다. 실제로 1920년대에는 전국 각지에서 많은 청년·부녀·농민 등이 조합을 결성하고, 노동쟁의와 소작쟁의의 움직임이 뚜렷해지던 시기였습니다. 조선농민총동맹과 조선노동총동맹의 결성은 민중들의 사회 각성 의지를 뚜렷하게 보여주었고, 이러한 분위기에서 계급문학에 대한 열망은 더욱 커져갔습니다. 그러나 이러한 움직임이 소설의 문학적 성과를 항상 동반하는 것은 아니었습니다.

1) 신경향파 소설

박영희와 김기진은 신경향파 소설을 주창한 작가입니다. 박영희는 「신경향파의 문학과 그 문단적 지위」라는 글에서 김기진의 「붉은 쥐」, 최서해의 「기아와 살육」, 이기영의 「땅 속으로」 등을 신경향파 문학으로 명명하고 이들 세 작품이 부르주아 작품에서 벗어나서 새로운 경향을 보여줬다는 사실만으로도 중요한 의의를 갖고 있다고 말합니다. 그는 문학의 기능이 사회를 근본적으로 변혁하는 새로운 흐름에 부합하고 있으며, 이 문학은 무산계급문학의 완성태는 아니지만 변화 자체로도 의미를 가진다고 주장합니다.

신경향파 문학의 대표작은 최서해⑩의 「낙동강」입니다. 1925년 《조선문단》에 발표된 이 작품은 간도협약 이후의 민족 현실이 잘 드러날 뿐 아니라, 이러한 현실을 타개할 근본적인 대책은 직접적으로 사회활동하는 것밖에 없다는 것을 제시하고 있습니다. 간도협약은 1909년(융희 3년) 9월에 청나라와 일본이 간도의 영유권 등에 대해 맺은 조약입니다. 간도는 청나라가 19세기 말기부터 자국 영토라고 주장하며 군대까지 투입하고 지방관까지 두었던 곳입니다. 한국도 간도 지역 영토권을 주장했으므로 간도 영유권은 한국과 청나라 사이에 오랜 분쟁의 불씨였습니다. 그런데 일제가 1905년 대한제국의 외교권을 박탈한 후 청나라와 교섭하여 남만주 철도 부설권과 푸순 탄광 개발 등의 4대 이권을 얻는 대가로 한국의 영토였던 간도를 청나라에게 넘겨주는 협약[15]을 체결했습니다. 「탈출기」는 당대의 암울한 간도 현실을 그려낸 작품입니다.

신경향파의 대표 작가 최서해

이 분위기 속에서는 아무리 노력하여도 우리는 우리의 생의 만족을 느낄 날이 없을 것이다. 어찌하여 겨우 연명을 한다 하더라도 죽지 못하는 삶이 될 것이요, 그 영향은 자식에게까지 미칠 것이다. 나는 이미 품속에서 빽빽 하는 어린 것의 장래를 생각할 때면 애잡짭한 감정과 분함을 금할 수 없다. 내가 늘 이 상태면(그것은 거의 정한 이치다.) 그에게는 상당한 교양은 고사하고, 다리 밑이나 남의 집 문간에 버리게 될 터이니, 아! 삶을 받을 만한 생명을 죄 없이 찌그러지게 하는 것이 어찌 애닯지 않으랴? 그렇다면 그것을 나의 죄라 할까?

김군! 나는 더 참을 수 없었다. 나는 나부터 살려고 한다. 이 때까지는 최면술에 걸린 송장이었다. 제가 죽은 송장으로 남(식구)들을 어찌 살리랴. 그러려면 나는 나에게 최면술을 걸려는 무리를, 험악한 이 공기의 원류를 쳐부수어야 하는 것이다.

나는 이것을 인간의 생의 충동이며 확충이라고 본다. 나는 여기서 무상의 법열을 느끼려고 한다. 아니 벌써부터 느껴진다. 이 사상이 나로 하여금 집을 탈출케 하였으며, ××단에 가입케 하였으며, 비바람 밤낮을 헤아리지 않고 벼랑 끝보다 더 험한 선에 서게 한 것이다.

—「탈출기」에서

최서해의 『탈출기』

이전의 소설이 빈궁한 현실을 보여주는 데 집중했다면 신경향파 작품에서는 현실 속에서 어떤 행동을 해야 할 것인지를 명확하게 제시하고 있습니다. 「탈출기」에서 주인공은 ××단(일제의 검열로 지워짐)에 가입해서 활동할 수밖에 없는 과정을 자세히 그려내고 있습니다. 최서해는 「탈출기」 외에도 신경향적인 작품들을 발표하였지만 그 자신이 카프의 일원이 되지는 않았습니다.

15) 간도협약

1909년 9월 청(淸)나라와 일본이 간도의 영유권 등에 관하여 맺은 조약으로 내용은 다음과 같다. ①한국과 청나라의 국경은 도문강(圖們江:두만강)에 경계를 두되, 일본은 간도를 청나라의 영토로 인정하는 동시에 청나라는 도문강 이북의 간지(墾地)를 한국민의 잡거(雜居) 구역으로 인정한다. ②잡거 구역에 거주하는 한국민은 청나라의 법률에 복종하고, 생명과 재산의 보호, 납세, 기타 행정상 처우는 청나라 국민과 같은 대우를 받는다. ③청나라는 간도 내에 외국인의 거주 혹은 무역지 4개처를 개방한다. ④길림·장춘 철도를 연길 남쪽까지 연장하여 한국의 회령 철도와 연결한다는 것 등이다. 이 협약으로 일본은 만주 침략 기지를 마련하고 남만주의 이권을 장악하게 된다. 조선통감부 임시간도파출소는 폐쇄되었고 일본은 총영사관을 만들어서 한국인의 민족적 항쟁을 방해하는 역할을 했다.

2) 동반과 순수의 거리

동반작가란 무산계급의 혁명운동에는 참가하지 않지만 혁명운동에 동조적인 경향을 가진 작가를 말합니다. 동반작가로는 유진오·이효석⑪·이무영·채만식·박화성 등이 있습니다. 박화성의 「하수도 공사」 「한귀(旱鬼)」 「홍수 전후」, 이효석의 「노령근해」, 유진오의 「여직공」 「오월의 구직자」 등이 동반자 작가 문학의 예에 듭니다. 동반작가는 1920년대 말에서 1930년대 초기에 등장, 잠시 활동하였고, 프로 작가조차도 전향의 길로 접어드는 30년대 중반 이후에는 동반작가가 사라집니다. 대표적인 동반작가였던 이효석은 이후 순수문학에 집중합니다.

대표적인 동반작가
이효석

3) 농촌소설

이기영은 농촌소설을 주로 쓴 작가입니다. 초기 소설 「농부 정도룡」부터 「가난한 사람들」 「쥐 이야기」 「홍수」 등의 소설 제목에서 알 수 있듯이 그는 착취당하는 농민의 문제를 집중적으로 소설화했습니다. 일제의 토지조사사업[16] 이후 농민의 생활고는 극에 달했는데, 이러한 현실을 소설에 반영하여 농민의 계급투쟁을 주로 작품화했기 때문에 그의 소설에는 작가의식이 많이 노출되어 있습니다. 당대 농민의 수탈상을 계급적 관점에서 의도적으로 형상화한 그의 작품은 「서화」와 장편소설 「고향」까지 이어집니다.

농촌소설의 대가 이기영

16) 토지조사사업

토지조사사업은 1910부터 1918년까지 일본이 실시한 대규모 국토조사사업이다. 토지조사사업은 식민통치의 안정을 위해 행정구역·도로·헌병주재지의 설정, 일본인의 정착을 위한 토지 확보 수단, 무지주(無地主), 무신고 토지의 국유화와 조세의 원천 마련, 양반계층의 지주권을 식민지적 지주계층으로 개편, 식민사회 기반 구축, 수탈경제의 기반 확보 등의 목적이 있었다. 이 사업의 결과 조선총독부는 전국토의 40%에 해당하는 논밭과 임야를 차지하게 되었고 그때까지 토지를 소유해왔던 많은 농민들이 토지를 잃고 영세소작인이나 화전민, 혹은 자유노동자로 전락하게 되었다.

조명희의 「낙동강」은 계급적 이념 지향을 확실히 드러낸 작품입니다. 그래서 김기진은 「낙동강」을 프로 소설의 완성품에 가깝다고까지 평합니다. 「낙동강」을 보면 이전의 소설과는 달리 이념지향적 인물들이 등장합니다. 주인공 박성운은 군청에서 일하다가 독립운동에 참가해서 투옥됩니다. 감옥에서 나와 간도로 가족들과 함께 가지만 그곳에서도 힘들게 생활해야 했습니다. 이렇게 힘든 현실의 원인이 사회 체제에 있다는 것을 깨닫고 사회주의 이념에 동조, 간도에서 고향으로 귀향해서 소작조합운동을 전개합니다. 일제가 마을의 공동소유 땅을 빼앗아 일본인에게 불하하는 일이 일어났을 때 성운은 마을사람들과 함께 격렬히 항의합니다. 이 사건으로 성운은 주모자로 붙들려갑니다. 병보석으로 풀려난 후 성운은 그를 따르는 로사와 의

조명희의 「낙동강」

기투합하여 농민운동에 헌신합니다. 그런데 결국 그가 병으로 죽자, 로사는 독립운동에 헌신하기 위해 떠나게 된다는 줄거리입니다. 이 작품의 내용 전개는 이념에 따라 행동하는 인물을 보여주지만, 농촌의 현실에 대한 구체적인 지적이나 묘사보다는 저항의 목소리를 드높이고 있습니다.

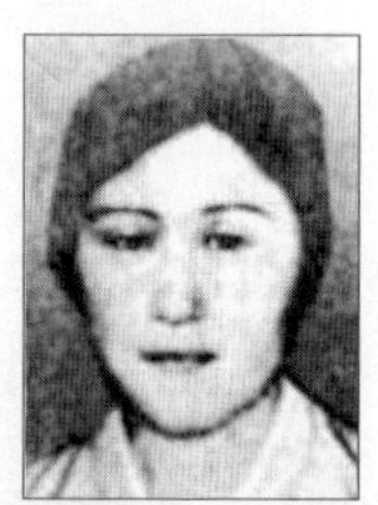
「김연실전」의 모델이었던 김명순

4) 신여성의 반란

당시 서구의 문화는 기존 사회의 가치관이나 관습과는 많이 달랐기 때문에 서구식 신식교육을 받은 신여성들의 의식은 전통적 가치관과 충돌할 수밖에 없었습니다. 주로 부유층 여성이나 기생 중에 신여성이 많았는데 신여성의 행동이나 말은 전통적 가치관과 배치되는 경우가 많았기 때문에 비난의 대상이 되기도 했습니다.

서양화가이기도 했던 나혜석

신여성의 범주는 여러 가지로 설정될 수 있습니다. 임옥희는 "여성주의적 성의식, 계급, 제도교육과 언어와 종교 등에 따라 신여성을 급진적 자유주의 신여성, 마르크스주의 신여성, 기독교 계몽주의 신여성"으로 대별하고 있습니다. 이 분류 중에서 김명순⑫과 나혜석은 급진적 자유주의 신여성에 해당합니다. 김동인의 소설 「김연실전」에 나오는 김연실의 모델이 바로 김명순입니다.

「김연실전」에서 김연실은 자유연애로 한때 사교계의 여왕이었지만 점차 몰락해가는 인물입니다. 소설가 중에서도 이러한 신여성 군에 포함되는 사람들이 있습니다. 화가이면서 소설가로도 활동한 나혜석⑬은 시대의 희생양이 되어 아주 불행하게 말년을 보내기도 했습니다. 고지식한 그 당시 사회적 분위기로 보아 이들 여성 작가의 등장은 그 자체만으로도 의미가 큽니다.

김동인의 「김연실전」

Ⅱ. 1930년에서 1945년까지의 소설

1. 현실에 대한 비판과 회피

1929년부터 일본은 '대동아공영'이라는 논리를 내세워 침략전쟁을 시작, 동아시아 일대를 전쟁의 소용돌이 속으로 휩쓸어 넣었습니다. 따라서 식민지였던 우리나라는 일본 제국주의 확산을 위한 전쟁을 지원하는 곳이 되었습니다. 일제의 '농공병진', '북선개척', '지하자원 개발', '농촌진흥', '자작농창정' 등의 정책은 농촌을 황폐화했으며, 만주침략을 위해 우리나라를 병참기지로 만들었습니다. 이러한 정책들로 식민지 지주제가 강화되면서 소작농민들은 더 힘들게 되고, 자작농 또한 몰락의 길로 내몰리게 되었습니다. 지주들은 고리대금 등으로 신분 상승과 부를 획득했지만, 중소 지주들은 몰락해갔습니다. 또한 전쟁 동원을 위한 군수공업에 우리의 노동자들이 동원되어 도시 노동자 계층이 증가했습니다. 일제의 탄압정책은 더 가혹해졌고 민족해방운동에 대한 탄압도 거세졌습니다. 이 과정에서 많은 지식인들이 친일의 길을 걷게 되었으며, 농민과 노동자에 대한 억압과 수탈은 점점 더 심해졌습니다. 당시 민족주의자들뿐 아니라 사회주의자들도 공장과 광산, 농촌 등에서 항일운동을 했습니다. 1937년 중일전쟁 뒤에는 저항운동이 힘을 많이 잃게 되었지만 각계각층에서 저항의 움직임이 일어났습니다.

1) 비판적 리얼리즘 작가들

군산에 있는
채만식 문학관

채만식⑭은 세태를 그리면서 그 세태의 원인과 해결책을 제시하려고 노력한 비판적 리얼리즘 작가입니다. 물론 1939년 이후 채만식의 작품은 허무주의적으로 귀결되지만, 이전의 작품들은 세태와 풍속에 머물지 않고 현실의 원인 탐구에 천착하고자 했습니다. 『탁류』와 「치숙」[17] 등에서 그 경향이 드러납니다.

17) 「치숙」의 줄거리

나의 아저씨는 일본에서 대학도 다녔을 정도의 인텔리지만 내가 보기에 철이 들지 않은 것 같다. 마음씨 착한 아주머니를 친가로 쫓아내고 신교육을 받았다는 여자와 살림을 차리질 않나, 사회주의 운동을 하다가 감옥살이를 5년 동안 하질 않나, 한심해 보인다. 더구나 지금은 감옥에서 풀려났는데 폐병환자가 되어 있다. 아주머니는 식모살이로 돈을 모아 환자가 된 아저씨를 위해 애쓰고 있는데도 아저씨는 병이 나으면 다시 사회주의 운동을 하겠다고 말한다. 대학에서 경제학을 공부했다는데 돈을 벌어 아주머니 은혜를 갚을 생각은 안 하는 눈치니까 헛공부한 게 뻔한 것 같다. 내가 아주머니를 위해 정신차리라고 해도 막무가내인 아저씨다. 오히려 일본여자랑 결혼해서 잘살겠다는 나를 딱하다고 한다. 참 한심한 아저씨다.

이태준⑮은 1925년 단편소설 「오몽녀」로 작가가 되었습니다. 1920~30년대 소설문학의 대표자로 손꼽히는 이태준은 구인회 회원으로 활동했지만 광복 후 월북한 것으로 알려져 있습니다. KAPF[18]의 정치주의에 반대하며 예술성을 중요시하는 순수문학 그룹인 구인회 회원답게 이태준은 순수문학의 대표 작가였습니다. 이태준 문학의 특징을 상고적, 퇴폐적, 감상적이라고 흔히 일컫습니다. 그 이유는 이태준 소설의 소재가 대부분 패배한 인간들의 삶이 중심이 되기 때문입니다. 「영월영감」 「불우선생」 등에서 특히 그의 이러한 패배적인 인식이 감돕니다. 몰락의 길에 접어선 주변부 삶들의 모습을 그려내는 데 집중했기 때문에 그를 패배주의자나 회의주의자로 보는 시각이 많습니다. 그러나 이것이 그의 소설의 본질을 말해주지는 못합

구인회의 대표 작가
이태준

니다. 「토끼 이야기」와 「농군」 같은 작품에서는 치열한 생존 투쟁 현장을 보여주고 있기 때문에 상고적 소재 자체가 문제시되어서는 안 됩니다. 또한 「복덕방」[19] 등에서는 현대화 과정에서 사람들이 잃어버리게 되는 삶의 현장의 모습이 구체적으로 드러나 있기도 합니다. 그리고 무엇보다도 중요한 것은 그의 아름다운 소설 문장과 자연스런 구성으로 인한 소설 미학에 대한 평가입니다. 그리고 이태준의 이러한 소설 미학은 항일이나 정치적 소재를 한 작품이라고 할지라도 그 문학적 가치를 드높이는 역할을 하게 만드는 원동력이 됩니다.

18) KAPF
조선프롤레타리아예술가동맹(Korea Artista Proleta Federatio)의 약자. 한국의 사회주의 혁명을 위해 조직한 대표적인 문예운동단체다. 염군사와 파스큘라(PASKYULA)라는 단체가 합쳐져 1925년 8월에 결성되었다. 주요 인물로는 김기진과 박영희, 최서해, 이기영, 이익상, 주요섭, 이상화 등이 있다. 1935년 5월에 박영희가 해산계를 냄으로써 공식적으로 해체되기까지 사회주의 예술활동의 중심축을 담당했다.

19) 「복덕방」의 줄거리

서 참의와 안 초시와 박희완 영감은 서 참의의 복덕방에서 거의 매일 함께 지낸다. 서 참의는 구한말 군관을 하다가 가옥 중개로 나섰고 박희완은 대서업을 하기 위해 일본어를 공부중이다. 안 초시는 무용가 딸에게 용돈이나 받으며 살아가는 궁색한 형편이다. 안 초시는 박희완 영감으로부터 황해 연안의 축항 용지가 돈이 될 것이라는 이야기를 듣고 딸에게 말한다. 정혼한 남자를 내세워 딸은 그 땅을 구입한다. 안 초시는 자기가 거간 노릇을 했으니까 돈이 떨어질 것을 생각하며 기뻐한다. 그러나 1년 후 그것은 땅을 처분하려던 사람의 사기행각이었다는 사실이 드러나자 복덕방에서 자살한다. 서 참의에게서 소식을 들은 안 초시 딸은 경찰에 알리지 말아달라고 말하며, 명예가 실추될 것을 염려하여 경찰에 알리지 말 것을 부탁하고 딸의 무용 연구소에서 영결식을 치룬다. 분향이 끝날 무렵, 서 참의와 박희완은 조사를 하고 울음을 터뜨리지만 분향 온 사람들이 마음에 내키지 않아 두 사람은 술집으로 내려오고 만다.

2) 구인회의 주요 멤버

구인회[20]는 1933년에 순수문학을 표방하여 작가 9명이 결성한 문학동인회입니다. 계급주의 및 공리주의 문학 등이 쇠퇴하자, 이들 문학 경향을 배격하고 순수문학을 확립하는 역할을 구인회가 하게 됩니다.

시작은 이상과 박태원 등이 《시와 소설》이라는 기관지를 펴내고서부터입니다. 구인회의 가장 중심에 이상이 서 있으며, 박태원과 김유정의 역할도 컸습니다. 시 쪽에서는 김기림이나 정지용 등의 시인이

20) 구인회
김기림·이효석·이종명·김유영·유치진·조용만·이태준·정지용·이무영이 결성했는데, 얼마 후 이종명·김유영·이효석이 탈퇴하고, 박태원·이상·박팔양이 가입했고, 다시 유치진·조용만 대신에 김유정·김환태로 교체되어 항상 9명의 회원을 유지하였다. 마지막 9인은 김기림·이태준·정지용·이무영·박태원·이상·박팔양·김유정·김환태이다.

참여했습니다. 구인회가 문학사의 중요한 위치를 차지하는 이유는 우리나라 모더니즘 문학 건설에 앞장섰기 때문입니다. 그 대표 소설가가 바로 이상입니다.

이상이 처음 쓴 소설은 「12월 12일」입니다. 이상은 공포에서 벗어나기 위해 이 소설을 썼다고 합니다. 이전 시기의 소설가들은 민족과 사회의 개혁이라든가 휴머니즘의 옹호 등에 집중되어 있었다면 이상에 이르면 소설은 개인의 공포를 잊기 위한 방편이 됩니다. 목적이 없는 글쓰기가 등장하는 것입니다.

박태원⑯은 고현학적(考現學的) 방법론으로 서울을 그려낸 또 한 사람의 모더니스트입니다. 고현학은 현대인의 세태를 조사·분석·해석하는 학문인데, 이러한 방법으로 그는 서울의 풍속을 기술했습니다. 박태원의 방식은 이상과 마찬가지로 공리나 사회 개조를 내세우는 문학관과는 거리가 있습니다. 그의 이러한 문학관은 작품 「피로」[21]와 「소설가 구보씨의 일일」 「천변풍경」 등을 만들어냈습니다.

박태원의 『천변풍경』

> 인생에 피로한 자여! 겨울 황혼의 '한강'을 찾지 말라.
>
> 죽음과 같이 냉혹한 얼음장은 이 강을 덮고, 모양 없는 산과 벌에 잎 떨어진 나뭇가지도 쓸쓸히, 겨울의 열없는 태양은 검붉게 녹슬어 가는 철교 위를 넘지 않는가?……
>
> 나는 그 곳에 인생의 마지막—— 그러나 '인생의 마지막'으로는 당치 않은 어수선하고 살풍경한 풍경을 발견하지 아니할 수 없었다.
>
> —「피로」에서

모더니스트로서의 외로움과 방황 등이 박태원의 위 작품에 잘 드러나 있습니다. 그런데 박태원은 북한으로 월북한 이후에는 대하소설 「갑오농민전쟁」을 쓰게 되었습니다. 고현학적 방법론을 버리고 리얼리즘적 방법론을 선택한 것입니다.

21) 「피로」의 줄거리

'나'는 다방 안에서 글을 쓰다가 상념에 빠진다. 앞에 앉은 청년들이 조선 문단의 침체를 이야기하고 있다. 춘원, 이기영, 백구와 노산 등을 들먹이며 모든 문인들을 비판하고 있었다. 착잡한 마음에 다방을 나선 나는 M신문사 앞에 이르러 누구를 만날까 하고 망설이다가 다시 발길을 돌린다. D신문사 앞에서는 들어가려다가 전화를 건다. 그러나 '나'가 만나고자 하는 편집국장은 자리에 없다. 다시 거리로 나와 배회하다가 버스를 타고 노량진으로 향한다. 버스 안과 거리의 사람들을 보며 여러 가지 생각에 잠긴다. 암담한 현실과 인생의 피로를 절감하면서 말이다. 노량진으로 가는 길에 바라본 한강의 삭막한 겨울 풍경은 사람을 우울하게 만든다. 이런저런 상념을 떨치지 못하고 다시 낙랑 다방으로 '나'는 돌아온다. 엔리코 카루소의 엘레지를 들으며 아직도 진행중인 글을 생각한다.

농촌 현실을 해학적인 문체로 묘사한 김유정

김유정⑰은 토속적인 언어, 해학적인 문체로 전통적인 농촌세계를 그려낸 작가입니다. 기아선상에 허덕이는 농민의 모습을 해학적인 문체로 풀어내는 그의 소설은 눈물 속의 웃음이요 웃음 속의 눈물이라고 할 수 있습니다. 대표작 「봄·봄」에는 당시 농민들이 맞닥뜨린 현실이 구체적으로 드러나지는 않고 약간은 낭만적인 측면에서 다뤄지고 있지만 「소낙비」와 「땡볕」에서는 도덕이나 윤리마저 버리게 되는 농민들의 절대적인 빈곤이 그려지고 있습니다.

조명희의 「낙동강」에 비교하면 김유정의 소설들은 낭만적이고 토속적이어서 비현실적으로 보일 수도 있습니다만 김유정 특유의 토속정서에 힘입어 기층민중의 모습이 더없이 적나라하게 그려졌습니다. 이전의 카프 소설에서 맛볼 수 없던 새로운 소설의 가능성을 보여준 김유정은 구인회 작가들의 도시적 경향과도 거리가 있기 때문에 우리 문학사에서 특별한 위치를 차지하고 있습니다.

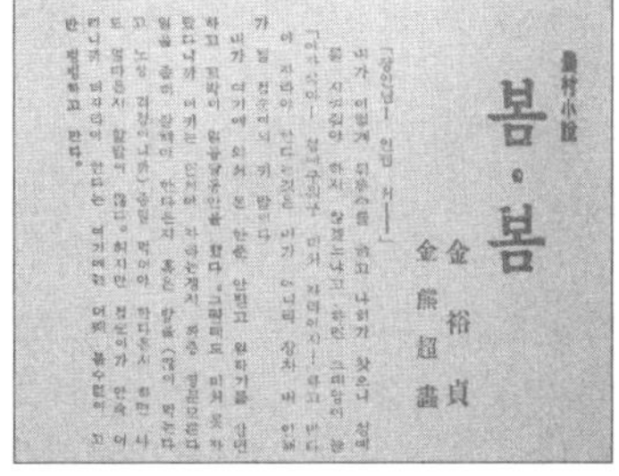
農村小說

봄·봄

金裕貞

金熊超 畫

1935년 12월 《조광》에 발표된 김유정의 「봄·봄」

2. 새로운 작가의 등장

신춘문예에 연이어 당선, 화려하게 등장한 김동리

1) 김동리의 등장과 문단의 재편

김동리[18]는 1935년 「화랑의 후예」가 〈조선중앙일보〉 신춘문예에, 1936년 「산화」가 〈동아일보〉 신춘문예에 당선되어 1930년대 신인작가 그룹의 선두주자가 되었습니다. 「산화」에서는 굶주림과 질병으로 고통받는 사람들의 삶을 그려냈고 1936년 「바위」 이후에는 토속적인 세계로 눈을 돌립니다. 그는 1930년대 전체의 작품 경향과는 약간 거리를 둔 채 독자적으로 자신만의 세계를 구축했습니다. 샤머니즘적 세계관이 드러나는 「무녀도」 같은 작품에서 김동리는 우리 민족의 원형의식을 탐구하는 것을 소설의 주된 내용으로 삼고자 했습니다.

김동리의 첫 창작집 「무녀도」

22) 「무녀도」의 줄거리

경주읍에서 조금 떨어진 여민촌 혹은 잡성촌이라 불리는 마을에 모화라는 무당이 그녀의 딸 낭이와 함께 살고 있었다. 모화는 딸 낭이를 수국꽃님의 화신이라고 믿었으며, 만물에 영(靈)이 깃들어 있다고 믿었다. 그래서 그녀는 동물, 나무, 가재도구 등 모든 것을 님이라고 불렀다. 낭이와 씨 다른 형제인 욱이가 모화네로 들어오면서부터 그들의 행과 불행은 동시에 시작된다. 욱이는 신약전서를 가져와서 낭이에게 읽으라고 권하고, 기도를 한다. 그러나 이러한 욱이의 행동이 모화의 눈에는 잡귀의 출현으로 보인다. 욱이는 하나님의 도를 열심히 설명했으나 모화의 눈에는 욱이가 잡귀 들린 사람으로만 보이는 것이다. 굿을 업으로 하는 무당에게 예수교에 입문한 아들의 기도 행위는 사귀(邪鬼)에 들려 신음하는 것일 뿐이다. 모화는 푸닥거리로 욱이의 그 잡귀를 쫓으려 했으나 실패였다. 모화가 굿을 하다가 예기소로 걸어 들어간 지 열흘이 지난 어느 날, 낭이의 아버지가 낭이를 데리고 떠난다. 이들은 곳곳으로 정처 없이 유랑하게 되고 낭이는 무녀의 그림을 그려주게 되었다고 한다.

그는 인간과 신과의 대화가 가능한 모화라는 무녀를 통해 우리 삶의 원리와 원형을 밝혀보고자 했습니다. 「무녀도」의 경우 모화의 토속신앙과 욱이의 기독교 신앙은 갈등과 대결로 치닫고 결국 기독교도가 된 아들 욱이가 죽게 됩니다. 무속(巫俗)이 문명화로 인해 위협

받게 되고 과학적 이성과 근대화의 논리가 무속신앙을 소멸시키는 과정을 그린 김동리의 소설에는 신화적 원형에 대한 탐색과 아울러 스스로 운명의 질곡을 벗어나려는 인간의 열망이 그려져 있습니다. 근대주의자인 김동리가 소설에서 추구하려고 했던 것은 결국 한국인의 정체성을 확인하려는 것이었습니다.

2) 황순원⑲의 등장과 문체미학의 완성

황순원은 처음에는 시를 썼던 작가입니다. 1931년에 《동광》에 「나의 꿈」이라는 시를 발표하며 문단에 나왔습니다. 그의 간결하고 세련된 소설 문체의 특성은 바로 그의 시작 경험에서 온 것입니다. 초기 그의 단편소설은 휴머니즘 추구, 전통적 삶에 대한 탐구, 문체미학의 탐구로 요약할 수 있습니다. 일제강점기 이후 우리의 근대화 과정에 대한 서사화도 찾아볼 수 있습니다. 「소나기」와 「독짓는 늙은이」[23)]등에서 보이는 간결하고 세련된 문장과 서정적 아름다움은 그가 낭만성과 환상성 등을 지향하고 있음을 잘 보여주며, 「기러기」 「황노인」 「그늘」 등에서는 만주로 이주하지 않으면 안 되는 식민지 농촌의 현실이 잘 드러나 있습니다.

「소나기」의 작가 황순원

23) 「독짓는 늙은이」의 줄거리

송영감은 평생 독을 지으며 살아온 늙은이이다. 그런데 늙어 병이 들자 송영감의 아내는 병든 남편과 아들을 버리고 젊은 조수와 달아나 버렸다. 꿈속에서조차 분노를 삭이지 못하는 송영감이지만 아들에 대한 애정을 점점 깊어간다. 송영감은 조수가 만들어놓고 간 독을 가마에 넣을 때 독을 부수고 싶은 마음을 억누르고 당손이와 함께 살아갈 길을 생각하며 독을 다시 굽기로 작정한다. 그런데 송영감은 독을 지으면서도 자꾸 조수와 아내가 떠올라 괴로워한다. 힘은 없고 강박관념은 점점 커져서 쓰러지기가 일쑤이다. 그러던 어느 날 앵두나뭇집 할머니가 당손이를 잘사는 집에 보내자는 말을 한다. 처음에는 수긍을 하지 않았지만 몸이 너무 쇠약해지자 송영감은 죽음의 예감을 하고 당손이를 앵두나뭇집 할머니를 통해 양자로 보낸다. 죽은 체해서 당손이를 단념시키게 하고 당손이를 보내고 나자 적막과 허전함을 물리칠 수가 없다. 그래서 스스로가 독가마를 떼는 장작이 되기로 결심하고 독가마 속으로 들어가서 무릎을 꿇고 앉는다.

3) 여성 작가의 활동

박화성⑳은 동반자 작가이며, 강경애㉑는 만주에서 주로 활동했던 작가입니다. 이들 여성 작가들은 그룹을 형성하거나 특정 경향이 있는 것은 아니지만, 각자 자리에서 치열한 문학 활동을 통해 제 목소리를 냈습니다. 김명순과 나혜석처럼 초기 신여성의 퇴폐적 분위기에서 벗어난 그들은 역사와 삶의 현장에서 치열한 목소리를 냅니다. 특히, 강경애는 수준 높은 리얼리즘 작품으로 치열한 작가 정신을 보여주고 있습니다. 부정적인 모던 걸[24] 유의 작가가 아니라 한 명의 작가로서 당당히 작품을 통해 말하고 있습니다.

강경애의 「원고료 이백원」에서는 여성 소설가가 원고료 이백 원을 받고 그 돈의 사용처를 남편과 의논하다가 결국 그 돈을 고통받는 동지들을 위해 쓰기로 결정하는 과정을 그리고 있습니다. 「인간문제」[25]는 1934년 8월에서 12월까지 〈동아일보〉에 발표된 소설인데, 1930년대 조선의 빈궁한 농촌과 농민, 도시노동자들의 삶을 소작쟁의와 노동운동 등을 통해 그리고 있습니다. 작가가 확실한 계급적 의식을 갖고 성장하는 여성들을 그린 소설이 「인간문제」입니다.

24) 모던 걸
모던 걸의 모던은 영어로 근대(modern)라는 말이다. 일제시대 신식 교육을 받고 신문물을 받아들인 여성을 근대적인 여성 즉, 모던 걸로 불렀다. 남성의 경우는 모던 보이라고 불렀는데 당시 모던 걸, 모던 보이들은 전통적 가치관과 다르게 행동하고 생각하는 경향이 많아서 사회에서 '튀는' 존재들이었다. 그래서 단발의 '모단(毛斷) 걸', 전통적인 행동과 달리 자유분방하게 행동했기 때문에 심지어 '못된 걸'이라고도 했다. 강경애의 「원고료 이백원」에서도 모던 걸은 부정적인 의미로 쓰이고 있다.

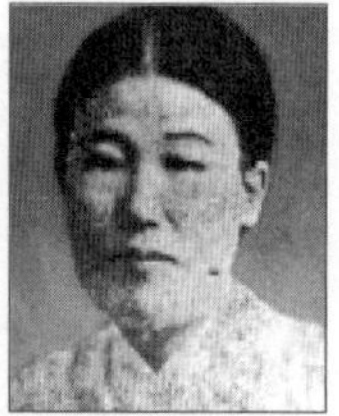

여성 수난사를 여실히 그린 강경애

25) 「인간문제」의 줄거리

'선비'의 아버지는 지주인 정덕호의 빚을 받으러 갔다가 오히려 소작인을 도와줬다는 명목으로 덕호에게 맞아 죽는다. 어머니마저 죽고 난 후, '선비'는 정덕호의 집에서 몸종으로 지내다가 순결까지 잃게 된 후 도망쳐 나와 서울로 간다. 고향 청년 '첫째'는 덕호에게 반항하다가 땅을 뺏기고 고향을 떠났다. 신철은 부모의 정략결혼을 물리치고 가출하여 인천 부두에서 노동자 생활을 한다. 그곳에서 '첫째'를 만나 각성된 노동자로 학습시킨다. 서울에 올라온 '선비'도 노동자로 생활하고 친구 간난이도 인천의 방적공장에 취직하는데 간난이는 노조운동을 하다가 '선비'에게 일을 맡기고 공장을 탈출한다. 간난이가 나간 후 '선비'는 일을 하다가 폐결핵이 악화돼 죽고 만다. '첫째'는 공장의 노동 운동을 돕다가 부두 노동자 파업을 했지만, 지식인인 신철은 전향해버렸고 '선비'가 죽었다는 소식을 들으면서 결국 인간 문제는 노동자 스스로 해결해야 한다고 깨닫는다.

선비도 자기가 넣어주는 그 삐라를 보고 똑똑한 선비가 되었으면…… 하였다. 과거와 같이 온순하고 예쁘기만 한 선비가 되지 말고 한 보 나가서 씩씩하고도 굳센 여자가 되었으면…… 하였다. 그때야말로 자기가 믿을 수 있고 같이 살아갈 수도 있는 선비일 것이라…… 하였다. 그는 이러한 생각을 하며 걸었다. 인간이란 그가 속하여 있는 계급을 명확히 알아야 하며 동시에 인간 사회의 역사적 발전을 위하여 투쟁하는 인간이야말로 참다운 인간이라는 신철의 말을 다시 한번 생각하였다.

―「인간문제」에서

위에서 보듯이 반일을 형상화할 수 없는 상황에서 노동운동을 전면에 내세워 당시의 노동현실을 뚜렷한 계급의식을 통해 그려내고 있습니다. 강경애와 박화성 등에 의해 진일보한 여성 문학은 1920년대 모던 걸 유의 문학과 결별하였고, 소설의 높은 완결성은 계급문학을 한 단계 성숙시키는 계기가 되었습니다.

4) 전향소설의 생산

1930년대 후반 전향한 사회주의자들을 중심으로 전향소설이 생산되었습니다. 1931년 만주사변에 이어 1937년 중일전쟁, 그리고 1941년의 태평양전쟁은 민족의 운명이 개인의 범주를 넘어 세계사적인 범주의 것이 되게 했습니다. 침략자인 일본이 강요한 식민지의 삶을 영위하던 우리 민족에게는 정체성 혼란이 야기되었고 우리 민족 내부에서는 차츰 체념의 분위기가 조성되어 갔습니다. 특히 지식인들의 경우 이러한 새로운 삶을 합리화할 수밖에 없었고, 그 결과로 전향을 선택하게 됩니다. 이러한 전향은 식민지 속국의 물질적·정신적 종속을 확인하는 것이었습니다.

김남천·한설야·이기영 등의 카프 작가와 이효석·유진오 등의 동반자 작가가 그들이었습니다. 전향을 선택하거나 강요당했던 작가들은 스스로 자괴감에 빠져 전향소설을 쓰거나 전향할 수밖에 없는 자신을 변명하는 소설들을 썼습니다. 그래서 전향문학이라는 개념까지

나오게 된 것입니다.

전향소설의 대표 작가 김남천

박영희는 "감옥에서 나온 사상 청년"들이 "먼저 먹고살아야 할 실제적 생활 때문에 아주 세속적인 인간으로 되며, 이러한 과도기적 인간형을 그린 소설이 바로 전향소설"이라고 말합니다. 그 대표적인 소설가가 바로 김남천[22]입니다. 그의 작품 「경영」과 「맥」에는 진보운동가였다가 전향의 길로 들어선 오시형이라는 인물이 등장합니다. 그의 전향은 단순히 살기 위해 강요받은 전향이 아니라, 전쟁을 해서라도 동아시아 공동체를 만들어 훗날 함께 번영하자는 '대동아공영'이라는 논리에 설득을 당한 인물의 '동화'이기 때문에 문제적입니다. 또 다른 인물의 경우는 허무주의자 이관형입니다. 이관형은 부르주아 집안 출신으로 일제의 통제 경제 하에서 부르주아 집안의 물적 토대를 잃어 가는 상황에 처해 있고, 그 자신도 학벌과 파벌로 대학강사 자리에서 쫓겨난 처지입니다. 이 인물은 자신의 허무주의로 인해 더 이상 싸울 어떤 명분도 갖지 못하고 무기력하게 방황합니다. 이 두 사람을 이해하고자 노력하는 사람이 최무경인데 결국 이들 두 사람은 최무경이 자기 삶의 주체로서 노력하고 방향을 찾아가는 과정을 보여주고 있습니다. 지식인들이 굴종할 수밖에 없는 상황에 대한 체념의 논리가 내화되어 가는 과정이 전향소설에서 공통적으로 그려지는 모습입니다.

5) 역사소설의 양산

이광수의 「원효대사」

1930년대는 토지조사사업이 완수되면서 식민지 체제가 확립된 시기로 문단에서는 역사소설이 쏟아졌습니다.[26] 따라서 식민지 현실에 대한 저항과 비판의식이 중심이던 산문의 저항정신이 약화되었습니다. 또한 육전소설 등의 대중화로 인해 역사장편소설의 수요층도 형성되었기 때문에 장편역사소설의 생산이 활발해졌습니다. 1930년대의 장편소설의 제재는 대부분 조선조나 고려 혹은 신라시대까지 거슬러 올라갑니다. 눈앞의 현실에 대한 언급과 비판이 제약될 수밖에 없는 식민지 현실에서 먼 과거에서 그 배경을 찾아 과거를 빌어 현재를 나타내고자 했습니다. 그러나 이들 대부분의 역사소설은 역사적 사실의 왜곡이라든가, 과거와 현재에 대한 차이를 고려하지 않은 상태에서 작품화되었기 때문에 그 의의를 평가하는 데 있어서는 부정적인 견해가 많습니다.

「임꺽정」의 작가 홍명희

26) 1930년대에 발표된 역사소설

이광수의 「마의태자」(1927), 「단종애사」(1929), 「이순신」(1932), 「이차돈의 사」(1936), 「세종대왕」(1940), 「원효대사」(1942), 박종화의 「금삼의 피」(1936), 「대춘부」(1938), 「다정불심」(1941), 김동인의 「젊은 그들」(1931), 「운현궁의 봄」(1934), 「연산군」(1937), 「견훤」(1939), 「대수양」(1941), 「백마강」(1942), 윤백남의 「대도전」(1931), 「봉화」(1934), 「흑두건」(1935), 「백련유전기」(1936), 현진건의 「무영탑」(1939), 「흑치상지」(1940), 「선화공주」(1941), 이태준의 「황진이」(1936), 「왕자호동」(1943), 홍명희의 「임꺽정」(1928~1940), 홍효민의 「인조반정」(1936), 김기진의 「심야의 태양」(1934), 「청년 김옥균」(1936) 등의 작품이 1920~30년대에 발표되었다.

그러나 그 가운데 가장 주목받은 작품이 바로 홍명희의 「임꺽정」[27] 이었습니다. 홍명희는 신간회의 일원으로 사회운동을 주도하다가 일제의 탄압으로 활동하는 것이 힘들게 되자 대하소설 「임꺽정」의 연재에 몰두하게 됩니다. 「임꺽정」은 〈조선일보〉와 《조광》에 13년간(1928~1940) 연재되었으며, 투옥이나 신병으로 연재를 중단하기도 하다가 1940년에 연재를 마치게 됩니다. 원고지 1만 3,000매 이상의 대하장편소설로, 마무리는 되지 못했습니다.

1935년에 창간된 월간 종합잡지 《조광》

「임꺽정」의 인기는 1938년 12월 8일자 〈조선일보〉를 보면 알 수 있습니다. "그런데 이 작품이 그동안 여러 번 휴재(休載)도 되고 연재도 되는 동안 휴재가 되면 독자의 야단이 추상과 같았고 연재가 되면 독자의 환영이 홍수와 같았던 것으로 보아서도 이 작품이 과연 얼마나 우리 독자의 가슴 깊은 곳에 뿌리 박혔던가를 짐작할 수 있으므로, 다행히 작가의 건강이 회복된 기회를 얻어 본사에서는 독자 여러분의 기대에 받드느라고 이 역사적 대작을 연재하기로 하였다."고 밝

김주영의 『객주』

히고 있을 정도이니까요. 이 글에서는 「임꺽정」에 대한 반응을 잘 알 수 있는데, 이렇게 인기가 많았던 이유가 있습니다. 「임꺽정」은 역사 소설이지만 우리 전통 소설의 이야기 맛을 살리고 있습니다. 18세기와 19세기 야담의 전통을 이어받은 이야기식 문체와 우리말의 보고라고 말할 정도의 방대하고 생생한 어휘 등이 문학사적으로도 높게 평가됩니다. 토속어의 구사와 일반 민중의 말투, 치밀하고 세련된 묘사 등이 민중적 정서와 어우러져 낙천적이고 활발한 작품이 되게 했던 것입니다. 「임꺽정」은 봉단편·피장편·양반편·의형제편·화적편 등 5편으로 구성되어 있고, 꺽정의 출생과 성장, 도적이 되는 과정, 의형제를 맺고 관군과 싸워 승리하는 것 등을 그리고 있습니다. 당대 역사소설이 대부분 장군이나 귀족을 주인공으로 삼았다면 이 작품은 하층민을 주인공으로 해서 민중적 관점에서 이야기를 끌어나가고 있습니다. 화적패가 등장할 수밖에 없는 당시의 혼란상과 당대의 계층을 망라한 풍속에 대한 치밀한 구성이 역사소설의 새로운 장을 열게 했습니다. 「임꺽정」이 원형이 되어 1970년대 역사소설인 김주영의 「객주」나 황석영의 「장길산」 등으로 민중적 역사소설의 맥이 이어집니다.

황석영의 『장길산』

〈조선일보〉와 《조광》에 13년간 (1928~1940) 연재되었던 『임꺽정』

27) 「임꺽정」의 줄거리

임꺽정은 백정의 아들로 태어났다. 꺽정은 열 살 때 결혼한 누이를 따라 서울로 오자 갖바치인 자형에게 글을 배운다. 꺽정이는 글공부에 흥미를 못 느끼고 검술을 익힌다. 이 때 박유복과 이봉학은 임꺽정과 의형제가 된다. 기묘사화 이후 혼란스런 정국에 임꺽정은 전국을 유랑한다. 곳곳에서 백성들의 힘겨운 삶을 접하고 백두산에서는 황천왕동이 남매를 만나서 황천왕동이의 누이 운총과 결혼하여 고향인 양주로 돌아와 아들 백손을 낳는다. 그러나 임꺽정이 서른 다섯 살이 되었을 때 도적들과 합세해서 도적이 된다. 38세 때는 여섯 명의 산적 두령과 의형제를 맺는다. 이들은 황해도 청석골을 차지해서 도적질을 하고 평산에서 관군과 싸워서 이긴다. 한양 나들이에서는 여러 첩을 맞아 방탕한 생활을 하다가 청석골로 돌아왔을 때, 부하와 부인이 관군에게 잡히게 된다. 부하와 부인을 구출한 꺽정은 소굴을 여러 곳으로 분산시킨다. 그 해 평산 싸움에서 관군에게 임꺽정이 승리한다.

Ⅲ. 해방 직후의 소설

1. 해방 후의 시대적 배경

1945년 8·15광복은 그동안 짓눌려온 일제의 억압으로부터 벗어나는 감격과 환희의 대사건이었습니다. 해방이 되자 친일 잔재를 청산하고 토지개혁을 비롯한 여러 가지 사회 변혁을 통해 근대적인 민주국가를 수립해야 한다는 요구가 각계각층에서 분출되었습니다. 해방부터 1948년 8월 15일 남한만의 단독정부가 수립되기 전까지 미군정 지배하의 3년 동안은 그래서 정치적으로 매우 혼란스러웠지만 다른 한편으로는 보다 나은 사회를 건설하기 위한 논의와 모색으로 전례 없이 활기찬 시기였습니다. 이처럼 대변화에 휩쓸린 우리 사회의 현실은 소설에도 그대로 반영되어 있습니다.

그러나 해방은 불행하게도 우리가 자주적으로 쟁취한 것이 아니라 서구 열강에 의해 일제가 패망함으로써 주어진 것이었습니다. 따라서 해방 이후 우리의 정치적 상황은 미국과 소련으로 대표되는 서구 열강의 세력 갈등 속으로 빠져들게 됩니다. 그리고 바로 이 점이 해방과 동시에 우리의 국토가 남북으로 분단되고 이후 좌 · 우의 이념 대립을 비롯한 우리 사회의 혼란과 격동을 불러일으킨 원인이 됩니다.

8 · 15광복의 감격

이러한 시대 상황 속에서 민족과 국가를 재건하기 위한 올바른 민족의식은 무엇인가 하는 문제는 격렬한 논쟁의 대상이 되었습니다. 그와 아울러 새로운 민족국가 건설의 정신적인 기반이 되는 민족문학을 올바로 정립하는 문제 역시 쉽게 해결될 수 없었습니다. 따라서 일제강점기 문학의 올바른 잔재 청산과 새로운 민족문학 건설의 기치를 내건 해방 직후의 문단은 좌·우의 문학적 이념 대립을 비롯해 수많은 갈등을 표출하게 됩니다.

해방 직후 「민족의 죄인」을 쓴 채만식

2. 과거사에 대한 반성과 자기 비판

해방후에 제기된 가장 큰 민족적 과제는 친일 잔재 청산이었고, 친일 행위자에 대한 법적 처벌 문제는 중요한 정치적 현안으로 대두되었습니다. 그에 따라 이 시기 문학에서도 자기 비판의 문제가 뜨거운 쟁점으로 표출되었습니다. 채만식의 「민족의 죄인」[27]은 이러한 경향을 대표적으로 보여주는 작품입니다. 여기서 우리는 친일의 죄의식으로 고뇌하는 지식인의 내면을 엿보게 됩니다. 그러나 작가는 작품의 결론에 가서 "민족 모두가 죄인이므로 죄인은 아무도 없다"라는 식의 일종의 '민족적 자기 비판론'으로 흐르고 맙니다. 이처럼 작가는 진정한 자기 비판에 불충분한 태도로 인해 이후 허무주의에 빠지게 됩니다.

채만식 문인비

27) 「민족의 죄인」의 줄거리

이 소설은 '나'와 김, 그리고 윤이라는 세 인물의 일제강점기를 살아온 역정을 소재로 하고 있다. 작가인 '나'는 일제에 부역하기를 거부해 붓을 꺾고 낙향한다. 그러나 일제는 시골에까지 좇아와서 협력할 것을 요구하자 어쩔 수 없이 문인보국회에 나가게 된다. 한편 김은 생계 때문에 다니던 신문사를 그만두지 못하고 친일적인 신문 제작에 협력한다. 이들과 달리 윤은 신문사를 사직하고 낙향하여 일체의 문필활동을 중지하고 은둔생활을 한다. 해방이 되자 세 사람은 다시 만나게 되고 '나'와 김은 윤으로부터 당연히 신랄한 비판을 받게 된다. 이들은 구차하게 산 자신들의 삶의 방식에 대해서 심한 혐오감을 갖는다.

이태준의 「해방전후」의 주인공 현은 소설가로서 민족적 양심으로 붓을 꺾고 이름도 고치지 않은 데다가 일제에 아무런 협력도 하지 않기 때문에 일본 경찰로부터 정신적인 고통을 겪게 됩니다. 그러던 중 해방이 되자 좌·우익 양쪽 친구들의 가입 권유를 받고 고민을 합니다. 그는 해방이 민족의 분열을 자초하는 것이어선 안 된다고 생각해 왔지만 끝내는 양자택일의 선택 앞에서 좌파의 이념에 동조하게 됩니다. 한편 일제말 현의 낙향 시절에 서로 뜻을 같이 했던 향교의 늙은 유생 윤직원은 해방 후 서울로 현을 찾아와 그의 처신을 질타합니다. 작가는 이 대목에서 사상적 차원에서의 민족 분단의 아픔을 잘 보여주고 있습니다. 이 작품에서 작가는 과거의 낡은 가치관을 버리고 보다 진취적인 자세로 새로운 역사 건설에 적극 나서야 한다는 등의 자기 비판을 하고 있습니다.

3. 해방후의 현실을 묘사한 소설

채만식의 『탁류』

해방후의 혼란은 농민들의 삶에서 가장 심각하게 드러났는데, 이는 두말할 나위 없이 당시 국민 다수가 농업에 종사하고 있었기 때문입니다. 채만식의 「논 이야기」의 주인공인 빈농 한 생원은 빚을 지고 일본인 요시카와에게 그의 논 일곱 마지기를 팔아버립니다. 그의 판단으로는 일본인들이 언젠가 다 물러나면 그 땅은 다시 자기 소유가 되리라는 생각이었습니다. 그러나 일본이 패망하자 약삭빠른 이들이 혼란의 틈을 타 일본인들의 재산을 몰래 가로채는 바람에 그의 땅은 다른 사람의 소유가 되고 맙니다. 이렇게 되자 그에게는 "나라를 도로 찾았다는 것은 구한국 시절로 돌아가는 것으로밖에는 달리 생각할 수가 없는" 비참한 처지에 놓입니다. 작가는 여기서 8·15광복 후 달라진 것이라곤 하나도 없이 여전히 궁핍한 농촌의 현실을 잘 드러내고 있습니다.

최정희의 「풍류 잡히는 마을」에서 작가는 대지주 서흥수네와 마을의 가난한 소작인들의 삶을 대조적으로 드러내면서 당시의 국가 권력이 결국은 자본과 결탁되어 가난한 이들의 처지는 아랑곳하지 않고 부자만의 권리를 보호해주는 데 불과한 존재임을 그려내고 있습니다.

만년의 최정희

안회남의 「농민의 비애」 역시 정치성이 짙게 깔려 있는 소설입니다. 이 소설은 산골에 외따로 살고 있는 서대응이라는 노인의 이야기입니다. 이 작품은 농민들의 삶이 해방 후 토지개혁이 수포로 돌아감으로써 일제하에서 보다 더 피폐해졌음을 잘 보여주고 있습니다.

해방 직후에 설립된 좌익계열의 '조선문학가동맹'은 일제 강점기 카프 문학의 계보를 잇는 단체입니다. 여기 속했던 김영석의 「폭풍」은 악덕 기업주에 대한 노동자의 생존권 투쟁을 그리고 있습니다. 작가는 이 작품을 통해 과거 일본인 자본가나 해방된 조국의 자본가나 그 근본 속성이 별 차이가 없음을 보여주고 있습니다.

이런 작품 외에도 김영수의 「혈맥」과 염상섭의 「삼팔선」, 채만식의 「맹순사」 등의 작품은 해방후의 현실을 리얼하게 형상화하고 있습니다.

4. 순수문학을 지향하는 소설

이 시기에 격화된 좌 · 우 이데올로기 대립 속에서 조선문학가동맹에 소속된 작가들의 이념 편향 소설에 맞서서 김동리와 황순원은 순수문학을 지향하는 소설을 썼습니다.

김동리의 「역마」는 지리산 밑 경남 하동과 전라도의 구례길이 만나는 화개장터를 배경으로, 사주에 역마살을 타고난 사람들이 각자 숙명적인 길을 가면서 펼치는 낭만적인 인생 유전을 그리고 있습니다. 이 소설은 화개장터에 들른 남사당패의 육자배기 가락에 반하여 하룻밤의 풋사랑으로 아비 없는 딸을 기르는 할머니와, 그 딸이 자라나서 지나가는 중과 역시 짧은 인연 끝에 낳은 아비 없는 아들을 기르며 주막을 차려 살아가는 옥화, 그리고 그 아들이 자라서 역마살을 풀기 위해 절에 들어가 수도를 하며 화개장터에서 책을 파는 성기가 주요 인물입니다. 이외에도 젊어서는 사당패로 떠돌고 늙어서는 체장수로 떠돌며 36년 만에 화개장터를 다시 찾은 체장수 영감, 그리고 체장수 아비에 의해 옥화네 주막에 맡겨진 열여섯 소녀 계연이가 나옵니다. 옥화는 역마살 탓에 언제 어디로 떠돌지 모르는 성기를 집에 붙잡아놓기 위해 성기와 계연 사이에 연정이 싹트도록 애쓰지만 이들이 사랑에 눈뜰 무렵 옥화는 계연의 귓바퀴에 난 사마귀가 자기와 똑같은 것을 보고 체장수는 자기 아버지이며 계연은 자신의 배다른 동생이라는 사실을 깨닫게 됩니다. 옥화는 이 기구한 운명을 자연스럽게 받아들이며 끝까지 숨깁니다. 그리고 성기는 체장수 부녀가 고향으로 떠난 뒤에야 자신과 계연이 맺어질 수 없는 사이였음을 깨닫게 됩니다. 그리고 그는 마침내 엿장수가 되어 옥화가 맞춰준 엿목판을 메고 "육자배기 가락으로 제법 콧노래까지 흥얼거리며" 정처 없는 발길을 내딛고 맙니다. 이 작품은 자연 묘사가 뛰어나고 성기와 계연의 애틋한 이별에 가슴이 아리며, 또 정한에 사무친 한국적 낭만과 풍류가 탁월하게 그려져 있습니다. 그래서 김동리의 「역마」는 전통적인 민족정서가 깊이 배어 있는 한국 소설문학의 백미라는 평가를 받고 있습니다.

순수문학 진영의 리더 김동리

김동리의 『역마』

이 시기의 황순원의 「목넘이마을의 개」 역시 개를 통하여 인간의 어리석음을 뒤돌아보게 하고 인간의 본성이 무엇인가를 일깨우는 작품입니다.

Ⅳ. 전후소설의 양상

1. 1950년대의 시대 상황

친일파 기득권 세력을 기반으로 한 이승만의 반공·친미 정권의 등장은 수많은 문인을 월북의 대열에 서게 하여 문단이 완전히 남과 북으로 분할됩니다. 종교인·지주·반공주의자·친일파를 중심으로 한 문인들이 또한 적지 않게 월남합니다. 이것보다 더욱 큰 비극은 6·25전쟁의 발발입니다. 1950년에 일어나 3년 동안 지속된 6·25전쟁은 해방공간에서 보여주었던 좌·우의 이념 대립을 다시금 확인하는 사건인 동시에 동족상잔의 비극으로 전개되어 우리 민족에게 엄청난 충격을 가져다주었습니다. 6·25전쟁의 비극은 지금까지도 우리의 정치와 경제, 문화와 심리·정서면에서 엄청난 영향을 미치고 있습니다.

6·25전쟁은 이 땅의 문학에도 커다란 영향을 미쳤습니다. 수많은 문학작품 속에 전쟁은 원죄의식과도 같은 깊은 상처로 각인되어 있습니다. 1950년대 문학의 특징은 해방 직후의 정치적 활기와 새로운 나라에 전망이 6·25전쟁과 그 이후 공고화된 냉전체제로

6·25전쟁이 일어나 피난 길에 나선 사람들

28) 모더니즘
서구에서 모더니즘은 계몽주의가 완성된 18세기 말엽 낭만주의에 의해 처음 시작되어 20세기에 들어와 만개한 반(反)계몽주의 전통을 배경으로 하고 있다. 서구에서 모더니즘이 번성하게 된 계기는 무엇보다도 제1차 세계대전이다. 인류 최초의 세계대전을 목격한 모더니스트들은 계몽과 해방의 주체로서의 인간과 그의 독자적이고도 성숙한 사유에 의한 질서 창조 및 역사 진보라는 계몽주의 거대서사를 불신하면서 현대 부르주아 시민사회의 권위와 질서를 공격하였다.

인해 완전히 소진된 양상을 보입니다. 즉 동족상잔의 전쟁, 국토의 폐허화, 분단 고착화에 따른 천만 이산가족의 등장 등은 인간성의 상실, 인간에 대한 불신감과 패배주의, 허무주의를 그대로 소설 속에 담게 합니다. 그리고 전후에는 동서 냉전체제가 고착됨으로써 반공이 국시가 되다시피 하여 충실한 현실 비판 대신에 서구 모더니즘[28] 기법에 대한 무비판적인 수용을 보이게 됩니다.

2. 서구 실존주의의 영향

전후소설의 가장 큰 특징은 서구 실존주의[29]의 영향입니다. 장용학과 손창섭 등은 전후 우리 사회가 처한 상황을 서구 실존주의자들이 흔히 '부조리'라고 일컫는 위기의 상황으로 인식, 부조리 속에서 인간의 처절한 실존적 고통과 갈등을 표현하고자 했습니다.

29) 실존주의

서구에서 근대적 발전을 성장시켜온 힘인 과학적 합리주의와 시민 민주주의가 프랑스대혁명을 정점으로 해서 점차 그 건강성을 상실하고 그 동력마저 소진되었다고 하는 생각은 19세기 제국주의 식민지 약탈전쟁을 거치면서 분명해졌다. 게다가 20세기 들어 두 차례에 걸친 세계대전을 경험하면서 근대 사회의 모든 가치기준은 붕괴되었다. 인간 삶의 절대적 가치판단 기준이었던 신과 이성이 부정된 다음 남겨진 인간 삶의 실상은 모든 가치의 기반이 상실된 허무의 모습을 드러내게 된다. 이러한 '세계상실'의 허무주의를 통해 인식된 인간의 삶이란 근대정신의 특성으로 간주되었던 과학적 합리주의 사고에 대한 전면적 부정과 더불어 그동안 인간 정신을 지배해왔던 신과의 시원적인 연결고리까지 끊어버린 현대인의 문제적 상황에 다름 아니다. 서구 실존주의는 바로 이러한 역사적, 정신적 위기에서 생겨났다.

전후소설의 대표 작가 장용학

장용학은 「요한시집」에서 6·25전쟁이라는 부조리한 재앙으로 드러난 현대의 비극과 그것이 배태한 이데올로기 대립을 실존적 한계상황으로 포착했습니다. 작가는 거제도 포로수용소를 세기말적인 비극의 축소판이면서 동시에 또 다른 전쟁터로 묘사했습니다. 이 작품의 주인공인 인민군 출신의 지식인 누혜는 수용소 내에서 자행되는 이데올로기에 의한 살육사건을 접하면서 전쟁과 이데올로기에 대한 회의와 허무의식을 드러냅니다. 이 주인공이 현실에 대한 배신과 단절 속에서 자살하는 결말은 인간의 실존에 대한 고민과 자유에의 강한 욕구를 보여줍니다. 작가는 이러한 주인공을 통하여 근본적인 생의 가치조차 남김없이 붕괴시키는 부조리한 현실의 억압 구조를 비판하고 있습니다. 이후 작가는 이러한 문제의식의 연장선에서 「원형의 전설」(1962)[30]을 내놓았습니다.

30) 「원형의 전설」의 줄거리

이 소설의 주인공 이장은 오빠인 오택부가 누이동생 오기미를 강간해서 태어난, 즉 근친상간으로 출생한 사생아이다. 그는 한국전쟁의 와중에 죽어가는 양부에게서 자신이 이북의 방골이란 마을에서 태어난 사생아라는 사실을 알아내고, 남과 북을 넘나들게 된 이념적 편력 과정 속에서 자신의 출생의 내력을 알아낸다. 그는 남파되어 이남에서 운명적으로 아버지이자 삼촌인 오택부의 딸, 즉 이장에게는 배다른 누이동생이 되는 지야를 만나 서로의 혈연관계를 모른 채 사랑하게 되지만 결국 그 사실을 알게 된다. 이장은 자신의 지야와의 부조리한 사랑을 운명적으로 받아들이면서 '근친상간'을 통해 오택부로 상징되는 타락한 현대세계의 은폐된 죄의 역사를 폭로하는 역설적인 복수를 실행하게 된다. 이장은 결국 오택부를 죽이고 자신도 벼락을 맞아 지야와 함께 죽는다. 결국 이장은 벼락 치는 날 사생아로 태어났다가 벼락으로 죽은 '원형의 전설'의 인물이 된다.

「비오는 날」의 작가 손창섭

손창섭은 6·25전쟁 후의 정신적 폐허 속에서 인간적 존엄성보다는 인간에 대한 모멸과 혐오만이 가득한 당시 상황을 작품 속에서 잘 형상화한 작가입니다. 그의 소설 속 대부분의 인물은 전쟁으로 인한 정신적, 육체적 상처에서 벗어나지 못하고 정상적인 사회생활을 해나가지 못하는 부유하는 인물들입니다. 작가는 이들을 통하여 전쟁의 정신적 상처를 보여주고 있습니다.

「비오는 날」의 주인공들 역시 이러한 점을 잘 드러내고 있습니다. 이 소설의 주인공 동옥은 절름발이일 뿐만 아니라 인간혐오증 환자이며, 그의 오빠 동욱은 동생을 학대하는 정신적인 불구자입니다. 이들은 빈민굴의 음습한 환경 속에서 지극히 비정상적인 생활을 하고 있습니다. 손창섭 소설의 이러한 등장인물은 세계 상실의 비극과 존재론적 불구의식을 드러내기 위한 것입니다. 작가가 보기에 전쟁의 광기와 폭력은 이성적 가치의 기반을 완전히 허물고 허무에 가까운 폐허만을 낳았습니다. 그러므로 그의 소설은 이성적 측면이 아닌 무의미의 측면에서 가치를 부여하고자 했던 것입니다. 작가는 이후 이러한 맥락에서 「혈서」와 「미해결의 장」, 「잉여인간」 등의 작품을 선보였습니다.

3. 이데올로기 대립에 대한 비판

이 시기 소설의 또 하나의 특징은 이데올로기에 대한 환멸입니다. 해방 직후부터 시작되어 결국 동족상잔의 비극을 불러온 좌·우 이데올로기 대립에 대한 비판을 빼놓을 수 없습니다. 이 경향을 대표하는 황순원의 「학」은 남북의 이념 대립과 전쟁의 참화 속에서도 빛나는 인간성의 존재를 알리는 작품입니다. 이 작품은 38선 접경의 어느 마을을 배경으로 하여 치안대원 성삼이와 농민동맹 부위원장으로서 부역 혐의를 받고 있는 그의 죽마고우 덕재와의 우정을 통해 이데올로기로 인한 현실적 증오를 극복하는 모습을 보여주고 있습니다. 성삼이는 자청하여 덕재를 호송하는 도중에 어릴 때의 추억을 떠올리면서 심리적 갈등을 겪게 되고 결국 학 사냥을 빌미로 덕재를 풀어줍니다. 작가는 이 작품을 통해 우정을 이데올로기보다 우위의 가치로 인식하며 이념적 갈등을 해소하고 있습니다.

월남한 작가 황순원은 이데올로기에 대한 환멸을 표현하였다.

작가는 이후 「카인의 후예」[31]와 「인간접목」, 「나무들 비탈에 서다」 등에서 맹목적인 이데올로기가 인간 삶을 황폐화하는 과정을 통해 전쟁의 참상과 상처의 극복을 위한 휴머니즘을 제시했습니다.

31) 「카인의 후예」의 줄거리

박훈은 대지주의 아들로 부모를 잃고 고향으로 내려와 야학당을 운영한다. 혼자 된 박훈의 시중을 드는 오작녀는 그의 토지를 관리해 온 마름 도섭영감의 딸로 이미 결혼을 하였으나 남편의 가출로 박훈의 집에 머무른다. 해방 이후 북한 정권이 들어서면서 토지개혁과 지주 숙청이 일어나는 사회 분위기 속에서 박훈도 인민재판에 끌려가게 되나 무산계급인 오작녀의 도움으로 숙청에서 벗어나게 된다. 그러나 딸의 소행으로 박훈의 땅을 갖지 못한 도섭영감은 박훈의 할아버지 송덕비를 도끼로 때려부순다. 어려서부터 서로 간에 호감을 가지고 있던 둘은 사랑하는 감정을 갖게 된다. 박훈은 도섭영감이 주도한 농민대회에서 숙청당한 삼촌 박용제가 탄광에서 탈출해 자살을 하자, 사촌동생 혁과 월남을 결심하고 도섭영감을 산으로 유인해 칼로 찌르고 오작녀와 마을을 떠난다.

이범선의 「학마을 사람들」 역시 우리의 불행한 근대사인 일제의 식민지배와 6·25전쟁의 와중에서도 꿋꿋하게 살아가는 '학마을' 사람들을 통해 이데올로기 대립의 무의미함을 드러내고 있습니다. 그리고 이범선의 대표작 「오발탄」은 한 월남민 가족의 비참한 처지를 통해 전쟁이 가져온 정신적 황폐와 물질적 궁핍을 날카롭게 드러내고 있습니다. 이 작품에는 전쟁으로 인한 고통으로 양공주가 되어버린 누이, 학업을 중단하고 입대했다가 상이군인이 되어 돌아온 동생, 굶주린 처자식 모두를 책임져야 하는 주인공이 등장하여 전쟁 직후 우리 사회의 비참한 실상을 보여주고 있습니다. 그뿐 아니라 전후 실향민의 상처는 주인공 어머니의 정신이상으로 나타납니다. 이들은 모두 분단과 전쟁의 폭력성과 전후 현실의 황폐함에 의해 현실의 존재 밖으로 밀려난 존재로서, '조물주의 오발탄' 입니다. 이처럼 작가는 전후 현실의 비극성을 증언하고 황폐화된 삶을 드러내면서도 이러한 고통을 극복할 휴머니즘의 조건을 모색하고 있습니다.

「오발탄」의 작가 이범선

4. 불행한 근대사에 대한 고찰

역사적 격동기 속의
인간을 그린 선우휘

이 시기 소설의 또 하나의 특징은 구한말 개화기 이후 일제 식민화와 뒤이은 해방, 그리고 분단과 이데올로기 대립에 의한 6·25전쟁에 이르는 우리의 불행한 근 · 현대사에 대한 심층적 조명이 이루어지고 있음을 들 수 있습니다. 그 가운데 선우휘의 「불꽃」[32]은 주인공 의식의 내면을 치밀하게 묘사함으로써 단편소설의 형식으로 3·1운동부터 6·25전쟁에 이르는 30여년의 민족적 수난과 역사적 격동을 인상적으로 형상화하고 있습니다. 이후 그는 테러리즘과 비인간화의 현실을 다룬 「깃발 없는 기수」를 발표했습니다.

32) 「불꽃」의 줄거리

1919년 3월 서울에서 북으로 백여 리 떨어진 P교회에서 교인들이 만세운동에 나선다. 그중 주동자였던 키 큰 청년은 총을 맞고 부엉산 산마루의 동굴로 숨지만 결국 과도한 출혈로 죽는다. 싸전가게 주인 고영감은 죽은 아들을 묻고 그의 며느리는 아홉 달 후 현을 낳는다. 현은 자라서 일본으로 유학을 가지만 젊은 학생들을 전쟁터로 끌고 가는 일제에 회의를 느끼게 된다. 그러다 그 역시 전쟁터로 나가게 되고 무고한 사람을 죽여야 하는 죄의식을 못 이겨 탈영한다. 해방이 되자 그는 고향마을로 돌아온다. 그후 6·25 전쟁이 일어나자 현은 무관심한 태도를 보인다. 그때 월북한 친구 연호가 현을 찾아와서 자신의 신념과 가치관을 피력한다. 연호는 어느 쪽에도 무관심한 현의 태도에 증오를 느끼고 인민재판에 불러낸다. 재판 광경에 분노를 느낀 현은 총을 난사하고 도망친다. 현은 감추어둔 소련제 소총을 찾기 위해 부엉산 산마루에 있는 동굴을 찾아간다. 연호는 고영감을 앞장세워 현을 잡으러 간다. 현을 살리려고 한 고영감은 동굴을 향해 고함을 지르다가 연호의 총을 맞고 쓰러진다. 동시에 불을 뿜은 총에 연호가 쓰러진 것을 보고 현 역시 바위에 쓰러진다. 현은 죽어가면서 예기치 못한 새로운 힘이 움터옴을 느끼고 부서지는 껍질과 함께 무수한 불꽃이 튀는 상쾌함을 느낀다. 새로운 생명이 날개를 치면서 퍼덕이기 시작한다.

굴절된 근대사를 비판적으로 그린 전광용

이처럼 우리의 왜곡되고 굴절된 근대사를 비판적으로 그리고 있는 작가의 작품으로 전광용의 「꺼삐딴 리」[33]를 들 수 있습니다. 전광용은 이 소설에서 일생을 기회주의로 살아온 이인국 박사의 패배적인 인생 역정을 풍자적으로 묘사함으로써 일제 강점기와 해방, 6·25 전쟁과 분단으로 이어진 우리의 비극적이고 불행한 현대사를 조명하고 이념적 혼란과 정신적 황폐함을 보여주었습니다.

33) 「꺼삐딴 리」의 줄거리

이인국 박사는 미국에 유학간 딸 나미가 현지인과 결혼하겠다는 뜻을 보내온 편지를 떠올리며 우려했던 일이 벌어지고 말았음을 탄식한다. 그는 미국 대사관의 브라운을 만나기 위해 집을 나서면서 해방을 전후한 시기의 그가 살아온 삶의 행적을 떠올린다. 이북인 그의 고향에는 해방이 되자 소련군이 진주해 들어오고, 완전한 황국 신민으로 동화되어 철저히 일본인으로 살아온 그는 친일파로 몰려 감금된다. 감방 안에 이질이 만연하자 그는 형무소장의 명령에 의해 응급처치실에서 일하게 된다. 그러다 그는 스텐코프라는 소련인 군의관의 왼쪽 뺨에 붙은 혹을 제거하는 수술을 자청해서 성공적으로 끝내고 스텐코프의 환심을 사게 된다. 그는 자신의 지위와 명예를 보전하기 위해 스텐코프를 통해 하나뿐인 아들 원식이를 모스크바로 유학 보낸다. 그리고 바로 그 다음해에 6·25전쟁이 터지고 전쟁 중에 그는 월남한다. 그 후 그는 이북에서의 친소 행적을 감추고 다시 영어를 배우면서 친미 행각을 벌인다. 그는 브라운으로부터 미국에 있는 자신의 딸을 만나러 가기 위한 모든 준비가 되어 있다는 소식을 듣고 뿌듯해한다. 그는 브라운의 관사를 나오면서 일제 강점기와 소련군 점령하의 북한에서, 또한 월남하여 오늘에 이르기까지 성공가도를 달린 자신의 과거를 생각하며, 미국에 가서도 반드시 그러하리라고 확신한다. 택시를 타고 느긋하게 달리는 그의 눈에 들어오는 가을 하늘이 더욱 높고 푸르게 느껴진다.

하근찬은 우리의 전통적 서정이 짙게 배어 있는 농촌을 배경으로 농민이 겪는 민족적 수난을 사실적으로 묘사한 작가입니다. 등단작 「수난 이대」[34]는 2대에 걸친 민족 수난, 즉 일제강점기 징용에 끌려가 한 팔을 잃은 아버지와 6·25로 인해 다리를 잃은 그의 아들을 통해 우리의 불행한 근대사와 전쟁이 남긴 아픔과 상처를 심도 있게 보여주었습니다.

34) 「수난이대」의 줄거리

박만도는 전쟁터에 나간 삼대 독자인 아들 진수가 돌아온다는 통지를 받고 마음이 들떠 마중을 나간다. 그는 일제 때 강제 징용에 끌려가 사고로 한쪽 팔을 잃은 뒤 늘 주머니에 한쪽 소맷자락을 꽂고 다닌다. 이후 아들이 탄 기차가 도착하고 다리를 하나 잃은 채 목발을 짚고 서 있는 아들을 보고 만도는 눈앞이 아찔해진다. 만도는 분노를 씹으며 뒤도 안 돌아보고 걸어가다가 주막으로 들어간다. 술기운이 돈 만도는 진수에게 다리를 잃은 경위를 묻고 수류탄이 터져 다친 것을 알게 된다. 불구로 살아온 만도는 동병상련을 느끼며 자신의 처지를 한탄하는 아들을 위로한다. 외나무다리에 이르러 만도는 머뭇거리는 진수에게 등에 업히라고 한다. 진수는 지팡이와 고등어를 각각 한 손에 들고 아버지의 등에 슬그머니 업힌다. 만도는 용케 몸을 가누며 조심조심 걸어간다. 눈앞에 우뚝 솟은 용머리재가 이 광경을 가만히 내려다보고 있다.

「수난이대」의 작가 하근찬

5. 전후 현실에 대한 여러 대응 양상

전쟁은 수많은 부상자와 전쟁고아, 미망인을 만들어냅니다. 그리고 우리나라의 경우 전후 복구 기간에 민중은 기아선상에서 생존을 위해 발버둥쳤는데, 바로 전후 현실에 대한 여러 대응 양상도 작가들이 관심 깊게 묘파한 영역입니다.

송병수는 「쑈리 킴」에서 전후의 극단적인 혼란상을 어린 소년의 왜곡된 성장과 양공주로 전락한 여성의 삶을 통해 당시 사회의 윤리의식 파탄과 서구 물질문명에 대한 맹목적인 추종을 비판했습니다. 이 소설에서 '쑈리 킴'이라 불리는 고아는 미군부대를 전전하는 부랑소년으로 전쟁으로 인해 천진난만함을 상실하고 양공주인 따링누나와 동숙하면서 미군 캠프를 드나들며 펨프 노릇을 하고 있습니다. 작가는 이들이 자신들의 타락한 삶의 조건에도 불구하고 따뜻한 인간애를 잃지 않고 있음을 보여주었습니다.

「갯마을」을 쓴 오영수

오영수는 전후 폐허의 상황과 그것을 초래한 문명 자체를 회의하고 근본적으로 비판하는 독보적인 경향을 드러냈습니다. 그의 소설은 원시적 공동체에 대한 향수를 짙게 나타내고 있는데 「갯마을」[35] 역시 전쟁의 참화가 미치지 않은 갯마을을 배경으로 하여 어민의 애환과 주인공의 바다에 대한 운명적인 애착과 동경을 이야기의 전면에 부각시켜 놓았습니다. 그의 「은냇골 이야기」 역시 이와 유사한 맥락에서 읽을 수 있습니다.

35) 「갯마을」의 줄거리

유독 과부가 많은 동해의 한 어촌에서 해순은 남편 성구와 시어머니, 시동생과 살고 있다. 고등어철이 돌아오자 성구는 고기잡이를 나가고 폭풍우가 몰아치던 밤 끝내 돌아오지 못한다. 해순은 갯마을의 여느 아낙네처럼 물질을 하며 살아간다. 그러던 어느 날 상수에게 겁탈을 당하고 결국 그를 따라 산골로 들어간다. 그러나 상수와 행복했던 시간도 잠시 상수가 징용에 끌려나가자 해순은 산골 생활을 견디지 못하고 바다를 그리워한다. 그리하여 그녀는 다시 갯마을로 돌아온다. 초여름 밤 멸치잡이를 알리는 꽹과리 소리가 울리자 해순은 후리막으로 나가 줄을 잡는다. 누군가가 해순의 손을 잡고 치마 밑을 더듬는다. 후리질이 끝나고 해순은 자신의 몫의 멸치를 받아들고 집으로 돌아온다. 돌아오지 않는 성구와 징용으로 끌려간 상수를 생각하면서 해순은 괴로운 밤을 보낸다. 늦게 잠이 든 그녀의 방에 시어머니가 들어와 부드럽고 낮은 목소리로 문을 걸고 자라고 한다. 해순은 얼굴이 달아올라 고개를 들지 못한다.

그리 널리 알려져 있지 않은 김성한의 「방황」이 있는데, 이 계열의 우수작입니다. 「방황」의 주인공 홍만식은 5년간이나 군복무를 하고 훈장을 두 번이나 탄 인물이지만 사회에 복귀했을 때는 일자리를 구하지 못하고 사회가 구축해놓은 벽에 갇히고 맙니다. 전후 상황은 인간의 인격을 제약할 뿐 아니라 스스로 인간이기를 포기하게 만드는 지경에까지 이릅니다. 홍만식 역시 이처럼 희생당한 한 개인이며, 작가는 그를 통해 전후의 암울한 현실 및 모순된 병리현상을 비판하고 있습니다. 그의 「오분간」과 「바비도」 역시 부조리한 전후 현실에 대한 날카로운 비판의식을 보여주었습니다.

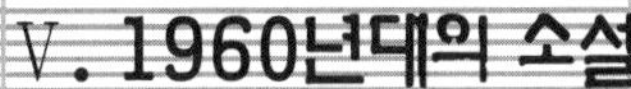

1. 1960년대 시대 배경

1950년대 후반부터 전후 복구가 이루어지면서 점차 사회는 안정을 되찾았고, 사람들의 생활도 표면적으로는 활기가 되살아나기 시작했습니다. 그럼으로써 정신적으로도 전쟁의 고통스러웠던 기억과 폐허의식으로부터 조금씩 벗어나기 시작했습니다. 그러나 미국의 원조물자에 의존한 전후 복구 과정은 갖가지 전횡을 일삼으면서 부패했던 정치권력과 결탁하여 점차 심각한 민족적·사회적 모순을 낳았고, 그러자 지식인을 중심으로 그에 대한 비판의식이 서서히 일어나기 시작했습니다.

4·19혁명의 대열에는 시민뿐만 아니라 중·고등학생과 대학생이 대거 참여하였다.

1960년대를 이야기하면서 4·19혁명을 거론하지 않을 수 없습니다. 60년대의 서막인 4·19는 표면적으로는 이승만 정권이 자행한 3·15 부정선거에서 촉발된 것이지만 그 본질에 있어서는 앞서 말한 분단 이후 우리 사회에 내재되어 있던 모순들이 폭발적으로 분출된 사건이었습니다. 즉, 4·19혁명은 자유와 민주주의를 향한 국민의 갈망을 드러낸 한편으로 미국에 굴종하기를 거부하는 민족주의를 내포한 것이기도 했습니다. 4·19혁명이 해방 이후 좌·우의 이념 대립과 그 뒤에 이어진 동족상잔의 비극으로 좌파뿐 아니라 건전한 사회 비판 자체가 전면적으로 봉쇄되었던 당시 황량했던 우리의 정신 풍토에 일말의 출구를 열었음은 두말할 나위가 없습니다. 이 사건 이후 작가를 비롯한 지식인들은 전후의 폐허 속에서 허무주의에 침윤되어 있던 이전 세대와의 단절을 통해 적극적으로 자유를 열망하고 현실을 극복하려는 의지를 나타내게 되었습니다.

『광장』의 작가 최인훈

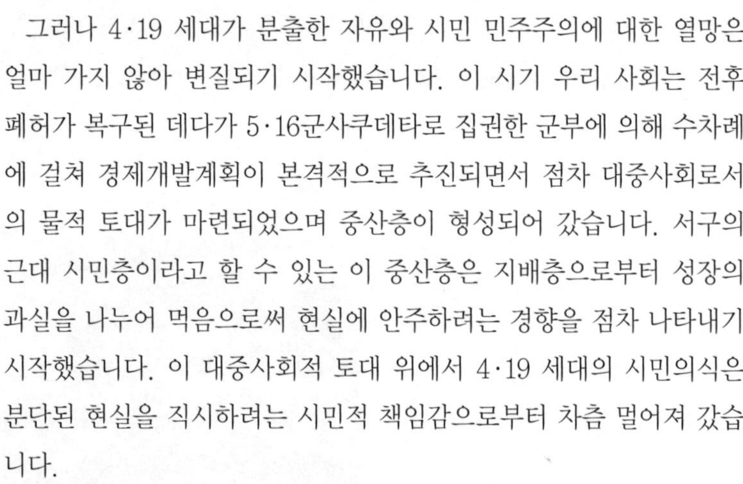

그러나 4·19 세대가 분출한 자유와 시민 민주주의에 대한 열망은 얼마 가지 않아 변질되기 시작했습니다. 이 시기 우리 사회는 전후 폐허가 복구된 데다가 5·16군사쿠데타로 집권한 군부에 의해 수차례에 걸쳐 경제개발계획이 본격적으로 추진되면서 점차 대중사회로서의 물적 토대가 마련되었으며 중산층이 형성되어 갔습니다. 서구의 근대 시민층이라고 할 수 있는 이 중산층은 지배층으로부터 성장의 과실을 나누어 먹음으로써 현실에 안주하려는 경향을 점차 나타내기 시작했습니다. 이 대중사회적 토대 위에서 4·19 세대의 시민의식은 분단된 현실을 직시하려는 시민적 책임감으로부터 차츰 멀어져 갔습니다.

최인훈의 『광장』

2. 분단에 대한 이데올로기적 인식

앞서 말한 60년대 초반의 사회적 역동성이 처음으로 문학에 반영되어 나타난 것이 최인훈의 장편소설입니다. 이 작품은 냉전 이데올로기 속에서 본격적으로 이데올로기 문제에 접근하고, 과거 전통적 삶 속에서 경험해보지 못한 '자유'라고 하는 근대 시민사회 민주주의의 본질을 사유해나간 점에서 큰 성과를 낳았습니다.

이 소설의 주인공 이명준은 홀어머니를 모시고 사는 대학생인데, 그는 전쟁 이전의 남한 사회에 대해 지독한 환멸감을 가지고 있습니다. 그가 생각하는 남한은 정치와 경제, 문화가 모두 타락한 곳입니다. 이후 그는 아버지가 평양의 대남방송에 나오게 됨으로써 일제 특고형사 출신의 형사에 의해 취조를 받게 됩니다. 그리고 그는 "네 애비가 빨갱이이니깐 어렸을 때부터 공산주의의 영향을 받았을 게 아니냐"는 고정화된 남한사회의 허구적 통념에 의해 고통을 받으며 결국 자신과 아버지와의 관계를 찾아 북으로 가게 됩니다. 그러나 그가 경험한 북한사회는 인민이 주인공이 아닌, '당'을 위해 인민이 존재하는 전도된 사회입니다. 결국 그는 "밀실만 충만하고 광장은 죽어버린" 남한에 구토를 느끼고, 또한 "끝없이 복창만 강요하는" 잿빛 지옥인 북한 어느 곳에서도 안식처를 발견하지 못하고 도피하게 됩니다.

분단문제에 천착한 이호철

이처럼 작가는 주인공 이명준이 직면하게 된 상황, 즉 남북분단에 의한 이데올로기의 대립과 선택의 강요 속에서 그가 불가피하게 선택하게 되는 도피를 통해 민족의 비극을 보여주려고 했지만 주인공 이명준의 자살이라는 작품의 결말은 당시로서는 한갓 징후에 그치지 않을 수 없었던 '자유'의 최대치 수준을 극명하게 보여주었습니다.

이호철은 남북 이산가족의 대거 출현에 따른 분단의식의 구체화, 서구문명의 충격이 준 소외문제, 뚜렷한 목표 없이 나날의 삶을 간신히 이어가는 도시 소시민의 삶의 문제 등 깊이 있는 주제를 다룬 작가입니다.

이호철의 『판문점』

「판문점」의 주인공 진수는 형님 집에 얹혀 살고 있는 실업자입니다. 그러던 어느 날 그는 광명통신 기자 이름을 빌려 판문점에 가게 됩니다. 그러자 형님 부부는 조심하라고 당부합니다. 그들은 이미 풍요하고도 안락한 삶을 영위하는 신흥 중산층, 그 중에서도 전형적인 봉급생활자였던 것입니다. 그들 부부는 분단현실에 무관심하며 지극히 개인적이고 물질적인 것에 관심을 가지고 있습니다. 진수는 형님 부부의 이러한 소시민적 삶을 '불결한 냄새'라고 표현하며, 한 집에 살면서도 그들에게 이질감을 느낍니다. 그리고 판문점 버스 안에서 진수는 동행한 늙은 여기자 부부와 외국 기자들이 나누는 한가한 잡담과 그 중 하버드 대학과 유럽 여행 등의 단어 속에서 이제 분단 불감증이 이 사회 전체에 퍼져 있음을 실감하게 됩니다. 그리고 자신이 가정과 사회 양쪽에서 소외당하고 있음을 깨닫게 됩니다. 이호철은 이렇게 소시민의 사소한 일상을 통해 그들의 이기주의적 삶을 비판하고 있을 뿐 아니라 분단 현실의 고착화를 날카롭게 파헤쳤습니다. 그의 분단 현실에 대한 인식은 오랜 격리로 인한 민족의 이질화라는 문제로 심화되고 있습니다.

장편 「소시민」은 작가 자신의 자전적 소설이기도 한데 바로 월남민을 주인공으로 하여 전쟁이 남긴 여러 문제를 파헤쳤습니다. 장편 「서울은 만원이다」에서 작가는 서울을 우리 사회의 한 축소판으로 삼아 산업화로 인한 물신주의와 허위의식, 부조리한 현실을 사실적으로 비판한 바 있습니다.

3. 소외된 자아와 억압된 세계

등단 당시부터 '감수성의 혁명'이라는 찬사를 받았던 김승옥은 1960년대 자유주의와 개인주의 이념을 전형적으로 보여준 작가라고 할 수 있습니다. 김승옥의 소설은 4·19 세대가 내포한 자유주의와 개인주의 이념, 그리고 그것의 외래성과 그로 인한 폐해 등 4·19 세대의 이념적 내용을 새로운 언어의식과 감각을 통해 빼어나게 드러냈습니다.

그의 초기 단편집 『서울, 1964년 겨울』 속에 수록되어 있는 소설 「생명연습」이나 「서울, 1964년 겨울」[36]은 소시민의식이 팽배해 있는 당시 우리 사회를 사실적으로 잘 그려냈을 뿐만 아니라 소시민의식의 한계를 정확히 제시한 소설입니다.

김승옥의 대표작으로 일컬어지는 작품은 「무진기행」입니다. 이 작품의 주인공 윤희중은 무진 중학교를 졸업하고 서울에서 대학을 나와 현재 '빽 좋고 돈 많은 여자'와 결혼하여 출세가도를 달리고 있는 인물입니다. 즉 그는 근대 산업자본주의 삶에 무사히 편입한 60년대 신흥 부르주아를 대표하는 인물인 것입니다. 그러나 이 인물은 기본적으로 근대화와 자본주의 삶의 안락함 이면에 도사리고 있는 타락과 속악함을 알고 있는 지식인입니다. 그는 고향 무진으로 잠시 쉬러 와서 친구 조와 후배 박과 하인숙이라는 인물을 만나게 됩니다. 여기서 그는 조에게서 자신의 속물적 모습을, 박에게서는 아직도 자기 내부에 남아 있는 나약하고 여린 구석을, 그리고 하인숙에게서는 과거의 자기 자신의 편린을 완전히 떨쳐버리지 못한 채 속된 현실과 자의식 사이에서 희미하게나마 갈등을 겪고 있는 자신의 모습을 발견합니다.

새로운 언어의식과 감각을 선보인 김승옥

「서울, 1964년 겨울」에서 김승옥은 현대의 익명적 만남에 늘 존재하는 의미 없음과 소외와 단절의 문제를 환기하고 있습니다. 이 소설의 등장인물들은 우연히 만나 무의미한 독백만을 주고받고, 더 나아가 무의미를 추구하게 되는 상황으로 치닫게 됩니다. 이 두 작품에서 김승옥이 보여준 소외된 자아와 환멸의 현실에 대한 비판은 그러나 소시민의식의 한계를 넘지 못함으로써 이후 위축되고 맙니다.

김승옥의 창작집 『서울, 1964년 겨울』

36) 「서울, 1964년 겨울」의 줄거리

어느 겨울밤 포장마차에서 구청 병사계에 근무하는 '나'와 부잣집 장남이자 대학원생인 안이 대면하는 장면으로부터 시작된다. '나'와 안은 어이없고 유희적인 대화를 나누면서 다소 어리둥절하고 절망적인 기분을 느끼면서도 이내 기분이 좋아져 오로지 자기만이 소유한 체험들을 늘어놓는다. 그러다 이들의 술자리에 삼십대의 가난뱅이 월부서적 판매원이 합세하게 되는데, 그는 뇌막염으로 죽은 아내의 사체를 병원에 해부실습용으로 판 인물로 자신의 절망감을 위로받기 위해 이들 사이에 껴든 것이다. 이 세 사람은 기묘한 의기투합을 이루어 중국집을 가고 넥타이와 귤을 사고 불 구경을 다닌다. 그 뒤 그들은 늦은 밤 여관으로 가고 각자 따로따로 여관방에 든다. 그리고 이튿날 월부책 판매원 사내는 자살한 시체로 발견된다. 말썽이 날 것이 두려운 '나'와 안은 도망치듯 여관을 빠져나오는데, 이들은 자신들이 너무 늙어버린 존재라는 느낌을 똑같이 갖는다.

1960년대 중반 이후부터 90년대에 이르기까지 정력적으로 작품 활동을 한 이청준은 현실의 억압과 폭력성을 집요하게 탐구한 작가입니다. 그의 작품은 작품인물마다 자기 구원과 변화의 계기를 찾으려는 특징을 지니고 있습니다. 그의 「병신과 머저리」의 주인공 '나'는 지독한 자아 상실감에 빠져 있고, 그의 형 역시 6·25전쟁 당시 낙오되었다가 동료가 다른 동료를 살해하는 것을 방조한 뒤 탈출한 쓰라린 체험을 갖고 있습니다. 그런데 형은 그가 쓰고 있는 소설 속에서 자신이 살인자 오관모를 살해하는 것으로 처리함으로써 비록 소설 속에서나마 정신적 상처를 극복할 가능성을 마련합니다. 반면에 '나'의 자아 상실감은 근원을 알 수 없는 것입니다. 여기서 형은 전쟁체험세대에, '나'는 전후세대에 대응시켜 볼 수 있습니다. 전쟁체험세대는 원인을 추적함으로써 상처의 치유가 가능한 데 비해, 전후세대는 도무지 치유될 수 없는 절망감에 빠져 있습니다. 이처럼 이 소설은 '병신'이 된 전쟁체험세대와의 대비 속에서 '머저리'가 되어버린 전후 세대의 불가해한 인간 소외의 비극적 상황을 잘 드러내고 있습니다.

현실의 억압과 폭력성을 탐구한 작가 이청준

비록 1970년대에 들어 씌어졌지만 이청준의 「소문의 벽」 역시 이러한 맥락에서 읽어볼 수 있습니다. 이후 이청준의 문학세계는 「당신들의 천국」[37]을 거쳐 「매잡이」 「비화밀교」 「쓰여지지 않은 자서전」 「자유의 문」으로 풍성히 이어지고 있습니다.

37) 「당신들의 천국」의 줄거리

나환자촌 소록도에 현역 대령 출신 조백헌이 병원장으로 부임하는데, 그는 남다른 신념과 적극적인 실천력을 통해 소록도를 새로운 천국으로 만들려 노력한다. 그리하여 그는 득량만 매립공사를 추진한다. 그러나 그는 공사를 해나가면서 자신의 뜻을 나환자들이 쉽게 받아들이지 않음을 깨닫는다. 그 이유는 그 이전의 병원장들도 천국을 만든다는 대의를 내세워 결국 나환자들을 착취하고 원장 자신만을 영웅화했기 때문이다. 여기서 조백헌이 간과했던 것은 정상인과 환자라는 차별적인 관계가 아닌 사람과 사람 사이에 수평적인 사랑에 의해서만, 그리고 아래로부터 환자들의 자발적인 의지에 의해서만 천국이 건설될 수 있다는 사실이다. 이를 미처 깨닫지 못한 조백헌은 섬사람들과 완전한 합일을 이루지 못하고 결국 스스로를 반성하며 섬을 떠난다. 그로부터 5년 후, 그는 이제 원장이 아닌 평범한 섬사람으로 소록도에 다시 돌아온다. 그후 그는 윤해원(음성 병력자)과 서미연(건강인)의 결혼식에 축사를 해주고 직원 지대와 병동의 중간 지점에 이들의 신접살림을 차리게 함으로써 나환자와 일반인, 우리와 당신들이 구별되는 천국이 아닌, 서로 함께 어우러지는 '우리들의 천국'의 단초를 마련한다.

4. 순수소설의 심화

해방공간에서부터 좌파문학에 맞서 순수문학을 옹호하려는 입장의 선두에 섰던 김동리는 인간의 원초적인 번뇌와 자기 구원의 문제 및 운명적인 인간 삶의 본질을 파헤치고 있습니다. 김동리의 「등신불」은 일제강점기 일본군으로 끌려나간 주인공이 탈출하여 불교에 귀의하게 되는 과정과 그 주인공이 들려주는 '만적의 이야기' 두 가지 이야기로 되어 있습니다. 만적은 당나라 때의 인물로, 자신의 삶의 번뇌를 소신공양(燒身供養)으로써 극복합니다. 그의 소신공양을 보고 있던 대중들은 병을 고치게 되는 기적을 얻게 되고 이후 만적은 몸에 금을 입힌 부처님으로 모셔집니다. 이 이야기를 듣고 주인공은 살생을 면하고 불교에 귀의하고자 한다는 혈서를 씁니다. 이처럼 수많은 대중을 고통으로부터 구해낸 만적과 주인공의 혈서는 소극적이나마 죄악과 살육의 현실로부터 벗어나려는 자기 구원과 자기 희생이라는 점에서 서로 상통하는 의미를 지닙니다. 이후 씌어진 김동리의 「까치소리」 역시 한국전쟁이라는 시대적 비극성을 작가의 독특한 운명관으로 드러내고 있는 작품입니다.

김동리의 소설집
『등신불』

5. 농촌 붕괴에 대한 문학적 대응

이 시기 수출 위주의 공업화를 특징으로 하는 근대화정책으로 인해 농촌은 그 어느 곳보다 고통받는 곳이 되었고 이에 대한 문학의 대응 역시 많은 작가들의 관심사였습니다.

1930년대 후반에 문단에 나온 바 있는 김정한은 이 시기에 들어와 다시 작품 활동을 재개해 「모래톱 이야기」 「수라도」 「인간단지」 등을 통해 우리 민족의 수난사와 그것을 극복한 우리 민족의 용기와 인내를 잘 보여주고 있습니다.

우리 민족의 수난을
묘파한 작가 김정한

「모래톱 이야기」는 낙동강변에 모래가 쌓여서 이루어진 조그만 섬이 작품의 배경을 이루고 있습니다. 이 모래섬을 열심히 일구며 살아온 사람들은 일제강점기에는 토지조사 사업에 의해 섬을 빼앗깁니다. 그리고 이러한 수탈의 역사는 해방 후에도 계속되어 섬은 어느 국회의원에서 어느 유력인사의 소유로 넘어갑니다. 그러다 홍수가 나자 그동안 침묵해왔던 농민들의 분노가 비로소 폭발하게 됩니다. 섬 주민들은 홍수가 나자 둑을 파괴하려 합니다. 이 작품은 토지 소유권자의 이기주의에 맞서 주민들의 인명을 구하고자 했던 갈밭새 영감이 살인 혐의로 잡혀가는 비극적 결말을 보여주지만 이를 통해 농촌 현실의 모순을 철저하게 규명했습니다.

이 시기 독자들의 큰 호응을 얻었던 방영웅의 장편소설 「분례기」[38]는 토착어와 속담, 민요 등을 활용하여 우리 민족의 끈질긴 삶을 토속적 정취가 넘치면서도 깔끔한 문장으로 사실적으로 잘 드러냈습니다. 그의 작품에는 가난하고 버림받은 농민들에 대한 인간적 애정이 깃들어 있으며, 구수하고 무리 없는 이야기 전개를 통해 농촌 현실을 심도있게 그렸습니다.

38) 「분례기」의 줄거리

똥례라는 이름으로 불리는 분례네 집은 그녀의 아버지가 노름에 빠져 집안을 돌보지 않음으로 지독하게 가난한 삶을 이어나간다. 똥례는 용팔이와 함께 나무를 하러 다니다 그에게 겁탈을 당한다. 똥례는 한 동네 친구 봉순이가 혼인을 앞두고 겁탈을 당해서 목을 맨 것을 보고 자신도 죽으려 하나 겨우 마음을 돌려먹는다. 똥례의 아버지 석서방은 노름꾼 영철의 어머니 노랑녀의 구슬림에 넘어가 분례를 영철에게 주기로 한다. 똥례는 혼인을 네 번이나 했던 영철의 재취 자리를 못마땅해하며 시집을 가게 된다. 그러던 어느 날 똥례는 노름 밑천을 내놓지 않는다고 영철로부터 심한 매를 맞고 미친 듯이 보따리 하나만을 들고 쫓겨난다. 방황하던 똥례는 과수원 밭에서 뭇 사내에게 겁탈을 당하면서 처녀 때 자기의 순결을 앗아간 용팔이와 자기를 좋아하던 철봉이의 이름을 부른다. 친정 동네로 돌아온 똥례는 목매어 죽은 친구 봉순의 무덤 위에 올라 똥을 누며 "나도 가야지" 하면서 산너머로 사라져 간다.

6. 여성 작가의 면모

대하소설 「토지」를 쓴 박경리

이 시기에 등장한 여성 작가들은 남성 작가들이 보여주지 못한 특유한 여성적 감수성에 기반하여 가부장 중심 사회에서 여성으로 살아가는 일의 어려움을 실감 나게 보여주었습니다.

박경리는 초기작 「불신시대」(1957)를 통해 전후 사회의 혼란 속에서 여성 주인공이 겪는 수난과 상처에 대해 치열한 문제의식을 보여준 바 있습니다. 박경리는 1960년대 접어들어 장편 「김약국의 딸들」

[39]을 발표하면서 그의 이전 소설이 지녔던 자기고백적인 내면 통찰의 한계를 극복하고 보다 넓은 사회적 시야를 확보하였고, 제재와 기법 면에서도 다양한 변모를 보여주었습니다.

39) 「김약국의 딸들」의 줄거리

이 소설에서 김 약국의 주인 김봉제는 선비의 성품을 지닌 반면 그의 동생 봉룡은 충동적이고 격정적 성격을 지닌 인물이다. 봉룡은 아내 숙정이 시집오기 전 그녀를 사모했던 송욱이 찾아오자 질투를 이기지 못하고 그를 죽인다. 이후 숙정은 결백을 주장하기 위해 자살을 하고, 봉룡은 처가 식구들의 보복을 피해 자취를 감춘다. 봉제에게 맡겨진 봉룡의 유일한 혈육인 성수는 봉제 영감의 뒤를 이어 김약국의 주인이 된다. 성수는 섣불리 어장 사업에 손을 댔다가 가세가 점차 기울게 된다. 그는 딸 다섯을 두었는데, 그 중 일찍 과부가 된 장녀 용숙은 아들 동훈을 치료하던 의사와 불륜을 맺어 사회적으로 지탄을 받는다. 둘째 용빈은 똑똑하여 후에 교원이 되나 애인 홍섭으로부터 배신을 당하게 된다. 셋째 딸 용란은 관능적 미모를 갖추었으나 사리판단을 잘 못하여 머슴과 놀아나다 지탄을 받고, 넷째 딸 용옥은 애정이 없는 남편 기두와 별거하다가 뱃길에서 죽음을 맞게 된다. 계속되는 집안의 몰락을 지켜보던 김약국 성수도 위암으로 죽고 만다. 결국, 용빈과 용혜가 고향 통영을 떠나면서 작품은 끝난다.

박경리의 또 다른 장편 「시장과 전장」은 한국전쟁이라는 민족사의 비극을 고발하기보다는 일상적 삶을 살아가던 사람들이 전쟁이라는 회오리바람 속에서 어떻게 이념을 세워가고 굴절된 인생을 살아가게 되는지를 말해주는 소설입니다. 시장은 다수 민중이 삶을 영위해가는 생업의 전쟁터이며 전장은 삶과 죽음이 엇갈리는 비극의 현장이라는 공통점이 있고 그 점을 작가는 잘 부각시켰습니다.

「젊은 느티나무」로 많은 독자의 사랑을 받은 강신재

박경리와 더불어 이 시기를 대표하는 강신재는 특이한 인물 묘사와 기법을 구사하여 주로 기존의 관습에 묶여 고통받는 여성의 운명적 사랑과 심리를 세련된 감각으로 묘사한 작가입니다. 강신재의 장편 「임진강의 민들레」는 6·25의 민족적 시련 속에서 고뇌하는 젊은 남녀의 애정을 통해 인간의 근원적인 소외와 고독감을 잘 드러낸 작품입니다. 그리고 단편 「젊은 느티나무」[40]는 이복 남매간의 사랑이라는 다분히 비윤리적인 소재를 특유의 감성적 필치를 통해 순수한 사랑으로 승화한 가작입니다.

40) 「젊은 느티나무」의 줄거리

'나'(숙희)는 젊고 아름다운 어머니와 함께 시골 외가에서 살고 있었다. 그러던 중 어머니가 서울 모 대학 교수인 무슈 리와 재혼하게 되자 서울에 있는 새 아버지의 집으로 올라와 살게 된다. 여기서 '나'는 이복 오빠가 되는 현규를 만난다. '나'는 점차 시간이 흐르면서 현규를 오빠가 아닌 이성으로 사랑하게 되면서 고뇌하게 된다. 그러다 엄마가 무슈 리를 따라 미국으로 가게 되어 현규와 둘이서만 집에 있게 될 상황에 놓이자 '나'는 고민 끝에 서울을 떠나 시골 할머니 댁으로 간다. 그 곳에서 절망적인 나날을 보내고 있던 어느 날, 현규가 찾아와 서로 진실된 감정을 지닌 채 서로를 더 사랑할 수 있는 방법을 찾으면서 미래를 약속하는 마음으로 각자 현재의 길을 걷자고 약속한다. '나'는 집으로 돌아가겠다고 약속하고, 그가 떠난 후 젊은 느티나무를 껴안으며 이제 그를 더 사랑해도 된다고 생각한다.

Ⅵ. 1970년대의 소설

1. 1970년대 시대 배경

1970년대는 외형적인 경제성장과 물질적 풍요의 이면에 1960년대부터 심화된 대미(對美) 예속적 산업화로 인한 민중들 삶의 파탄과 궁핍화가 더욱 가속화된 시기라 할 수 있습니다. 박정희 정권의 개발정책은 급속한 경제성장을 이룩하기 위해 주로 외국으로부터 자본을 도입해 수출주도형 공업경제를 육성하는 식으로 전개되었습니다. 그 과정에서 우리 생산품의 국제경쟁력 확보를 위한 저임금정책은 필수적인 것이었습니다. 그리고 이 저임금정책은 바로 생산비에도 못 미치는 가혹한 저곡가 정책과 무차별적인 외국 농축산물 수입 정책을 토대로 가능했던 것입니다. 농민들은 저곡가 정책에 의한 혹독한 수탈과 아울러 일관성 없는 농업 정책으로 인한 실농(失農)을 견디다 못해 이농하여 공장 노동자로 전락해 갔습니다.

유신정권 종식을 이끈 부마항쟁 당시 진압부대원들이 트럭을 타고 이동하고 있는 모습

이 개발독재는 1970년대 말에 이르러 수출 1백억 불, 일인당 국민소득 1천 달러의 괄목할 만한 경제성장을 이루어낸 것과는 대조적으로 정치와 경제, 문화 전반에 걸쳐 심각한 폐해를 낳았습니다. 먼저 1960년 4·19로 뜨겁게 타올랐던 자유에의 열망과 민주주의에의 지향을 짓눌러버렸으며, 아울러 이데올로기에 대한 엄격한 격리와 규제를 비롯하여 유신체제에 의한 자유와 인권에 대한 억압이 심화되었습니다.

우리 사회의 왜곡된 근대 산업화가 야기하는 갖가지 인간적, 사회적 문제들과 총체적 변화에 대응하려는 문학의 양상 역시 다각도로 이루어졌습니다. 이 시기의 문학은 보다 바람직한 삶에의 지향을 '민족문학'[41]과 '리얼리즘'[42]으로 정식화하기에 이르렀습니다.

41) 민족문학

1960년대 중·후반부터 논의가 시작되어 70년대 들어와 본격적으로 정립된 우리 문학에서의 민족문학론은 무엇보다도 우리 민족이 직면한 시대 상황과 위기의식의 소산이었다. 그리하여 민족문학론은 박정희 정권의 개발독재에 대항하여 민주회복을 꾀했고, 민족의 분단문제 해결에 문학의 적극적 참여를 주장했다. 그리고 파탄에 이른 농촌을 떠나 도시로 밀려든 도시 변두리 빈민의 삶과 여기저기 공사판이나 공장 등을 전전하는 떠돌이 날품팔이들의 삶과 적은 월급으로 근근이 살아가는 소시민 삶의 현실적인 문제들을 문학 속에 충실히 반영하려고 했다. 이후 이 민족문학은 70년대 들어 농민문학론과 민중문학론으로, 그리고 80년대 들어서는 노동문학론으로 점차 분화, 발전되어 나갔다.

2. 산업화와 경제적 소외계층의 탐구

황석영을 가리켜 '우리 시대 최고의 리얼리스트 작가'라 부릅니다. 이는 그가 1970년대 이후 우리 사회 민중들 삶의 전형적인 현실을 현장체험을 통해 가장 탁월하게 형상화한 대표적인 작가이기 때문입니다.

황석영의 리얼리즘은 「객지」에서 고향을 떠나와 공사판을 전전하며 살아가는 부랑노동자들의 각박하고 고단한 삶을 잘 그려내고 있습니다. 이 작품 「객지」의 리얼리즘 성과는 떠돌이 날품팔이 잡역부들의 인간다운 삶을 위한 투쟁을, 해방 이후 우리 문학사에서 최초로 본격적으로 다루고 있다는 점입니다.

42) 리얼리즘

우리 문학에서의 민족문학론의 심화와 발전과 그 궤를 같이하여 리얼리즘론은 민족문학론의 방법론적 원리이자 세계관으로 정립되었다. 그러므로 리얼리즘론은 우리의 민족문학론이 발전되면서 그 내용이 더욱 심화되었고 또 거꾸로 리얼리즘 논의의 진전은 역시 민족문학의 내용을 더해주는 것이 되었다. 이 당시 리얼리즘은 현실 변혁에 대한 관심을 드러내면서 우리의 사회 현실에 대한 올바른 인식과 정당한 실천적 관심을 구현하는 것을 전면에 내세웠고, 나아가 당대 삶에 대한 전면적, 총체적 인식의 성숙을 추구하였다.

탁월한 리얼리스트 황석영

「삼포 가는 길」[43]은 리얼리즘 소설로서의 미학적 승화가 탁월한 작품입니다. 이 작품의 주인공 정씨와 영달은 「객지」의 부랑노동자들처럼 여기저기 공사판을 전전하는 뜨내기 날품팔이들이고, '서울집'에서 몰래 도망 나온 백화 역시 그동안 여러 술집을 전전하면서 벌어놓은 것이라곤 아무것도 없이 몸만 극도로 쇠잔해져 있습니다. 그러나 이들은 서로가 동류임을 확인하면서 서로의 처지를 동정하게 되고, 속내를 드러내며 끈끈한 인간적 유대를 형성합니다. 이와 같이 「삼포 가는 길」은 인간적 가치가 훼손된 세계에 맞서서 뜨내기들의 진솔함과 인간적 유대를 잘 보여주고 있습니다. 황석영은 소외된 당대 민중의 다양한 삶을 활기찬 생명력을 지닌 진정한 인간 본성의 모습으로 그려내고 있습니다. 그러므로 우리는 그의 소설을 통해 민중문학[44]을 거론하게 됩니다.

이 시기에 산업화로 인해 심화된 계층의 갈등 양상을 집중적으로 탐구한 작가는 조세희와 윤흥길을 들 수 있습니다. 조세희의 연작소설집 「난장이가 쏘아올린 작은 공」[45]은 난쟁이 김불이 가족이 몰락하는 과정을 통해 산업화가 야기한 모순과 계급 갈등의 양상을 포착하고 있습니다. 억눌리고 짓밟힌 계층을 표상하는 난쟁이 가족은 도

43) 「삼포 가는 길」의 줄거리

여기저기 공사판을 전전하는 뜨내기 날품팔이인 영달은 다른 일터를 찾아 길을 떠난다. 역시 날품팔이의 오랜 객지생활을 청산하고 고향 삼포로 향하는 정씨를 만나 일행이 된다. 그리고 가는 길에 '서울집'에서 몰래 도망 나온 백화를 만나 동행이 된다. 이들은 함께 길을 걸으며 자신들이 동류임을 확인하면서 서로를 연민하고 처지를 동정하게 된다. 잠시 폐가에 들어 쉬어 가는 사이, 영달은 온몸이 언 백화를 위해 열심히 화톳불을 지피고, 백화는 언 발을 녹이면서 예전에 군 죄수를 여덟이나 옥바라지를 했던 이야기를 털어놓는다. 모닥불이 환하게 피어나면서 이들 모두는 잠시나마 먼 여정을 끝내고 고향집에 돌아와 있는 듯한 아늑함을 느낀다. 그러나 이러한 행복감도 잠시일 뿐 다시 길을 재촉하게 되고, 백화가 눈고랑에 빠져 발을 삐자 영달은 백화를 업은 채 읍내에 이르고, 이들은 시장통에서 시장기를 달래기 위해 시루떡을 사먹는다. 백화는 업어다 준 보답으로 자기 몫의 반을 떼어 영달에게 건넨다. 서로의 떠날 시간이 다가오자 영달은 무일푼인 백화에게 차표와 먹을거리를 전해주고, 아무것도 줄 것이 없는 백화는 마음의 정표로 영달에게 지금까지 아무에게도 알려주지 않았던 자기의 본명이 이점례임을 알려준다. 백화가 떠난 후 정씨와 영달은 정씨의 고향 섬마을 어촌 삼포가 개발되어 다리가 놓이고 공사가 한창이라는 사실을 노인으로부터 전해듣는다. 영달은 일거리가 많을 거라고 기뻐하지만 정씨는 발걸음이 내키질 않는다. 그는 방금 고향을 잃어버렸기 때문이다. 기차가 눈발이 날리는 어두운 들판을 향해서 달려간다.

시화의 바람과 도덕적 규범의 상실, 사회적인 질시와 소외 등으로 인하여 삶의 기반이 근본적으로 파괴됩니다. 작가는 이 소설에서 우리 사회에 만연한 노동과 자본의 대립구조를 선명하게 드러내 보여주었습니다.

「난장이가 쏘아올린 작은 공」을 쓴 조세희

44) 민중문학

황석영의 리얼리즘을 이야기할 때 빼놓을 수 없는 것이 1970년대 사회변혁의 담지자로서의 '민중'의 발견이다. 박정권의 개발독재가 진행되면서 경제성장은 이루어졌지만 민중의 삶은 더욱 궁핍해졌으며 파탄에 이르렀음은 앞서 밝힌 바 있다. 이러한 상황에서 4·19혁명의 시민민주주의의 주체였던 시민계급은 독점자본에 포섭된 하청자본가 내지는 경제성장의 과실을 나누어 먹는 소시민계급으로 중산층화되면서 개발독재를 옹호하거나 그에 순응하게 되었다. 이와 같이 시민계급이 중산층으로 몰락한 상황에서 이들이 못 이룬 시민민주주의 과제의 새로운 담지자로서 민중계급이 이상화되었고, 지식인들의 민중에로의 자기 동일시가 이루어지게 되었다. 이러한 의미에서 민족문학론은 70년대 들어 민중문학론으로 전화되었다.

45) 「난장이가 쏘아올린 작은 공」의 줄거리

소설의 주인공인 난쟁이인 아버지, 그리고 어머니와 영수, 영호, 영희는 하루하루를 힘겹게 살아가는 도시의 소외된 빈민계층이다. 이들은 삶의 터전인 낙원구 행복동이 재개발되면서 혼란에 휩싸이게 된다. 모처럼 만에 번듯한 내 집을 마련할 기회가 이들에게 주어졌지만 입주권이 있어도 입주비가 없는 이들에게는 꿈같은 일일 뿐이다. 그래서 이들은 행복동의 다른 이웃들과 마찬가지로 투기업자에게 입주권을 판다. 영희는 자기네 입주권을 사간 부동산 브로커이자 청년 실업가를 따라 나선다. 영희는 부자인 그의 비서 겸 동거인으로 그의 아파트에 머문다. 영희가 가출한 사이에 그녀의 가족들은 공업 도시인 은강시로 이사를 갔다. 영수는 자동차 공장에서 일을 하고, 영호는 은강전기에서 연마 노동자로 일하게 된다. 영수는 차차 불합리한 사회의 구조를 깨닫고 그가 처해 있는 최악의 노동조건이 가진 자를 위한 것임을 알게 된다. 그리하여 그는 노동조합을 조직하게 되는데, 사장은 폭력배를 동원해 조합원에 대해 폭행을 가한다. 한편 영희는 그 청년이 잠든 새, 그의 돈과 자신의 집 아파트 입주권을 꺼내 동사무소에 가서 아파트 입주 신청을 한다. 그리고 영희는 철거된 자기 집으로 간다. 그러나 그녀를 맞이해 준 것은 가족이 아니라 이웃인 신애 아주머니였다. 그녀는 영희의 가족 소식을 들려주며, 난쟁이 아버지는 벽돌공장 굴뚝에서 자살했다는 사실을 알려준다. 영희는 눈을 감은 채 아버지가 벽돌공장 굴뚝에서 손을 흔드는 모습을 보며, "아버지를 난쟁이라고 부르는 악당은 죽여 버려"라고 말한다.

윤흥길 역시 산업화 과정에서 표출되고 있는 노동자 계층의 삶의 문제를 사실적으로 형상화했습니다. 그는 연작소설집 「아홉 켤레의 구두로 남은 사내」[46]에서 왜곡된 산업화가 초래한 사회적 모순을 비판적 시각으로 포착하고 있습니다. 이 소설의 주인공은 경제적으로 무능력함에도 불구하고 유독 구두만은 아홉 켤레나 가지고 있습니다. 이 구두의 함의는 그가 작품 안에서 벌이는 힘겨운 싸움이 대학을 나온 자신의 신분과 그 신분이 지니는 인격성을 지키기 위한 것임을 나타내고 있습니다. 그러던 그가 어느 날 구두를 모두 태워버립니다. 이는 자신의 병적 자존심을 파기함으로써 냉철한 현실인식을 지니고자 하는 정직한 시도입니다. 작가는 이러한 주인공을 통해 현실의 문제성을 드러냈던 것입니다.

「아홉 켤레의 구두로 남은 사내」를 쓴 윤흥길

46) 「아홉 켤레의 구두로 남은 사내」의 줄거리

그동안 셋방을 전전하던 '나'는 다소 무리를 해서 성남의 고급 주택가에 집을 마련한다. 그리고 재정상의 무리를 다소나마 메워볼 생각으로 방을 하나 세놓게 되는데, 여기에 권씨 가족이 이사를 온다. 출판사에 다니던 권씨는 집 장만을 해볼 생각에 철거민 입주권을 얻어 광주대단지에 20평을 분양받았으나, 땅값과 세금 등을 감당하기에는 벅찬 형편이다. 그러다 그와 같은 처지의 이웃사람들이 집단 소요를 일으키는데, 권씨는 우연히 이 사건의 주동자로 몰려 징역을 살고 나온다. 그는 가난한 살림에도 자신의 구두만을 소중하고 깨끗하게 닦는 버릇이 있다. 얼마 후 권씨 아내가 애를 순산하지 못해 수술을 받을 처지가 된다. 권씨가 '나'에게 수술비용을 빌려 달라고 절박하게 부탁하나 '나'는 그것을 거절한다. 그러나 뒤늦게 자신의 이중성을 느낀 '나'는 권씨 아내가 수술을 잘 받도록 해준다. 이런 사실도 모른 채 권씨는 그날 밤 '나'의 집에 강도로 침입한다. '나'는 그가 권씨임을 알아차리고 그를 안심시키는 쪽으로 행동하나 정체가 탄로난 권씨는 "그 따위 이웃은 없다는 걸 난 똑똑히 봤어! 난 이제 아무도 안 믿어!" 하면서 사라진다. 그가 떠난 신발장엔 아홉 켤레 구두만 덩그러니 남아 있다.

도시 변두리 지역에 사는 빈민들의 가난한 삶을 그린 이른바 빈민소설은 박태순에 의해 1960년대 후반부터 70년대를 거치면서 '외촌동 시리즈'로 나타났습니다. 작가는 「정든 땅 언덕 위」에서 변두리 난민촌의 억척스러운 삶 그 자체를 그려내고 대변하는 작업을 통해 우리 사회를 조망하려 했고, 아울러 점차 만연해져 가는 소시민의식을 비판하려고 했습니다.

「정든 땅 언덕 위」를 쓴 박태순

47) 농촌(농민)문학

60년대를 거쳐 70년대 들어 한층 고조된 우리의 농촌문제에 대한 관심을 바탕으로 활발히 전개된 농민(농촌)문학은 우리의 왜곡되고 불행한 근대화를 올바른 길로 되돌려놓자는 취지에서 출발하고 있다. 그리하여 당대 박정희 정권의 공업화 우선 정책으로 거의 파탄의 경지에 이른 농촌의 삶과 이후 이농과 도시 빈민화 과정을 문학 속에 반영하고자 노력했다. 그리고 더 나아가 우리의 삶과 문화가 거의 외래 사조로 혼탁해져 있는 상황 속에서 순수한 우리 것을 가장 많이 간직하고 있는 농촌의 문학적 형상화를 통해 우리의 자존심을 회복하고 삶의 올바른 변혁을 추구하려 했다.

3. 산업화 사회의 대안 — 농경문화 서사

1970년대 농촌(농민)문학[47]을 이야기할 때 빼놓을 수 없는 작가 이문구의 연작소설집 「관촌수필」[48]이 지닌 매력은 해방 이후부터 70년대 산업화, 도시화의 시기에 이르기까지 진행된 전통적 마을공동체의 붕괴와 그 가치의 퇴락, 그리고 물신주의와 소외에 대하여 깊은 성찰을 보여주고 있다는 점입니다.

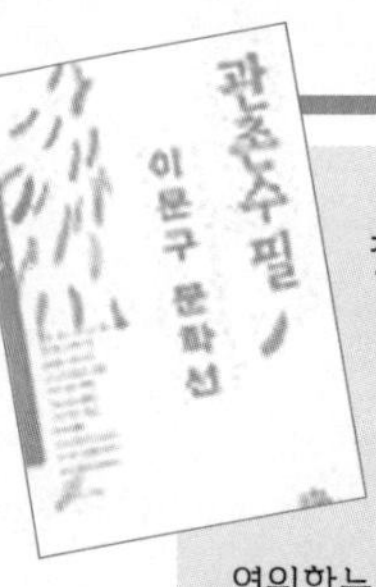

48) 「관촌수필」의 줄거리

첫 장인 「일락서산」은 작가인 '나'의 할아버지에 대한 회상이 주조를 이룬다. '고색창연한 이조인'이었던 조부는 수많은 청백리를 배출한 사대부 가문의 후손으로서 난세를 만나 한갓 유생에 머물러 선대의 뒤를 못 댄 한을 지녔지만 사대부 가문의 기개만은 대단했으며 그것을 평생 자랑으로 알며 살았다. 이처럼 나라가 망한 뒤 위정척사의 지조로 초야에 묻혀 육신의 욕망을 억제하면서 은둔의 삶을 영위하는 조부의 모습을 작가는 본받고 싶어 한다.

「행운유수」의 주인공 옹점이는 어머니가 부엌살림을 돕기 위해 친정에서 데려온 아이였는데, 애초에는 이름도 없던 것을 조부가 이름을 지어주었다. 옹점이는 '나'보다 나이가 십 년이나 많았지만 '나'에게는 더없는 다정한 친구이자 누나였다. 이 옹점이가 시집을 가게 되자 이별을 아쉬워하는 '나'는 큰 시름에 빠진다. '나'는 옹점이가 혼인하기 이틀 전 자신에게 기별도 없이 떠나버린 것을 알고 그 허전함에 논두렁에 쭈그리고 앉아 논고랑에 마구 눈물을 흘렸다고 고백하고 있다. 그뿐 아니라 그녀는 시집간 뒤 6·25 중에도 자주 '나'의 집에 들러 홀로 된 어머니를 위로하고 어지러워진 집안 일을 제 일처럼 보살펴주고 갈 정도로 갸륵한 마음씨와 충직한 심성을 지닌 인물이다. 이러한 옹점이는 '나'가 어린 시절을 떠올리면 내내 잊지 못할 인물이 되었으며 특히 그녀가 노래를 잘한다는 사실은 아직도 또렷하게 기억되고 있다. 옹점이는 6·25의 와중에 남편을 잃고 시부모와 함께 살게 된 후 모진 시집살이를 견디다 못해 집을 뛰쳐나오게 된다. 이 일을 기억하고 있는 '나'는 어느 날 장터에서 약장수 패거리에 섞여서 노래하고 있는 그녀를 만나게 되지만 그녀에게 다가가지 못하고 달아난다. 그토록 보고 싶었던 옹점이였고 그토록 듣고 싶었던 그녀의 노래였지만 그의 눈에 비친 그녀는 시집가기 전에 자신과 함께 놀아주던 옛 모습이 아니었던 것이다.

「녹수청산」의 주인공인 대복이는 그 시절 '나'의 집 텃밭 곁에 살았던 인물로, 나이가 여남은 살이나 더 많았지만 함께 어울려 지냈던 '나'의 몇 안 되는 친구이자 든든한 후견인이었다. '행랑붙이' 출신이었던 대복이는 당시 잔존해 있던 반상의 질서로 봐서는 '나'와 쉽게 어울릴 수 없는 사이였다. 그럼에도 불구하고 '나'는 그가 자신에게 남다른 애정과 보살

핌을 베풀어준 소중한 존재였다고 말하고 있다. 그러나 마냥 '나'에게 잘해주었던 '대복이'의 순수한 마음과는 달리 마을에서 그의 평판은 좋지 않았다. 대복이의 순수성은 마을 가까이 미군이 주둔하면서 빛이 바래기 시작한다. 그는 '관촌'의 좁은 울타리를 넘어 미군들에게로 다가갔고 이후 그들의 물건을 훔치는 등 온갖 못된 짓을 일삼게 된다. 결국 대복이는 소도둑으로 경찰에 잡히고 징역을 살게 되지만 6·25가 터지고 인민군들에 의해 방면된다. 그리고 나서 그는 자진해서 인민군에 협력한다. 하지만 이러한 행동 또한 동네 사람들에게 비난받게 된다. 그러던 대복이는 오래 전부터 연모해오던 참봉집 맏딸 '순심'을 강간하려다 미수에 그치고 다시 감옥에 갇히게 되는데, 이번에는 국군의 도움으로 출감한다. 그는 출감하자마자 쑥대밭이 된 '나'의 집을 찾아와 위로해준다. 이때의 대복이는 '나'가 간직하며 그리던 그대로의 모습이던 것이다. 이후 그는 자신을 고발한 참봉집에 머슴으로 들어가게 된다. 사람들은 모두 그의 행동을 두고 틀림없이 복수심에서 그렇게 한 것으로 생각하지만 대복이는 충심으로 몰락한 참봉댁을 위해 일한다. 그 후 대복이는 징집되고, 인민군에 협력한 바 있어 숨어 지내던 순심은 대복이의 아이를 밴 채 떠나는 그를 엿보려다 들켜 끌려간다.

「공산토월」의 주인공 석공 신씨 역시 선산의 유택을 치장해주는 등 '나'의 집안과 밀접한 관계를 갖고 있어 '나'로서는 잊을 수 없는 인물이다. 석공은 어려서부터 돌에 대해 깊은 애정을 가지고 있는 사람이었는데, 6·25 때 인민군에 협력한 일로 인해 5년간 감옥살이를 했고 출옥 후에는 마을의 온갖 궂은 일을 도맡아 하면서 억척스럽고 성실하게 살았으나 37세의 한창 나이에 요절함으로써 '나'에게 깊은 여한을 남겨주었다. 이 석공에 대해 '나'는 "일생을 살며 추모해도 다하지 못할 만큼 그리고 나이를 더 먹어가며 살수록 더욱더 그리워지는 인물"이라고 말하고 있다. 석공은 특히 자기 혼례에 와서 흥겹게 놀아준 '나'의 아버지에 대해 감사의 정을 느끼고 그의 인품을 흠모하게 된다. '나'의 집안이 몰락한 후에도 석공은 물심양면으로 돕는다. 감옥에서 출옥한 후 석공은 더욱더 성실하게 마을의 궂은 일은 도맡아 함으로써 마을 사람들은 모두 그를 미더워한다. 하지만 애석하게도 37살에 백혈병을 얻어 요절하고 만다.

「관촌수필」에 등장하는 여러 인물은 전통사회의 유습을 지키는 인간성을 지니고 있습니다. 옹점이는 난리통에 몰락해가는 주인댁을 제 일처럼 돌보며, 대복이는 자신의 구애를 거절한 순심을 위해 위험을 무릅쓰고 자진해서 그 집에 머슴으로 들어갑니다. 또 석공은 6·25의 모진 풍파 속에서 자신이 존경하는 어른을 구하기 위해 온갖 고초를 당합니다. 작가가 이들의 일화를 통해 강조하는 것은 먼저 우리의 전통적 농촌공동체가 지니고 있었던 도덕적 지혜와 품위입니다. 「관촌수필」에 나오는 인물들은 대개 전통적 가치관을 지닌 규범적

농촌문제를 직시하고 대안을 제시한 소설가 이문구

인물들로서, 불확실한 상황과 세태의 변화 속에서도 어떻게 행동해야 할지 본능적으로 알고 있습니다. 그리하여 이들은 인간 심성을 피폐하게 만드는 근대 자본주의의 경제법칙을 초월한 인간적 위엄을 지니고 있습니다. 아울러 이들은 뭇 사람의 본마음, 즉 작가 스스로 '우리의 구원(久遠)한 인간성'이라고 말한 바 있는 마음을 지니고 있습니다. 이 마음은 우리 민족이 수천 년 동안 농경문화 속에 살아오면서 지니게 된 근원적 심성으로, 자연의 재생과 순환의 원리에 입각한 것입니다. 따라서 작가는 인간과 자연의 적정한 조정과 조화를 상실하고 자연으로부터 멀어지면 멀어질수록 우리 현대인은 뒤틀린 심성의 인간으로 될 수밖에 없다고 말하고 있습니다. 결국 작가는 우리가 근대화와 성장의 미명 아래 정신의 뿌리와 참된 본마음을 잃어버렸음을 알려주었습니다.

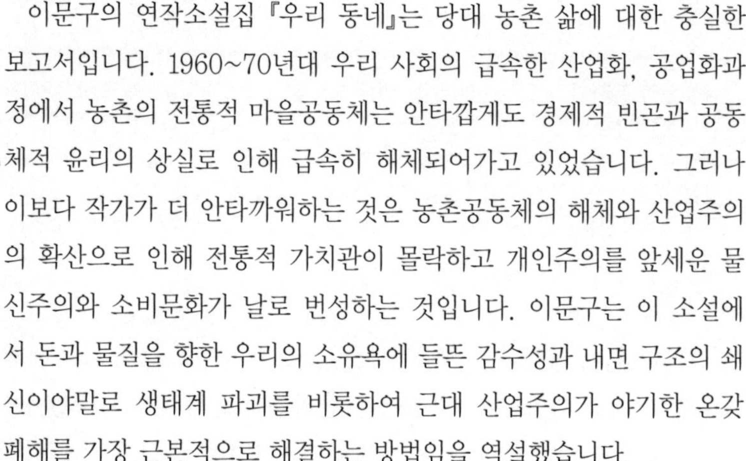

이문구의 연작소설집 『우리 동네』는 당대 농촌 삶에 대한 충실한 보고서입니다. 1960~70년대 우리 사회의 급속한 산업화, 공업화과정에서 농촌의 전통적 마을공동체는 안타깝게도 경제적 빈곤과 공동체적 윤리의 상실로 인해 급속히 해체되어가고 있었습니다. 그러나 이보다 작가가 더 안타까워하는 것은 농촌공동체의 해체와 산업주의의 확산으로 인해 전통적 가치관이 몰락하고 개인주의를 앞세운 물신주의와 소비문화가 날로 번성하는 것입니다. 이문구는 이 소설에서 돈과 물질을 향한 우리의 소유욕에 들뜬 감수성과 내면 구조의 쇄신이야말로 생태계 파괴를 비롯하여 근대 산업주의가 야기한 온갖 폐해를 가장 근본적으로 해결하는 방법임을 역설했습니다.

이문구의 『우리 동네』

4. 분단 현실의 소설적 인식

이 시기에 들어 6·25전쟁으로 인한 윤리적 파탄에 대해 심각하게 탐구하고, 분단 현실이 안고 있는 여러 가지 문제에 대응하는 소설이 등장했습니다. 전상국은 장편 「바람난 마을」에서 6·25전쟁이라는 역사적 사건의 극한상황, 거기서 남자들은 어떻게 생명을 잃었고 여자는 순결을 잃게 되었는지를 규명함으로써 전쟁의 상처를 밀도 있게 드러냈습니다.

「아베의 가족」의 작가 전상국

전상국의 「아베의 가족」[49]은 평화롭게 살아오던 한 가족이 6·25전쟁으로 정신적 외상을 입게 되고, 그들이 전쟁의 상흔에 대한 본질적 이해에 도달하는 과정을 통해 6·25전쟁이 아직도 현재진행형이며 우리 삶의 여러 면에서 심각한 후유증을 남기고 있음을 잘 드러냈습니다.

49) 「아베의 가족」의 줄거리

이 소설의 주인공 진호는 미국으로 이민간 지 4년 만에 G.I가 되어 한국으로 돌아온다. 그는 자신의 형이자 가족들로부터 경원시 당하던 배냇병신인 아베를 찾기 위해 귀국한 것이다. 이는 그가 어머니가 감추고 있던 일기를 발견하고 비로소 아베와 자기 가족간의 관계를 알게 되었기 때문이다. 그의 어머니는 한국전쟁이 일어나기 두 달 전 결혼을 했다. 하지만 전쟁 중 시아버지는 살육을 당하고 남편은 의용군에 끌려가고 임신 중이던 어머니는 미군들에게 윤간을 당한다. 그리고 어머니는 윤간에 의한 충격으로 사지가 헝클어진 배냇병신인 아베를 출산하게 된다. 어머니는 시어머니와 아베를 데리고 힘겹게 살아가고 있는데 진호의 친아버지인 김상만이 나타나 아베에게 애정과 관심을 쏟게 된다. 그것은 김상만이 국군병사로 참전했을 때 동료병사를 죽이고 어느 산 속 농가에서 무고한 일가족을 총으로 쏘아 죽인 죄책감과 상처로 말미암은 것이다. 아베를 데리고 그 집을 나온 어머니와 김상만은 새로운 가족을 만들고, 양공주로 전락한 고모의 초청에 따라 아베를 버려두고 모두 미국으로 이민을 떠난다. 그 후 미국에서의 삶도 비참함을 면치 못하다가 진호는 G.I가 되어 아베의 흔적을 찾아 나서게 된 것이다. 진호는 결말에서 "우리 형 아베를 찾는 일"이 "황량한 들판에 내던진 그 시든 나무들이 꿋꿋한 뿌리"가 될 것이라는 인식에 도달한다.

윤흥길은 「장마」에서 전쟁의 비극성에 대한 고발을 넘어서 화해 가능성을 제시했습니다. 이 소설은 6·25의 비극적 속성이 '나'를 주인공으로 하는 한 가정 안에 효과적으로 집중되어 있습니다. 전쟁으로

분단소설의 대표 작가 김원일

세상이 둘로 갈라져 싸우고 있는 것처럼 빨치산이 된 아들을 둔 '나'의 친할머니와 국군에 입대한 아들을 둔 '나'의 외할머니는 '나'의 외삼촌이 전사했다는 통지서를 받게 된 후 첨예하게 대립하게 됩니다. 그러나 결국 친할머니도 빨치산으로 나간 아들을 잃게 되면서 두 사돈은 화해합니다. 빨치산으로 나간 '나'의 친삼촌이 죽은 뒤 장마가 그친 어느 날 집안에 찾아든 구렁이를 외할머니가 달래어 쫓는 장면은 토속신앙과 한(恨)과 같은 민족간의 근원적인 정서의 동질성을 통해서 서로 용서하고 화해함으로써 적대관계가 극복될 수 있다는 것을 보여줍니다.

김원일은 「어둠의 혼」[50]과 「노을」에서 '진영'이라는 경상남도의 소읍을 중심으로 해방 직후부터 6·25가 일어나기 전까지의 기간 동안 좌·우익이 벌이는 이데올로기 싸움 속에서 한 가족이 파멸하는 과정을 통하여 분단의 비극성을 묘사했습니다. 김원일의 분단문제에 대한 관심은 이후 80년대에 이르러서는 장편 「겨울 골짜기」와 연작 소설집 「마당 깊은 집」으로 이어지면서 한층 심화되었습니다.

50) 「어둠의 혼」의 줄거리

이 소설의 어린 화자인 갑해의 아버지는 일본 유학을 할 만큼 지식층이었지만 숨어서 어디론가 헤매고 다니는 인물이다. 그러던 어느 날 아버지가 잡혔다는 소문이 장터 마을에 깔리고 '나'는 아버지도 다른 청년들처럼 총살당할 거라고 생각한다. 그러나 갑해에게는 집에 잘 들어오지 않는 아버지의 생사보다 굶주림이 더 심각하다. 어머니는 보리쌀을 얻으러 이모 집에 갔을 것이며, 아버지가 죽으면 그 많은 빚은 어떻게 갚을까 걱정이 된다. 이모네 술집에 들린 '나'는 밥을 실컷 먹고 지서로 가서 아버지의 죽음을 확인한다. '나'는 울면서 낙동강변까지 마구 달린다. 강물처럼 쉬지 않고 자라야 한다던 아버지의 말이 떠오른다. 아버지는 너무 많은 수수께끼를 남긴다. 집안의 기둥으로 힘차게 버텨야 한다는 결심이 '나'의 눈물을 달래고 있음을 느낀다.

군대라는 특수한 조직의 비인간적인 모습과 분단의 모순을 심도 있게 다룬 작가는 신상웅입니다. 데뷔작 「히포크라테스 흉상」[51]의 주인공은 군대에서 급성 복막염에 걸린 환자로, 후송 병원을 전전하다 치료도 제대로 받지 못한 채 죽습니다. 작가는 이 작품에서 군 의료기관의 무성의와 책임 회피를 문제삼는 동시에 당시로서는 다루기 어려웠을 군부를 비판합니다. 「분노의 일기」는 한국에 주둔하는 미군 병영에서 김 대위가 겪는 다양한 갈등을 통해 분단 현실과 미국의 의미를 묻고 있습니다. 신상웅의 대표작은 역시 「심야의 정담」[52]이라 할 수 있습니다. 이 작품은 1950년대 말부터 60년대까지를 시간적 배경으로 하여 역사적 격동기를 살아간 세 청년의 삶을 다룹니다. 이 작품이 잡지에 연재되는 사이 7·4남북공동성명이 발표되어 엄혹한 분단의 현실이 해빙되는가 싶기도 했습니다. 하지만 박정희의 10월유신은 다시 남북을 대치상태로 되돌려놓아 분단체제는 더욱 고착됩니다.

「심야의 정담」으로 작가적 위치를 확고히 한 신상웅

51) 「히포크라테스 흉상」의 줄거리

에코 전차중대의 송문집 일병은 어느 겨울날 밤중에 갑자기 복통을 일으킨다. 그의 복통은 더욱더 심해져만 가고 당황한 주번사관과 정 소위는 할 수 없이 눈 덮인 밤길을 헤치며 그의 후송을 강행하게 된다. 그러나 중대 의무실와 연대 의무대를 거쳐 도착한 3포대 의무대에서는 앞서 의무대와 마찬가지로 그의 고통을 해결해 주기 위해 준비된 것이 아무것도 없다. 송문집은 끊임없는 복통 속에서 고통을 호소하며 이후 제7이동외과병원으로, 제9야전병원으로, 제78후송병원 순으로 여러 절차를 거치며 후송된다. 그러다가 송문집은 마지막으로 제18 육군병원에 도착하지만 마침 크리스마스 이브여서 병원에 사람이 없는 데다 모든 수속과 의료 절차는 느려터지기만 하다. 게다가 때마침 이 병원에 미군의 간호 고문 카펜터 여군 중령이 시찰을 온다. 병원장을 비롯한 12명의 사내는 송 일병의 고통에는 아랑곳없이 오직 시찰을 무사히 넘기는 일에만 몰두한다. 결국 계속 고통을 호소하던 송 일병은 크리스마스 이브에 절명한다. 그러나 그의 죽음은 군의관에 의해 간단히 자살로 처리되고, 시체 처리를 맡은 위생병의 투덜거림 속에 훈육에 저항하던 그의 주검이 시체실로 운반된다.

52) 「심야의 정담」의 줄거리

학적보유병인 서준학·박민욱·윤경은 휴전선을 지척에 둔 군사분계선 경비부대에 함께 배치된다. 그러나 이후 이들의 삶의 행로는 각각 달라지는데, 우선 준학은 연대장을 적으로 오인해 사살한 후 탈영하여 월북하고, 민욱은 제대 후 준학의 애인이었던 주용점과 결혼하여 선생이 된다. 이북 출신이라 다른 부대로 전출된 경은 장교가 되어 베트남전에 참전해 전사한다.

5. 산업화 사회의 폭력적 메커니즘에 대한 비판

산업화 시대의 인간소외를 많이 다룬 이동하

70년대 박정희 정권의 개발독재가 괄목할 만한 경제성장을 이루어낸 것과는 대조적으로 유신체제는 자유와 인권에 대한 억압을 심화시켰습니다. 그리고 이 개발독재는 국토개발 과정에서 수많은 이들을 조상 대대로 물려받은 땅으로부터 강제로 쫓아냈으며, 독점화되고 절대화된 법과 권력은 폭력적 전횡을 일삼았습니다. 이처럼 급속히 전개된 도시화, 산업화 과정에서 폭력적인 개발독재의 메커니즘은 사회 전 분야에 파급되어 이제 개인은 권력뿐 아니라 그가 소속된 회사나 조직에서도 억압과 소외를 경험하게 됩니다. 그러므로 개인과 사회, 개인과 조직, 개인과 가족의 관계는 삭막하고 이기적인 계약관계로 변질됩니다. 특히 개인은 국가권력의 폭력적 전횡에 무방비 상태로 학대받는 무력한 존재이면서 동시에 그가 소속된 회사나 조직에서도 절대화된 힘에 휘둘리며 단지 보다 높은 이윤 창출을 위한 소모품에 불과한 왜소한 존재가 되어버렸습니다.

이동하는 1966년 「전쟁과 다람쥐」로 등단한 이래 인간의 소외와 상처를 자신의 소설에서 진지하게 탐구해왔습니다. 그의 70년대 작품들에서도 당시 군사정권의 개발독재가 내포한 폭력성이 사회 전 분야에 파급되어 곳곳에서 우리의 인간성을 옥죄고 황폐화하고 있음을 예리한 작가적 시선으로 포착해내고 있습니다.

53) 「승객들」의 줄거리

두 명의 중년 남성과 젊은 여성 둘, 그리고 서로 존칭을 쓰는 두 명의 남자, 이렇게 여섯 명의 승객은 제3공화국 탄생 6주년을 기념하는 행사로 인해 교통이 통제되어 시내를 맴도는 버스 안에 갇힌 채 대화를 나눈다. 조국 근대화라는 담론 아래 한 묶음으로 도로에 내동댕이쳐진 승객들은 처음부터 그들의 의사대로 시작된 건 아무것도 없었다는 사실을 자각하게 된다. 이들은 이미 데모 때도, 외국의 국가 원수들이 왔을 때도, 해외원정 선수들이 돌아올 때도, 파병식이 있던 날도 늘상 반복적으로 버스에 갇히곤 했던 것이다. 그리고 국가가 주도하는 이러한 행사는 한결같이 거창하기에 사소한 피해 같은 건 내세울 수조차 없을 뿐더러 마냥 참고 기다려야만 하는 것처럼 여겨진다. 소설의 결말 부분에서 버스는 좌회전을 네 번 한 끝에 제자리로 돌아온 후, 다시 우회전을 하게 된다. 답답해진 승객들이 "도대체 어디로 가는 거야?"라고 질문하지만, 차장도 운전기사도 버스가 어디로 가는지 알지 못한다.

1970년대에 씌어진 이동하의 「승객들」[53]과 「일상의 리듬」, 「홍소(哄笑)」와 「모래」 등의 작품은 정권과 사회구조 속에 내포된 절대화된 권력의 폭력적인 힘과 냉엄한 삶의 질서 속에서 살아남기 위해 몸부림쳐야만 하는 한없이 무력하고 왜소화된 존재인 70년대 서민의 패배감과 절망을 명징하게 보여주고 있습니다. 이 시기 그의 소설들은 인간 소외와 비속화, 그리고 인간성 파괴를 강요하는 당대 개발독재의 폭력적인 사회체제에 대한 극도의 반감과 우울, 괴로운 자의식의 표현입니다. 이와 아울러 무력감과 절망감에 사로잡힌 인간 개인의 모습을 형상화하면서도 그런 모습에 대한 강한 부정을 통해 훼손되지 않은 본래의 순수한 인간성에 대한 동경을 드러내고 있습니다.

박완서는 장편 「도시의 흉년」과 「휘청거리는 오후」[54]를 통해 도시 중산층 삶의 세태와 풍속을 비판적으로 형상화했습니다. 이 작품들은 한 가족을 중심으로 벌어지는 일상적인 생활을 치밀하게 그려냄으로써 그 가족이 속해 있는 사회의 도덕적 규범과 인간적 가치가 상실되고 있음을 절실하게 그려냈습니다. 작가는 우리의 불행한 근·현대사인 일제강점기와 해방, 그 뒤이은 분단과 전쟁을 거치면서 우리

도시 중산층의 삶을 비판한 박완서

사회를 지탱해온 가족의 윤리와 가치 규범이 무너지면서 물질주의와 출세주의가 중산층의 허위의식을 지배하고 있음을 비판적으로 그렸습니다.

최일남의 작품에는 중산층의 사회적, 정치적 의식의 이중성과 소극성에 관한 비판이 담겨 있습니다. 작가는 부정적인 중산층의식에 집중하면서 궁극적으로는 중산층이 사회의 다른 계층과 어떠한 갈등양상을 보이며 화해하는가를 주제의식으로 삼았습니다. 소설집 「타령」에서도 소시민의식의 속물근성을 비판하는 서민층이 자주 등장하며 작가는 해학적인 문체로 중산층과 다른 계층과의 화해를 시도했습니다.

54) 「휘청거리는 오후」의 줄거리

전직 교감이며 전기설비공장을 운영하는 허성에게는 초희, 우희, 말희라는 세 딸이 있다. 장녀 초희는 돈 많은 남자를 만나서 부유한 결혼생활을 하고자 한다. 그리하여 극성 어머니인 민 여사의 노력으로 오성산업의 전도 유망한 기획실장인 조광욱과 맞선을 보고 약혼까지 약속하지만 초희 집안의 초라한 실체가 드러나 파혼을 당한다. 그 후 나이 많은 부자인 공회장의 재취 자리로 들어가지만 결혼생활은 순탄치 않다. 둘째딸 우희는 언니의 물질주의적 결혼관에 맞서 사랑을 택해서 대학 친구인 오민수와 혼전관계를 갖고 결혼을 하지만, 그의 가난한 가정환경 때문에 역시 어려움을 겪고 산다. 그 후 초희는 결혼생활의 심리적 불안으로 신경안정제 없이는 살 수 없는 사람이 되었고 그러던 도중 결혼 전날 관계를 가진 친구인 김상기와 다시 하룻밤을 보내게 된다. 이후 공 회장의 아기를 임신한 줄 알고 잠시 행복해 하지만 그 아기는 김상기의 아이임을 알게 된다. 막내딸인 말희는 한정훈이라는 남성우월주의적 성격을 가진 고시생과 교제하다 돈을 밝히는 그의 속내를 알고 헤어진 후 고시 준비하다 이젠 유학 준비 중인 문경하를 만나게 되고 결혼을 약속한다. 임신 사건 후 친정으로 돌아온 초희는 약물 중독 때문에 정신병동에 입원하게 되고 허성은 초희의 병원비와 말희 부부의 미국생활 자금을 모으기 위해 조력자인 유영감 회사로부터 하청받은 공사를 공사비를 빼돌려 부실시공을 하게 되는데, 이 일은 결국 말희의 결혼식 날 적발된다. 이후 허성은 홀로 집에 돌아와 수면제를 과다복용하고 죽음의 잠에 빠져든다.

Ⅶ. 1980년대의 소설

1. 광주의 비극과 문학적 형상화

1980년대는 지난 연대의 사회적 모순이 고스란히 이어졌습니다. 첨예한 남북 대치와 분단의 고통, 개발 독재의 그늘인 소외계층 문제, 비민주적인 정치상황 등으로 사회는 여전히 불안했습니다. 그러나 1980년 5월에 발생한 광주의 비극은 무엇보다 커다란 불행이었습니다. 1979년 10월 박정희의 급작스런 죽음은 오랜 독재체재의 종언과 동시에 민주주의의 열망을 낳게 했습니다. 당시 세간에 회자되던 '서울의 봄'[55]이라는 말이 상징하듯 국민들은 민주사회를 간절히 소망했지만, 신군부 세력은 무장병력을 동원해 광주 시민들을 무참히 학살합니다.

1980년 5월 18일, 시민들의 민주화 요구를 무력으로 진압하는 계엄군

학살의 현장에서 직접 비극을 체험한 임철우는 「봄날」과 「불임기(不姙期)」로 악몽 같은 현실을 형상화합니다. 작가의 현장체험은 당시의 상황을 생생하게 그려내는데 도움을 줍니다. 작가는 이후 「붉은 방」[56]에서 폭력과 고문을 마구잡이로 행사하는 반민주적인 정치권력의 행태를 고발합니다. 오월 광주의 작가답게 그는 1997년에 장편소설 「봄날」로 광주의 비극을 보다 총체적으로 고찰합니다.

광주의 비극을 줄기차게 형상화한 임철우

55) 서울의 봄

1979년 10월 26일 박정희 사망으로 유신체제가 막을 내리고 1980년 5월 17일 비상계엄령 전국 확대조치가 단행되기 전까지의 정치적 과도기를 일컫는 용어. 장기간의 유신독재 체제에서 벗어난 이 시기에 국민들은 민주주의의 열망을 표출했으나, 5월 17일 신군부 세력은 민주화 시위를 벌이는 광주시민을 무참하게 학살하면서 서울의 봄은 비극적으로 끝난다.

56) 「붉은 방」의 줄거리

오기섭은 출근길에 낯선 사내에게 끌려간다. 시국사범을 숨겨줬다는 이유로 그는 사방이 온통 '붉은 방'에서 모진 고문을 당한다. 오기섭을 고문하는 최달식은 경찰관이던 아버지의 영향으로 어릴 적부터 빨갱이를 원수로 생각하며 자랐다. 점점 강도가 높아가는 고문에 시달리던 오기섭은 최달식의 각본대로 자술서를 쓰지만 절망감과 분노에 휩싸인다. 그러나 최달식은 자신의 행위가 국가와 민족을 위한 것이라며 만족해 한다. 후에 오기섭은 혐의에서 벗어나 붉은 방을 떠난다.

최윤의 「저기 소리 없이 한 점 꽃잎이 지고」의 무대는 학살의 현장이 아닙니다. 이 작품은 항쟁 중에 트라우마(trauma)[57]를 입은 소녀의 뒤를 좇는 형식으로 구성되어 있습니다. 항쟁의 현장에 죽은 어머니를 두고 도망친 소녀의 삶은 어떻겠습니까? 정상적인 생활이 어렵겠지요. 가공할 정신적 충격은 결국 소녀를 실성케 합니다. 소녀의 불행은 비극적 역사의 상흔이라 할 수 있습니다. 작가는 이 작품에서 광주의 비극이 살아있는 자에게 고통으로 각인될 것임을 강조합니다. 이 작품은 이정현이 주연배우로 나온 영화 「꽃잎」의 원작이니, 소설과 비교 · 대조해 보면 두 장르의 특성을 살펴볼 기회가 될 것입니다.

이후 최윤은 「회색 눈사람」에서 70년대 운동권 인물이 겪는 이념과 인간성의 간극을 섬세하게 그려내고, 「하나코는 없다」에서 장진자라는 여성을 통해 집단 속에서 상실된 개인의 존재에 질문을 던집니다.

홍희담의 「깃발」은 노동자의 관점에서 광주항쟁을 바라봄으로써 항쟁 주체였던 민중에 보다 큰 의미를 부여합니다.

57) 트라우마
전쟁, 천재지변, 화재, 신체적 폭행 등 생명을 위협 당하는 상황에 직면한 후 나타나는 정신적 외상(外傷).

2. 생생한 삶의 숨결인 노동문학

1970년 "근로 기준법을 지켜라!", "우리는 기계가 아니다!"라고 외치며 분신한 전태일[58]은 한국 노동운동의 도화선 역할을 했습니다. 그는 노동자들의 비참한 생활을 개선하기 위해 죽음으로 항거했던 것입니다. 하지만 저임금에 장시간 노동, 열악한 작업 환경에 시달리던 노동자의 현실은 80년대에 들어서도 그리 개선되지 않았습니다. 이러한 사회적 모순 때문에 노동문학이 태어납니다. 각종 사업장을 전전한 노동자인 박노해는 「시다의 꿈」 「손무덤」 등의 시로 척박한 노동현실을 생생하게 그려내기도 했습니다. 그러나 보다 성숙한 노동문학 작품은 1987년 7, 8월의 노동자대투쟁[59] 이후에 생산됩니다. 이제 노동자들은 억압에 순응하는 수동적 존재에서 벗어나 계급의식과 연대 투쟁의 중요성을 자각하는데, 그것은 소설에 고스란히 반영됩니다.

전태일 동상

58) 전태일

서울 평화시장 의류업체의 재단사였던 전태일은 노동조건 개선을 위해 활동하다 해고된 후 활발한 노동운동을 벌이다 1970년 11월 평화시장 앞에서 시위를 벌이던 중 강제해산 당하자 분신자살했다. 그의 희생은 70년대 노동운동의 지평을 열었고 향후의 노동운동에 커다란 영향을 미쳤다는 평가를 받고 있다.

59) 노동자대투쟁
1987년 6·29선언 이후 조성된 민주화 물결은 노동자들의 권리투쟁으로 변화되어 급속히 확산되었다. 근로조건 개선과 임금 인상 등의 기본권을 주로 요구했으나 최대 규모의 집단적 저항운동이라는 점에서 노동운동의 질적 전환을 이루었다는 평가를 받고 있다.

유순하의 장편소설 「생성」은 노동자들의 파업 현장을 공장 중간 관리자의 시선으로 조망하여 노사 갈등의 국면을 객관적으로 그려내고 있습니다. 방현석의 「새벽 출정」[60]은 각성된 노동자 의식을 잘 보여주고 있습니다. 방현석은 1990년대에 들어서도 80년대의 시대적 가치가 훼손되지 않았음을 밝히는 작품을 씁니다.

이 시기의 노동소설은 현장 노동자들에게서도 창작됩니다. 노동현장을 직접 경험한 그들은 생생한 묘사로 작품의 사실성을 높입니다. 정화진의 「쇳물처럼」은 암울한 노동현실에서도 노동자들이 승리하는 낙관적 전망을 제시하고, 안재성의 「파업」은 노동자의 관점에서 씌어진 최초의 장편소설이라는 의의와 함께 급속히 계급적 각성을 이룬 선진노동자의 전형을 창출했다는 점에서 가치 있는 작품입니다.

60) 「새벽 출정」의 줄거리

인천의 도자기 제조업체인 세광물산의 비리와 위장폐업에 맞서 공장의 여성 노동자들은 150여 일 동안 파업을 한다. 그러나 경영주 측에서는 문제 해결에 전혀 성의를 보이지 않는다. 그래서 노동자들은 다른 회사의 노조원들과 연대하여, 이른 새벽 가두투쟁을 하러 나선다.

노동소설은 개발독재와 비인간적인 자본가들에게 희생을 강요당한 노동자들이 투쟁으로 승리한다는 낙관적 전망으로 결말을 맺는 경우가 많습니다. 아울러 노동자는 선, 사용자는 악이라는 도식적 구성으로 인간의 다양한 내면을 살피지 못한 미진함이 있습니다. 사업장에서는 악덕 기업주라고 욕을 먹어도 집에서는 자상한 남편이자 아버지일 수 있는 존재가 바로 인간 아닌가요? 작품의 미학적 측면도 아쉬운 점이 있습니다만, 이런 생각이 들기도 합니다. 당시는 예술의 미학성보다 모순된 현실 타파를 위해 노동자들의 의식을 고취하는 일이 더 시급했으리라는 생각 말입니다.

노동문학의 기수로 나선 방현석

3. 새로운 소설 형식의 실험

1980년대 소설은 현실의 모순에 응전하는 내용의 작품이 주류를 이룹니다만 새로운 소설 형식을 모색하여 씌어진 작품도 있습니다. 이 계열의 작품들은 전통적인 소설의 서사 양식 해체, 새로운 형식 실험 등으로 주류 소설들과 변별성을 드러냅니다. 이 경향의 작가들은 일상인의 소외나 미세한 내면 탐구에 집중했는데, 이러한 시도는 한국 사회가 현실의 다양한 모순과 더불어 한편으로는 점점 미분화하는 양상의 반영이라는 점에서 의의가 있습니다.

어쩌면 이 계열의 작가들은 너무도 비슷한 작품만 양산되는 1980년대 소설에 불만을 느꼈을지 모릅니다. 또 기질적으로 그런 세계가 자신의 창작관에 맞지 않았을 수도 있겠습니다. 그들이 외국문학 전공자라는 측면도 간과할 수 없습니다. 불문학 전공자인 이인성과 최수철의 작품에 누보로망(nouveau roman)[61]의 냄새가 감지되는 것은 전공의 연관성과 무관하지 않을 것입니다. 그러나 이들 소설의 궁극적 탐구 대상 역시 인간이라는 점에서는 주류 소설들과 동일합니다. 소설은 인간학이라는 진부한 말을 들먹거리지 않더라도, 소설에 인간이 빠지면 무엇이 남겠습니까? 인간이 배제된 단지 '실험을 위한 실험' 소설에는 잿더미처럼 앙상한 공허만 남을 것입니다.

61) 누보로망(nouveau roman)

1950년대부터 프랑스에서 발표되기 시작한 아주 새로운 형태의 소설. 구체적으로는 알랭 로브그리예·미셸 뷔토르·나탈리 샤로트·클로드 시몽 등 새로운 소설 양식을 창조하려 했던 일군의 작가들을 지칭한다. 누보로망은 고정된 개념이나 이론이 없고 공식화된 그룹은 아니다. 전통적인 소설 쓰기 형식을 거부하고 전위적인 방법론을 추구했지만 난해성 때문에 독자의 큰 호응을 받지는 못했다.

형식 실험에 나선 작가 이인성

이인성은 1980년대에 가장 실험적으로 소설 형식을 탐구한 작가입니다. 「지금 그가 내 앞에서」에는 미세한 자의식만 나열되고, 쉼표와 말줄임표의 과도한 사용으로 숨이 막히는 「한없이 낮은 숨결」에서는 소설의 한 극단이 실험됩니다. 그럼 그의 소설을 조금 들여다볼까요?

> 당신도, 나도, 그도, 아닌…, 그들도, 당신들도, 나들도, 아닌…, 우리도, 아닌…, 우리들도, 너희도, 너희들도, 그들들도, 아닌…, 누가 무엇이…,, 그러니까, 어, 어떤…, 그래, 그 어떤…,, 그런데, 모르겠어…,, 말로, 끄집어, 내길, 갈망해…, 말밖에, 달리, 어쩔 수 없으니…, 어떻게든…, 그런데 모르겠어…,, 그냥, 그 어떤 무엇이, 혹은, 그 어떤 누가…,, 이미 우리가, 아닌…, 너희도, 저들도, 이들도, 멀리 아닌…, 애당초 아닌…,, 결국은, 마찬가지 소리지만…,, 알 수 없는 그, 누구-무엇이…,, 말로, 오지, 가지, 않는, 어떤…
>
> —「한없이 낮은 숨결」에서

이렇게 시작되는 소설을 읽자면 골이 지끈거릴 겁니다. 전통적 서사구조의 해체로 작가는 독자의 주의 깊은 독서 참여를 요구하고 있습니다. 1990년대에 발표한 「마지막 연애의 상상」은 소설의 줄거리와 화자, 인칭과 시점 등을 해체하여 소설의 존재 형식을 묻는 한편 그것을 쓰려는 행위 자체에 대한 비평을 소설화하는 메타픽션(metafiction)[62]의 성격을 보여줍니다.

62) 메타픽션
창작 과정 그 자체를 드러냄으로써 소설의 이론이나 형식을 탐구하는 소설을 가리키는 용어. 현실의 재현보다 작품의 내적인 면을 탐구하는 데 더 큰 목적을 둔다. 이런 시도는 새로운 소설을 모색하려는 의도의 결과로 볼 수 있다.

최수철은 미세한 시선으로 파편화된 현대인의 의식과 일상사를 그려냅니다. 당시로서는 낯선 미니멀리즘(minimulism)[63]의 기법으로 최수철은 독자에게 당혹감을 줍니다. 그는 창작집 『공중누각』에서 산업화 시대의 삶의 양태에 주목하고, 『화두, 기록, 화석』에서는 인간 사이의 소통을 담당하는 약호들(눈짓, 몸짓, 언어 등)을 통해 글쓰기의 본질을 탐구합니다. 연작소설집 『고래 뱃속에서』를 통해서는 억압된 사회구조에서 신음하는 개인의 삶을 살핍니다.

63) 미니멀리즘

"더 적은 것이 더 많다." 또는 "작은 것이 아름답다."라는 심미적 원칙에 기초를 두고 있는 예술 조류. 미니멀리즘 작가는 절제와 응축, 그리고 경제성을 핵심 전략으로 삼아 단조롭고 평범한 삶의 모습을 작품화함. 미니멀리즘 작가는 사소한 플롯, 극적 갈등이 없는 생략적인 전개 방식, 세부적인 묘사 등에 관심을 보이고 '낯설게 하기'의 기법을 활용.

전통적인 창작방법론에 입각해 활동을 해온 서정인의 변모도 인상적입니다. 소설집 『달궁』에서 그는 우연한 사건의 연속으로 소설의 인과성을 파괴합니다. 이러한 방법은 삶을 해체하고 파편화하는 데 효과적입니다. 작가는 이 작품에서 '반어체' 어법을 통해 뒤틀린 세상을 비판하고, 풍자적 판소리 사설체를 차용해 독특한 소설미학을 선보입니다. 사실 반어적 어법이나 판소리가 새로울 것은 없습니다. 현진건의 「운수 좋은 날」 하면 일단 반어가 떠오르고 조선후기 민중에게 널리 향유되었던 판소리나 판소리계소설도 우리는 잘 알고 있습니다. 그러나 『달궁』에서 작가는 한국어로 축조할 수 있는 서사 모형을 꾸준히 탐색합니다. 이처럼 새로운 방법론적 모색이 80년대에 성과물로 나왔다는 점을 주시해 이 작가를 여기에 포함시킵니다.

4. 다양한 개성으로 그려낸 현실의 모습

1) 유년기 전쟁체험[64)]과 분단의 상처

전쟁과 분단의 상처는 한국인의 삶에 지대한 영향을 미치고 있습니다. 근래에는 남북이 활발한 교류를 하고 있지만 1980년대만 하더라도 반공이데올로기는 한국사회를 억압하는 커다란 굴레였습니다. 한

64) 유년기 전쟁체험
말 그대로 유년기에 전쟁을 직접 체험한 세대를 뜻한다. 이 세대의 작가들은 섬세한 감수성을 지닌 유년기에 겪은 전쟁을 추체험의 형식으로 작품화한다. 소년 화자를 내세워 전쟁의 경험과 상처를 상기하는 형식도 이 세대 작품의 특징이다.

국전쟁과 분단의 비극을 다룬 이 시기의 소설은 유년기에 전쟁체험을 한 작가들에 의해 많이 생산됩니다.

6·25전쟁과 분단문제를 치열하게 소설화한 김원일은 중편 「환멸을 찾아서」와 장편 「겨울 골짜기」에서 이념의 문제를, 연작소설 「마당 깊은 집」에서 전후의 궁핍한 상황에서도 피어나는 인간적 온기를 핍진하게 보여줍니다. 1980년에 연재를 시작해 1997년에 완성한 대하소설 「불의 제전」은 6·25전쟁의 발발에서 교착상태까지의 현실을 총체적으로 형상화한 작품입니다.

김원일의 연작소설집
「마당 깊은 집」

이동하는 3편의 중편소설이 모여서 된 「장난감 도시」에서 대구를 배경으로 전후의 혼란과 궁핍상을 사실적으로 그려냅니다. 「파편」[65]은 전쟁 때의 파편을 평생 가슴에 품고 살다간 숙부를 통해 전쟁이 현재진행형인 비극임을 보여줍니다.

65) 「파편」의 줄거리

숙부의 사망 소식을 듣고 나는 고향으로 향한다. 차 안에서 나는 부끄러운 가족사를 회상하다 숙부의 고단했던 삶을 떠올린다. 해방 후 나의 아버지는 좌익계열에 가담했고, 숙부는 군대에 입대했지만 상이용사가 되어 제대한다. 나는 상가(喪家)에서 숙부를 염할 때 가슴의 상처를 보게 된다. 화장 후 숙부의 가슴 속에서 나온 파편을 보고 과거를 부정하려고만 한 자신에게 심한 자괴감을 느낀다.

작가 스스로가 자신의 불행한 가족사를 다룬 작품이라 밝힌 「영웅시대」에서 이문열은, 좌파 지식인의 굴곡진 삶을 통해 이데올로기의 비극과 허망함을 다룹니다. 이외에도 전쟁과 분단을 소재로 씌어진 주목할 만한 작품으로, 김성동의 「오막살이 집 한 채」, 문순태의 「철쭉제」, 박완서의 「엄마의 말뚝 2」[66], 조정래의 「유형의 땅」 등이 있습니다. 전쟁을 직접 체험하지 않은 세대지만, 전쟁과 분단을 소재로 상처의 치유와 민족의 조화로운 삶을 모색한 작품으로 임철우의 「아버지의 땅」, 이창동의 「소지」 등이 있습니다.

66) 「엄마의 말뚝 2」의 줄거리

5남매의 어머니로 평범하게 살아가던 나는 친정어머니의 사고 소식을 듣는다. 이후 어머니는 수술 후유증에 시달리면서도, 6 · 25 때 참혹하게 죽은 아들을 떠올린다. 어머니는 의식이 돌아왔을 때, 자신이 죽으면 오빠 유골을 뿌린 데에다 자신의 유골도 뿌리라고 부탁한다.

2) 소시민의 일상성

1980년대는 한국 사회가 본격적으로 도시 · 산업화한 시기로 사람들은 저마다 중산층으로 편입하기 위해 애를 썼습니다. 그 물결은 도시 변두리 서민에게도 예외가 아니어서 그들의 생활상에 그런 모습은 여지없이 드러납니다. 이 계열의 작품들은 변두리 도시 서민의 평범한 일상이나 이제 막 중산층으로 진입한 사람들의 일상사를 다룹니다. 연작소설집인 양귀자의 「원미동 사람들」[67]은 부천 원미동에 거주하는 다양한 인간 군상을 통해 변두리 서민의 풍속도를 실감나게 그려냅니다.

67) 「원미동 사람들」의 줄거리

이 연작소설집에 수록된 단편 「일용할 양식」의 줄거리는 다음과 같다. 경호네는 김포슈퍼의 판매 물품을 확대하여 형제슈퍼의 김 반장네와 갈등을 일으킨다. 한 동네 두 가게의 가격 경쟁으로 원미동 사람들은 난처하기도 하지만 한편으로 이익을 챙기기도 한다. 가뜩이나 출혈경쟁으로 손해가 막심한 판에 싱싱청과물이라는 새 가게가 문을 열어 김 반장과 경호네는 속을 끓인다. 마침내 김포슈퍼와 형제슈퍼가 동맹을 맺어 싱싱청과물은 폐업을 하게 된다. 먹고살기 위해 힘겹게 살아가는 원미동 사람들의 삶에 대해 동네 사람들이 이야기를 나누며 소설은 끝이 난다.

박영한 역시 소설집 『왕룽일가』에서 우묵배미라는 서울 근교의 농촌을 무대로 서민들의 애환을 그려냅니다. 이에 비해 김원우의 시선에 걸린 중산층은 대개 비판의 대상이 됩니다. 김원우는 「무기질 청년」에서 그런 경향의 단초를 보이고 이후로 「그림 밖의 풍경」, 「아득한 나날」 등에서도 속물적 중산층의 세태를 날카롭게 꼬집습니다.

세태소설을 많이 쓴 양귀자

3) 1980년대의 다양한 소설

작가들의 작품세계를 일정한 틀로 규정하기에는 무리가 따릅니다. 작가들은 자신의 작품세계를 심화하는 동시에 새로운 작품세계를 일구기 위해 노력을 게을리 하지 않습니다. 많은 작가들의 그런 노력으로 80년대에는 다양한 소재의 작품들이 창작됩니다.

이문열의 『젊은 날의 초상』

68) 성장소설

정신적으로 미성숙한 인물이 성인 세계로 입문하는 과정에서 겪는 갈등과 성숙, 각성 등의 과정을 다룬 소설을 지칭한다. 이야기는 지적·도덕적으로 미성숙한 이가 자아와 세계의 의미를 깨닫는 내용으로 전개된다. 이 깨달음의 과정을 문화 인류학자나 신화비평가들은 '통과제의', '통과의례', '성인식 입문' 등의 용어로 표현하는데, 우리 소설에서는 황순원의 「소나기」, 김원일의 「어둠의 혼」, 김승옥의 「건」 같은 작품을 예로 들 수 있다.

늦깎이로 등단해 1980년대에 문명(文名)을 높인 대표적 작가가 이문열입니다. 탁월한 이야기꾼답게 그는 다양한 소재를 능란하게 소화합니다. 한 청년의 방황과 시련을 삼십대 성년의 나이에 회상하는 「젊은 날의 초상」은 전형적인 성장소설[68]이라 할 수 있습니다. 또한 서양의 근대 문명 속에서 전통적 삶을 고수하며 자신만의 이상적 세계를 꿈꾸는 인물의 일대기를 알레고리(allegory)[69] 기법으로 다룬 「황제를 위하여」, 동양적 미학 세계를 탐구한 예술가소설[70]인 「금시조」[71] 시골 초등학교 교실을 무대로 권력의 허구성을 비판한 「우리들의 일그러진 영웅」[72] 등 그의 작품은 한때 대중들에게 널리 읽혔습니다.

70) 예술가소설
예술가가 예술적 이상과 현실 사이에서 갈등하다 마침내 성취를 이루어가는 과정을 다룬 소설. 우리 소설에서는 김동인의 「광염 소나타」, 황순원의 「독짓는 늙은이」, 이청준의 「줄광대」, 「매잡이」 등을 들 수 있다.

69) 알레고리(allegory)

작품이 표면적 의미와 이면적 의미를 함께 갖는 이야기 유형을 총칭한다. 이 용어는 우화(fable)나 비유담(farable)과 밀접한 관계를 맺고 있다. 이솝우화를 예로 들자면, 이야기의 표면구조는 단순히 동물 이야기지만 이면구조는 인간세계를 빗대어 말하는 이중구조를 띠고 있다. 우리 소설에서는 장용학의 「요한 시집」과 「원형의 전설」, 이문열의 「들소」 등을 예로 들 수 있다.

71) 「금시조」의 줄거리

고죽은 어려서 부모를 잃고 서예가인 석담 선생의 문하로 들어간다. 그는 어렵게 석담의 제자가 되지만 예술세계에서 예(藝)보다 도(道)를 중시하는 석담은 예를 앞세우는 고죽의 작품을 마뜩해 하지 않는다. 이러한 예술관의 차이는 사제간의 갈등을 야기하여, 둘은 오랜 시간 거리를 두며 지낸다. 이후 석담이 죽은 후 고죽은 스승이 자신을 총애했음을 알게 된다. 죽음에 임박한 고죽은 자신의 작품을 회수하여 불태우는데, 거기서 고죽은 완성된 예술혼의 상징으로 금시조를 본다.

오정희는 이 시기에 빼어난 작품들을 많이 발표합니다. 등단 이후 꾸준히 여성의 무의미한 일상사와 권태, 광기 어린 일탈 등에 집중했던 작가는, 1980년대에 중산층 중년 여성의 심리를 섬세하게 다룬 「야회(夜會)」 「어둠의 집」 「별사(別辭)」 등을 발표합니다. 이외에도 남자에게 모든 것을 빼앗기고도 감내하는 여인상을 창조한 「먼 그대」의 서영은, 이념 갈등에 방황하다 자살하는 여대생을 다룬 장편 「숲속의 방」의 강석경도 이 시기에 주목받은 여성작가입니다.

한승원은 남도 갯마을을 배경으로 고향 사람들의 한과 끈질긴 생명력을 「안개바다」 「불의 딸」 「포구」 등에 그려놓았습니다. 윤후명은 사소설[73]적 방식을 고수한 작가입니다. 그는 「돈황의 사랑」에서 낭만적이고 환상적인 세계를 구축하는가 하면, 「원숭이는 없다」에서는 도시 변두리 서민의 소소한 일상사를 보여주기도 합니다. 그러나 그의 작품에는 언제나 고독한 인간의 내면 성찰이라는 주제가 담겨 있습니다.

72) 「우리들의 일그러진 영웅」의 줄거리

1960년대 말 나는 서울에서 시골로 전학을 가는데, 새로 들어간 반은 엄석대라는 급장이 장악하고 있다. 엄석대의 이러저러한 횡포에 맞서다 실패한 나는 결국 그에게 굴복한다. 그러나 담임선생님이 새로 부임하고 여러 비리가 밝혀지자 석대는 교실을 뛰쳐나가 사라진다. 이후 성인이 된 나는 엄석대가 경찰에 체포되는 광경을 목격하게 된다.

73) 사소설

일본 근대소설의 독특한 한 형태로, 작가 자신의 사사로운 경험을 고백의 방식으로 드러낸다. 사소설은 대체로 일인칭으로 서술되며 사건이나 정황에 대한 묘사보다 내면을 주로 묘사한다. 이 유형의 소설은 섬세한 감성이 부각되어 수필적 분위기가 강하다. 1920~30년대에 일본의 영향을 받은 우리의 사소설은 안회남의 「투계」, 김남천의 「처를 때리고」 등이 있다.

5. 풍성한 대하역사소설[74)]

1970년대에 왕성한 작품 활동을 한 일군의 작가들은 80년대에 역사적 상상력을 동원해 작품세계를 확장합니다. 그들의 작품은 대체로 1970년대에 연재가 시작되어 1980~90년대에 이르러 완성됩니다. 이들의 대하역사소설은 80년대의 시대적 상황과 맞물려 민중적 총체성을 지향한다는 특징을 갖습니다.

황석영의 「장길산」

황석영의 「장길산」은 실존인물이었던 장길산을 중심으로 조선후기 민중들의 삶과 투쟁을 그리고 있는 작품입니다. 작가는 민중적 시각에서 그들의 반봉건적 변혁운동의 당위성을 보여줍니다. 1880년대 전후를 사회적 배경으로 한 김주영의 「객주」에서도 역사의 주체는 민중입니다. 작가는 이 작품에서 기층 민중을 통해 당대의 생활상을 생생하게 그려내고 있습니다. 송기숙의 「녹두장군」 또한 동학운동을 소재로 역사의 질곡에 맞선 민중의 삶을 형상화하고 있습니다. 이들 작품은 왕조사관 중심의 역사를 소설을 통해 민중사관의 관점으로 재해석했다는 데에 의의가 있습니다.

김주영의 대하소설 「객주」

74) 대하역사소설

소설의 한 유형인 대하소설과 역사소설의 특징을 결합해 만든 합성어. 대하소설(roman-fleuve)은 장구한 시간의 흐름 속에서 이루어지는 복잡한 삶의 양상을 통해 사회와 삶의 전체상을 포착하려는 방대한 분량의 소설을 의미하며 역사소설(historical novel)은 기존의 역사를 상상적으로 재창조하는 서사 유형을 의미한다. 그러므로 대하역사소설은 유구한 시간의 흐름을 배경으로 과거의 사회상에 역사적 상상력을 발휘한 소설 유형으로 정의할 수 있다.

1969년부터 집필을 시작해 1994년에 완성한 박경리의 「토지」[75]도 이 계열의 대표적인 작품입니다. 구한말에서 해방에 이르는 기나긴 시간적 배경과 수백 명의 등장인물은 작품의 장대함을 짐작케 합니다. 이 작품은 윤씨 부인에서 최치수, 최서희를 거쳐 환국에 이르는 4대에 걸친 최 참판 댁의 흥망성쇠를 그린 가족사소설(family roman)[76]로 격동의 역사에 소용돌이치는 한국인의 수난과 생명력을 웅대하게 펼치고 있습니다.

76) 가족사소설

한 가족의 흥망성쇠를 역사의 흐름 속에서 그려낸 소설. 이 계열의 소설은 주로 가족 구성원들의 개인적 특징이 역사적 · 사회적 발전 속에서 변모해 가는 모습을 그리는데, 가족이나 가문의 변화를 통해 역사를 조망하려는 작가의 의도가 담겨 있다. 가족사소설은 1930년대에 많이 창작되었는데, 염상섭의 「삼대」와 채만식의 「태평천하」 등이 대표작이다.

75) 「토지」의 줄거리

구한말, 평사리 지주 최 참판 댁의 최치수가 살해되자 조준구는 이 집안의 재산을 가로챈다. 최치수의 딸 서희는 가문을 되찾으려는 일념으로 일단 간도로 가 큰 재산을 모은다. 귀향 후 서희는 빼앗긴 재산을 되찾고 남편인 길상은 독립운동을 하다 투옥된다. 3·1운동이 일어나자 서희의 아들 윤국은 시위에 참여하여 정학 처분을 당한다. 이후 조선의 해방이 멀지 않았음을 느낀 서희는 가족을 데리고 서울로 올라갈 것을 결심한다.

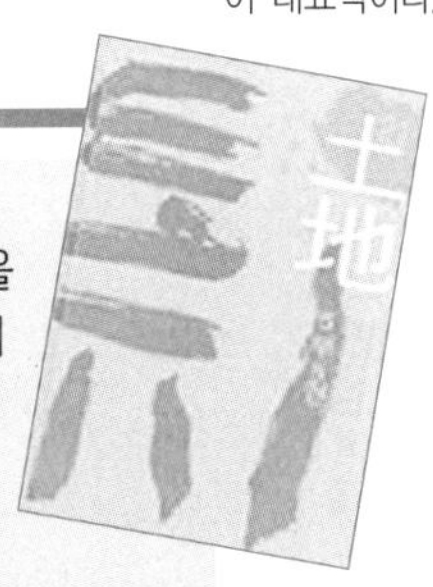

최명희의 「혼불」

1930년대에 남원지방을 배경으로 하여 무너지는 종가를 지키는 며느리 삼대의 신산스런 삶을 그린 최명희의 「혼불」도 장대한 스케일을 자랑합니다. 이 작품은 특히 여성 작가 특유의 섬세한 필치로 관혼상제 의식, 일상적 풍속이나 관습, 음식, 노래, 풍수신앙과 무속신앙, 염료 제조법 등 한국인 고유의 생활상을 문학적으로 복원한 의미가 있습니다.

대하역사소설 작품 중에는 근대사를 소설화한 것도 있습니다. 남로당의 흥망성쇠와 남로당 출신 빨치산의 고난을 그린 이병주의 「지리산」, 여수 · 순천반란사건과 6·25전쟁에 대한 새로운 해석을 시도한 조정래의 「태백산맥」[77], 앞에서 잠시 거론한 김원일의 「불의 제전」 같은 작품이 그것입니다.

77) 「태백산맥」의 줄거리

1948년 10월, 여순사건으로 좌익이 장악했던 벌교가 다시 군경(軍警)에 진압되자 좌익계열의 염상진 등은 산으로 도망간다. 농지개혁 실패로 사회 불만은 커지고, 급기야 지주에게 보복하고 빨치산이 되는 농민들이 급증한다. 6·25 발발로 벌교는 다시 좌익이 점령하지만 살육의 참극이 벌어진다. 좌·우익의 치열한 공방전 끝에 빨치산 세력들은 점점 힘을 잃고, 염상진은 결국 자폭을 한다. 나머지 동료들은 염상진의 무덤 앞에서 새로운 투쟁 결의를 다짐한다.

「지리산」은 일제말에서 6·25까지를 시대적 배경으로 하여, 혼돈의 역사를 살아가는 지식인 청년들의 고단한 삶을 소재로 합니다. 이 작품은 지식인들이 당시 좌·우익 사상을 선택하게 되는 정황과, 당시로서는 쉽지 않았을 빨치산 투쟁을 소재로 한 최초의 작품이란 점에서 의의가 큽니다. 조정래의 「태백산맥」은 전라남도 벌교를 무대로 1948년의 여수·순천반란사건에서부터 1953년 7월까지를 시간적 배경으로 하고 있습니다. 총 4부로 구성된 이 작품은 좌익 운동과 6·25의 성격, 분단에 이르기까지 격동의 역사를 작가의 독특한 시각으로 다루고 있습니다. 「태백산맥」은 비록 소읍을 무대로 씌어진 작품이지만 당대 사회의 계층간의 갈등 양상을 강하게 부각시켰습니다. 이후 조정래는 1990년대에 「아리랑」을 통해 일제에 수탈당한 민중의 수난과 저항, 일제와 야합하는 부패한 지배층의 모습을 그려냅니다.

「태백산맥」을 써 소재의 지평을 넓힌 조정래

Ⅷ. 1990년대의 소설

1. 90년대의 징후를 읽어라

1990년대 한국소설은 이전과 매우 다른 양상으로 전개됩니다. 이러한 변화의 요인을 우선 알아둘 필요가 있습니다. 1989년 11월, 동서 냉전의 상징인 베를린 장벽이 붕괴되는 세계사적 전환을 예고하는 획기적인 사건이 일어났습니다. 일년 후 소련은 자본주의 체제를 받아들였고 이후 소련식 사회주의를 표방하던 국가들이 도미노처럼 몰락했습니다. 한국에서는 문민정부의 등장으로 민주주의의 기틀이 형성되기 시작했습니다. 이런 대내외적 변화로 한국사회는 순식간에 탈이념화, 탈정치화로 치닫습니다.

78) 게오르그 루카치

1885년 헝가리에서 출생한 20세기 유럽의 대표적 문예이론가이자 사상가. 루카치는 1차 세계대전을 전후한 십여 년 동안 당시의 유수한 독일 지식인인 막스 베버·짐멜·에른스트 블로흐 등과 교류했고, 부다페스트에서는 하우저·만하임과 같은 젊은 지식인을 중심으로 새로운 지적·문화적 운동을 주도했다. 그는 숱한 정치적 어려움 속에서 철학 연구서와 문학 비평서, 미학이론 등에 관한 많은 논문을 저술했다.

게오르그 루카치(Georg Lukacs)[78]의 『소설의 이론』의 첫 문장, "별이 빛나는 창공을 보고, 갈 수 있고 또 가야만 하는 길의 지도를 읽을 수 있던 시대는 얼마나 행복했던가?"의 '별', 즉 1980년대의 좌표가 급작스럽게 상실된 현실에서 많은 작가들 역시 혼란스러워하고 있었습니다. 하지만 이런 시대적 징후를 누구보다 예민하게 포착한 작가들 또한 존재합니다. 박상우의 「샤갈의 마을에 내리는 눈」[79]

에는 세계적인 변환의 물결이 한국 사회를 강타한 우울한 풍경이 그려져 있습니다.

79) 「샤갈의 마을에 내리는 눈」의 줄거리

1990년대의 벽두, 폭설을 핑계로 만난 친구들은 모두 취해 있다. 취중에 누군가가 꺼낸 정치 이야기에 사람들은 넌덜머리를 내며 지난 연말의 술자리를 회상한다. 그날 그들은 정치 문제로 격론을 벌이기도 했지만 현재는 더 이상 정치 이야기를 하지 않는다. 그들은 지난 연대에의 열정이 '똥통 속 넝마주의'에 불과하다는 암묵적 동의를 했기 때문이다. 술집에서 나와 친구들은 하나둘 돌아가고 남겨진 사람들은 술을 더 마시기 위해 카페에 간다. 최종적으로 남은 두 사람은 우연히 알게 된 그림 그리는 여자의 작업실에 동행한다. 폭설이 쏟아지는 가운데 그들은 술을 마시며 '우리'라는 공동체가 파괴되는 현실과, 그럼에도 복원해야 할 공동체를 의식한다.

소설의 인물들은 더 이상 정치적 관심사로 격론을 벌이지 않습니다. 그들은 이제 돈과 유흥과 음담을 화제 삼아 이야기합니다. 작가의 가차없는 진단은 유감스럽게도 현재 한국사회에서 한 치 오차 없이 진행 중입니다. 작가는 이후 정치적 주제의식에서 벗어나, 가공할 자본주의 시대가 파생한 욕망과 소외와 단절 등 90년대적 현실을 주시합니다. 소설집 제목치고 음산하기 짝이 없는 「사탄의 마을에 내리는 비」에서 작가는 자본주의의 거센 물결에 침윤된 현대인의 삶을 세기말적 분위기로 그려내고 있습니다.

80) 「숨은 꽃」의 줄거리

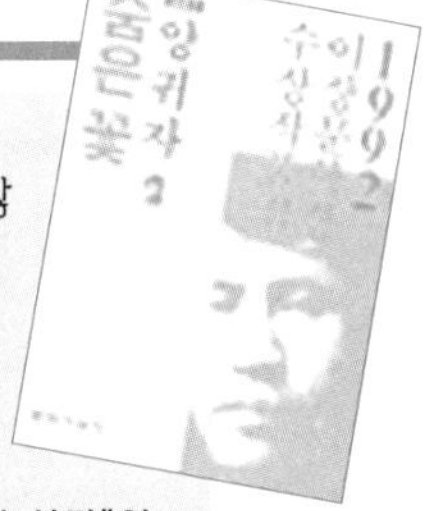

작가인 나는 현실의 급변으로 글쓰기의 미로에 갇혀 있다. 소설이 잘 쓰여지지 않아 귀신사(鬼神寺)에 간 나는 김종구를 만나게 된다. 그는 배운 것도 없고 세상을 자기 방식대로만 살아가는 인물이다. 나는 예전에 김종구와 관련된 삽화들을 떠올린다. 당시 내가 본 김종구는 "말로 자기를 이야기할 줄 아는 사람", "위선과 타협할 수 없는 국외자로서의 비애를 깨달은 자", 길 잃은 배를 항구로 이끌기 위해 밤새 징을 쳐대는 이타적인 자이다. 그런 김종구는 나에게 "삶의 비밀을 엿본 사람"이자 이 시대의 "숨은 꽃"으로 각인된다. 귀로에 나는 새로운 창작의욕을 북돋운다.

81) 여로형 구조
소설 구성이 대체로, 현실에 불만족한 인물이 길을 나서서(떠남)→여행길, 혹은 도착지에서 중대한 경험을 하고→현실로 되돌아온다는(회귀) 형식으로 이루어진 작품을 말한다. 우리 소설에서는 이효석의 「메밀꽃 필 무렵」, 김승옥의 「무진기행」, 윤대녕의 「천지간」 등을 들 수 있다.

1980년대의 이념과 가치가 폐기된 시점에서, 작가의 생존 방식과 글쓰기 방식을 고민한 작품이 양귀자의 「숨은 꽃」[80)]입니다. 여로형 구조[81)]의 이 작품은 변화된 현실을 인정하고 새로운 성찰과 탐색을 보여주었다는 점에서 의미가 있습니다. 이후 양귀자는 장편 「나는 소망한다, 내게 금지된 것을」에서 여성문제와 그 해결책을 다소 비현실적으로 그려내고, 또 다른 장편 「천년의 사랑」에서는 환상성을 도입한 사랑 이야기를 씁니다. 이 두 작품에는 평범한 인물의 잔잔한 일상사를 섬세하게 그리는 데 빼어난 솜씨를 보였던 작가의 장점이 보이지 않아 아쉬움을 줍니다.

82) 포스트모더니즘

1960년대 말, 미국에서 시작된 것으로 알려진 이 사조는 좁게는 문학과 예술, 넓게는 문화의 영역에까지 확대되어 1980~90년대 한국의 예술 · 학문 · 문화 분야에 광범위한 영향을 끼쳤다. '근대'의 이념인 이성중심주의에 대한 반발이자 발전적 계승이라는 역설적 성격을 띠는 이 사조는 명확히 정의하기 어려운 난점이 있다. 그럼에도 범박하게 그 특성을 살피면 ①세계 인지(認知)의 상대주의적 입장 ②미시이론, 미시정치 세계에 관심 ③복수성, 다원성, 비결정성, 파편화 옹호 ④사회 · 언어적으로 탈중심화되고 파편화된 주체관 지지를 들 수 있다. 이는 이전까지 인간이 믿고 있던 절대적이고 단일한 세계에 대한 거부로 해석이 가능하다. 포스트모더니즘 소설 또한 이런 배경에서 창작되는데, 우리 소설에서는 장정일의 작품들과 하일지의 「경마장 가는 길」, 김수경의 「자유종」 등을 들 수 있다.

전방위 작가인 장정일

한국소설사에서 장정일의 위치는 독특합니다. 1984년에 시인으로 등단한 이래 다양한 장르의 혼종적 글쓰기를 해왔던 작가는 「아담이 눈뜰 때」, 「너희가 재즈를 믿느냐」 등에서 전통적인 글쓰기 방식에 도전하고 있습니다. 날렵한 행보, 비속어의 거리낌없는 구사, 인과성에 얽매이지 않는 구성, 영화·음악 등 타문화의 소설적 차용, 낯뜨거운 섹스 장면 도입 등등 그는 자유분방한 글쓰기를 선보였습니다. 그의 소설은 포스트모더니즘[82)]적 요소가 엿보입니다. 장정일 작품의 가치 평가는 차치하더라도, 사회적 금기와 상식을 전복하는 글쓰기 방식이 신선한 충격으로 다가왔던 점은 분명합니다.

장정일의 「아담이 눈뜰 때」

1990년대의 새로운 징후를 알린 또 다른 작가는 신경숙입니다. 작가의 「풍금이 있던 자리」는 너무도 진부한 사랑 이야기에 불과합니다. 흔해빠진, 그래서 통속적이기 일쑤인 이 사랑 이야기가 특이하게도 90년대 독자들에게 사랑을 받았습니다. 독자들은 앞 시대의 거대 담론을 소재로 한 소설에 신물이 났는지 모릅니다. 그래서 불륜의 사랑 이야기에 매료되었는지 모릅니다. 아니면 작가 특유의 내성적 문체에 마음을 빼앗겼는지도 모릅니다. 결코 새롭지 않지만 낯설게 다가왔던 신경숙의 서정적 미학도 새로운 소설적 징후를 드러낸 것에 틀림없습니다. 이후 작가는 과거 야간 고등학생이자 여공이었던 성장 과정과 작가인 현재의 삶을 병치하며 진솔한 자화상을 드러낸 「외딴 방」[83]을 씁니다.

내성적 문체를 개발한 소설가 신경숙

83) 「외딴 방」의 줄거리

작가인 나는 제주도에 와서 열여섯 살 때를 회상하며 글쓰기의 의미를 생각해본다. 나는 1978년 외사촌 언니와 서울로 와 큰오빠와 함께 가리봉동의 외딴 방에 살면서 낮에는 공장에서 일하고 밤에는 산업체 학교에서 공부한다. 나는 거기에서 희재언니를 만나는데, 희재언니는 아이를 낙태하라는 애인의 말에 충격을 받아 자살하고 나는 그녀의 자살을 도왔다는 자책감에 시달린다. 이후 나는 작가가 되었으나 과거에 공장을 다니던 친구들로부터 "너는 우리들 얘기는 쓰지 않는구나"라는 말을 듣고, 자아와 글쓰기의 의미를 성찰하게 된다.

존재의 시원을 찾아가는 여로형 구조는 윤대녕 소설의 큰 특징입니다. 그의 소설 주인공은 대개 일상에서 이탈하여 길 위를 서성거립니다. 도대체 그들은 무엇을 찾고 있는 것일까요? 역사와 결별한 인물들의 시선은 결국 자신의 내면에 집중합니다. 어느덧 90년대 인물들은 부조리한 세계를 응시하기보다 자신의 내면을 들여다보는 데 익숙해진 것입니다. 보기에 따라 이 점은 현실도피적이라는 비난의 소지가 되기도 합니다만, 탈정치화한 인물에게 그것은 별반 중요하지 않습니다. 진중하게 자신을 들여다본 그 끝에는 자신의 근원이 어디인가라는 존재론적 질문이 기다리고 있습니다. 윤대녕 소설은 바로 이 질문의 해답을 찾는 여정인데, 그것은 「은어 낚시 통신」에 잘 나타나 있습니다. 윤대녕의 이런 작업은 『남쪽 계단을 보라』나 『많은 별들이 한 곳으로 흘러갔다』 같은 창작집에서도 계속되었습니다.

윤대녕의 소설집 『은어 낚시 통신』

박상우와 양귀자는 1990년대의 급변한 정치현실에 대한 작가적 탐색을 모색했다는 점에서, 장정일과 신경숙, 윤대녕 등은 1980년대의 주류 소설에서 멀찍이 벗어난 세계를 그리고 있다는 점에서 새로운 연대의 시작을 알리는 상징적 작가들입니다. 그러면 이제 좀더 구체적으로 1990년대 소설의 전개 양상을 살펴보겠습니다.

2. 지난 연대에 대한 그리움과 반성

문학평론가 김윤식 교수는 '후일담 문학'[84)]을 "한 시대의 소용돌이를 회고하는 문학"이라는 의미로 사용하고 있습니다. 이 용어를 차용하면, 후일담 문학은 지난 1980년대를 회상하는 문학으로 규정해도 무리가 없을 듯싶습니다. 그렇다면 정치 · 사회적으로 고통스럽기만 했던 '그 시절'을 굳이 회상하는 이유는 무엇이겠습니까? 변혁을 위해 몸 바쳤던 자의 아쉬움이나 그리움이 남은 까닭일 수도 있고 급변한 현실에 부적응한 혹은 잘 적응한 자의 편치 않은 심사에서 비롯되었을 수도 있겠습니다. 자, 여기 지난 1980년대의 삶을 한 단어로 고백한 작가가 있습니다.

김영현은 「풋사랑」에서 1980년대를 사랑한 방식이 바로 '풋사랑'이었다고 토로합니다. 몸과 가슴은 한없이 뜨거운, 그러나 정신적으로는 아직 미성숙한 그런 사랑, 10대들의 사랑법처럼 설익은 사랑이란 말이지요. 김영현의 「풋사랑」은 바로 시대의 고난에 맞서 변혁운동에 헌신한 사람들이 성숙하지 못했고 그래서 완벽한 사랑을 이루

84) 후일담 문학
후일담(epilogue)이란 원래 연극의 폐막사에 해당하는 용어였다. 그러나 소설에서는 좀더 특수한 결말을 지칭하는 제한적 개념으로 정착되었다. 말하자면, 이야기가 종결되었지만 독자들의 궁금증을 풀어주기 위해 덧붙이는 사족 같은 이야기를 후일담이라 할 수 있다. 김윤식은 이 용어를 차용해 혼란했던 1980년대를 회고하는 90년대 일군의 소설을 후일담 소설로 명명해서 썼다.

어내지 못했다고 담담하게 고백하고 있습니다.

1980년대 내내 변혁운동의 관점에 입각해 창작활동을 해온 김인숙도 급변한 현실에 당혹해하기는 마찬가지입니다. 「유리구두」에서 그는 급변한 세상에 자신이 내몰린 상황을 목도하게 됩니다. 물론 의사와는 무관하게 말이지요. 그러나 「먼길」에서는 지난 시절의 상처나 상실감을 가슴에 묻고 새로운 길 찾기를 행해야 한다는 자기 다짐의 의지를 보입니다.

김인숙의 「유리 구두」

또 어떤 작가들은 변혁운동에 참여했던 사람들의 현재상을 그려보기도 합니다. 과거에 변혁을 위해 헌신한 그들은 과연 어떤 모습으로 변해 있을까요? 김소진은 「혁명기념일」에서 과거 시위 주도 학생들을 등장시키는데, 그들은 이제 소설가로, 외교관으로, 전기수리공으로 살아가고 있습니다. 변신의 옳고 그름은 차치하고, 이들이 어떤 형태로든 90년대 현실에 동화된 삶을 살고 있다는 사실을 부인할 수 없을 것입니다. 시대의 변화는 사람 뿐 아니라 거리의 풍경도 바꾸었습니다.

공지영은 「무엇을 할 것인가」[85]에서 80년대의 숭고했던 열정이 사그라진 자리에 천박한 자본주의의 물결이 넘쳐나는 현실을 탄식합니다. 그러나 이미 변해버린 현실을 되돌릴 수는 없는 법, 공지영은 「모스끄바에는 아무도 없다」에서 80년대를 흘러간 과거로 정리하고 일상의 세계를 소설화하고 있습니다.

발표작마다 화제를 불러 일으키는 소설가 공지영

후일담 소설은 90년대 초·중반에 주로 창작되다가 슬그머니 자취를 감춥니다. 지나간 시절을 회상만 하기에는 현실의 변화가 너무 거셌고, 작가들 또한 나름대로 지난 연대를 정리한 까닭이겠지요.

85) 「무엇을 할 것인가」의 줄거리

80년대에 운동권이었던 나는 선배 그의 결혼 소식을 듣고 과거를 회상한다. 80년대 학창시절 사회주의 이론을 세미나 하던 그 선배를 나는 사랑했다. 선배는 그러나 나의 사랑을 받아주지 않고 학습 지도자도 다른 사람으로 바뀌게 된다. 이후 나는 운동권 조직에서 빠져나오고 선배는 수배 생활에 시달리다 해제된다. 그 후 선배는 낙향해 사촌형이 경영하는 골프용구점 일을 돕게 된다. 시대는 급변해 사회주의 종주국인 소련은 붕괴되고 한국 사회도 변화의 길을 걷는다. 나는 다시 현재로 돌아와 과거에 갔던 다방을 찾는다. 거기서 나는 변혁에 헌신했던 많은 사람들의 우울한 현재 모습을 떠올린다.

3. 새로운 세대의 새로운 작가들

전세계적인 자본주의의 격랑은 한국에서도 예외일 수 없습니다. 대중의 끊임없는 소비로 지탱되는 자본주의는 삶의 패턴마저 변화시킵니다. 영상과 광고, 전자매체의 융성은 고도화된 소비사회를 구축하는 첨병 역할을 톡톡히 해냈습니다. 이런 가운데 우리 사회에는 이전에 볼 수 없었던 새로운 세대가 탄생합니다. 자본주의의 세례를 듬뿍 받은 이 세대는 기성의 가치를 거부하고 독자적인 삶의 방식을 추구합니다. 이들은 또 감각과 문화에 적극적이고 다양한 대중문화를 향유하고 소비의 신흥 주체가 되어 당당히 욕망을 발산합니다. 이런 이들을 저널리즘에서는 '신세대'로 지칭했고 문학권에서는 '신세대 문학'으로 변용합니다.

삶에 엄숙하고 진지해야 한다는 전세대의 강박에서 벗어나, 자유분방하고 개성적인 삶을 발산하는 신세대의 등장은 시대 변화의 추이에 따른 결과입니다. '작고 가벼운 것'에 탐닉하는 사회 분위기는 작가들에게도 새로운 현실에 조응하는 작품을 생산할 것을 요구합니다. 새로운 가치 체계에 입각한 작품의 질적 변화는 그러므로 당연하다고 할 수 있겠지요. 여기에서 90년대 소설의 커다란 특성이 산출됩니다. 90년대 소설은 플롯의 부재, 비현실적 이미지 반복, 감각적 묘사와 서정적 분위기, 불연속적 단장형식 등의 특징으로 앞 시대와 차이를 나타냅니다.

이처럼 앞 세대와 이질적인 작품으로 등장한 90년대 일군의 작가들을 문학 비평계에서는 '신세대 작가'[86]로 지칭하여 활발한 논의가 진행되었습니다. 그러나 이 용어는 다분히 자의적이고 편의적인 구분이라 할 수 있습니다. 같은 신세대 작가로 분류되었지만 배수아·백민석·김영하 등의 작품 세계는 이 장에서 다룰 작가들의 그것과 많은 차이를 드러냅니다. 90년대 중반 이후 등장한 작가들과의 질적 차이는 더욱 크고요. 그래서 새로운 세대의 글쓰기를 이 장과 다음 장에 나누어 설명하고자 합니다.

강원도가 낳은 대표적 작가 이순원

86) 신세대 작가

1990년대 초반의 신세대 작가론은 80년대 후반에 등단하여 90년대에 들어 동시대적 징후를 작품화한 60년대생의 작가들을 거론한 것에서 시작되었다. 이때 거명된 작가는 신경숙·박상우·배수아·윤대녕·구효서·이순원·이인화·박일문·공지영·장정일·김인숙 등이다. 그러나 신세대 문학에 대한 논의는 1995년에 보다 활발하게 전개되어 은희경·박청호·백민석·송경아·하성란 등의 작가가 추가로 거론된다. 이들 신세대 문학의 의미를 진지하게 다룬 평론가는 김병익이다. 그는 1995년 기존의 신세대 문학 논의를 포괄하면서 이들의 작품세계를, "어찌 보면 윤리가 해체되고 즉물적인 감각을 추구하는 것으로도 보이나, 이들은 진지한 자기 인식과 고통스러운 현실 확인, 그 속에서 자기 정체성을 발견하려는 것"으로 보고 있다.

이순원의 『수색, 그 물빛 무늬』

데뷔 이후 다양한 소재를 개성적인 문체로 소화하며 소설적 넓이를 확장한 작가가 이순원입니다. 광주, 군대, 노동운동 같은 민감한 현실 문제를 다룬 「얼굴」이나, 한국자본주의의 상징적 공간을 압구정동으로 상정해 그 타락상을 그린 장편 「압구정동에는 비상구가 없다」 등은 작가의 초기 대표작입니다. 그는 이후 과거의 가족사를 회고하는 「수색, 그 물빛 무늬」, 소설가 아버지가 아들과 대화를 나누며 가족의 의미를 알려주는 「아들과 함께 걷는 길」 등을 발표합니다. 또 고향 강릉과 주변지역의 풍광을 아름답게 묘사한 「은비령」도 인상적인 작품입니다.

다양한 형식 실험을 시도한 작가 구효서

구효서는 등단 초기에 소설의 다양한 형식 실험을 모색합니다. 「아이 엠 어 소피스트」는 컴퓨터가 대중적으로 보급되기 시작한 90년대 초반의 상황을 떠올리게 합니다. 소설 자체가 컴퓨터 화면에 씌어진 내용으로 이루어지는데, 그 안에는 정보사회가 인간을 지배하는 우울한 풍경을 떠오르게 합니다. 그는 이후 전업작가가 '잘 팔리는 소설'을 쓰기 위해 일상을 탈출했다 되돌아오는 내용의 「깡통따개가 없는 마을」[87]을 소설가소설의 형식으로 쓰고, 「나무 남자의 아내」에서는 소설과 글쓰기 방식에 대해 자문하고 있습니다.

87) 「깡통따개가 없는 마을」의 줄거리

전업작가인 주인공 나는 경제적 문제에 시달리다 '잘 팔리는 소설'을 쓴다는 핑계로 집을 나선다. 나는 예전에 묵었던 적이 있는 암자에서 무료한 시간을 보내다 산책로의 꽃을 꺾어 방에 둘 생각을 한다. 꽃을 꽂을 화병 대신 깡통을 택한 나는 깡통을 도려낼 깡통따개를 구하러 마을을 순례한다. 그러나 마을에 깡통따개는 없다. 그러던 어느 날 깔끔한 솜씨로 깡통을 도려낸 자칭 '탈출사'를 만나 탈출 묘기를 보지만, 그는 별 볼일 없는 절의 불목하니에 불과하다. 그러다 갑자기 집에서 온 위급한 전화에 나는 짐을 꾸린다. 집으로 향하던 중 문득 자신이 지금 가고 있는 곳이 어디인지 모르겠다고 나는 아내에게 전화를 건다.

기층민중의 삶을 형상화한 작가 김소진

김소진은 이념과 가난에 시달린 아버지의 삶을 그린 「쥐잡기」로 등단했습니다. 「자전거 도둑」[88]에서도 가난한 아버지와 그 아들이 겪는 서글픈 상황은 또 나옵니다. 서민의 애환을 그려낸 장편소설 「장석조네 사람들」의 인물들은 결국 별 볼일 없는 아버지의 모습과 다르지 않습니다. 그러나 그의 시선은 단순히 가족사에 한정되지 않습니다. 그는 가족사적 가난과 고난을 민족의 수난으로 확장시켜 작품세계를 넓힙니다. 기층민중의 삶을 풍부한 어휘로 되살리는 데에도 김소진은 남다른 솜씨를 보인 작가였습니다.

88) 「자전거 도둑」의 줄거리

나는 위층에 사는 여자 서미혜가 나의 자전거를 몰래 훔쳐 타는 것을 목격한다. 이러한 모습에 나는 이탈리아 영화 「자전거 도둑」을 떠올리는데, 영화의 비극적 상황은 아픈 기억을 상기시킨다. 그것은 과거에 술을 훔치다 혹부리 영감에 들켜 수모를 당하던 아버지의 무기력한 모습이다. 나는 복수를 하기 위해 혹부리 영감 가게를 난장판으로 만들고 그 충격으로 혹부리 영감은 죽는다. 서미혜는 나와 함께 「자전거 도둑」을 보던 중 간질 환자였던 오빠에게 밥을 안 주어 죽게 했다는 과거사를 고백한다. 서미혜는 이후에도 다른 사람의 자전거를 훔쳐 타는데, 그것은 오빠의 죽음에 대한 자책감을 씻어버리려는 행위라 할 수 있다.

1983년 대학 3학년 때 조선일보 신춘문예에 「상실의 계절」로 등단한 김인숙은 오랜 작가생활의 이력만큼이나 다양한 작품세계를 가지고 있습니다. 등단 초기에는 여대생 작가답게 개인의 번민에 빠진 작품이 주를 이루었습니다. 그러나 이후 그의 시선은 80년대적 시대상황을 조망하여, 「79~80」에서는 역사적 격변기를 배경으로 다양한 계급과 인간을 등장시켜 시대의 총체성을 확보하였고, 「함께 걷는 길」에서는 소자영업자의 이중적 심리, 노사갈등 등 당대의 민감한 문제를 소설화하며 시대의 한복판을 가로질렀습니다. 1990년대에 들어 그는 또 다른 궤적을 그리는 창작집 『칼날과 사랑』을 상재합니다. 이 작품집에서 그는 지난 시절에 대한 나름의 비판을 보여주고, 일상을 통해 삶의 본질을 규명하려는 노력을 보입니다. 특히 표제작 「칼날과 사랑」이나 「양수리 가는 길」은 80년대의 공적(公的) 인간이 개인주의가 만연한 90년대의 현실에서 겪는 단절과 고립을 드러냅니다.

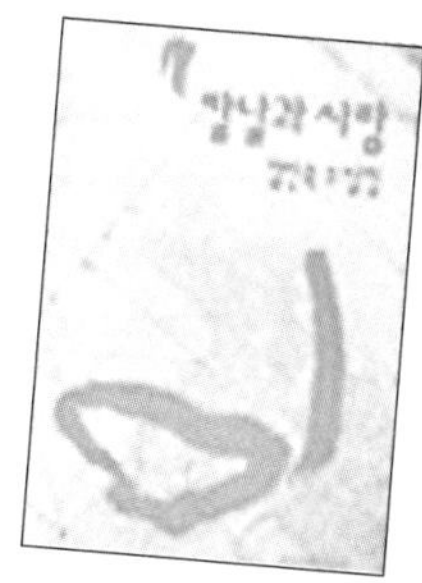

김인숙의 「칼날과 사랑」

4. 다양한 대중문화와의 혼종(混種)

이 시기는 자본주의의 광풍이 문학판에도 거세게 스며들었습니다.

이제 문학 또한 어쩔 수 없이 하나의 산업으로 자리매김하게 되었는데, 거기에는 대중매체의 영향이 적지 않습니다. 즉, 소설도 텔레비전·영화·게임 등과 경쟁해야 하는 입장이 된 것입니다. 불행히도 소설은 이제 기존의 순수성이나 엄숙성, 혹은 진지성만으로는 독자와 소통할 수 없는 시대가 된 것이지요. 이런 난국을 돌파하기 위한 응전의 방식으로 작가들은 대중적이고 소비적인 문화를 소설에 도입합니다. 이들은 만화·재즈·그림·사진·포르노·영화 텍스트 등등을 끌어들여 현실과 허구의 모호한 경계를 이미지화합니다.

백민석의
「목화밭 엽기전」

백민석 소설에 가장 많이 등장하는 문화기호는 텔레비전입니다. 가히 텔레비전 키드(television kid)라 할 수 있는 이 아이들에게 그것은 마치 세끼 밥처럼 익숙합니다. 작가의 소설집인 「내가 사랑한 캔디」는 제목에서부터 텔레비전 만화영화 냄새가 물씬 풍기는데, 중요한 것은 그들이 텔레비전에서 무엇을 보았나 하는 것입니다. 이들이 텔레비전에서 본 것은 가상현실입니다. 텔레비전에 나오는 휘황한 화면은 결국 가상의 허구에 불과합니다만, 이 아이들은 텔레비전으로 세상을 파악하고 가상의 이미지에 매혹되기도 합니다. 이런 가상과 실재의 모호성은 백민석 소설에 폭력과 엽기, 포르노의 이미지를 무시로 출몰시킵니다. 작가의 소설집 「목화밭 엽기전」에 나오는 납치, 폭력, 변태적 섹스 등에 얽힌 이야기도 텔레비전 키드가 성장해 벌이는 짓에 불과합니다. 그러나 불안해 할 필요는 없습니다. 어차피 그것은 가상의 놀이니까요.

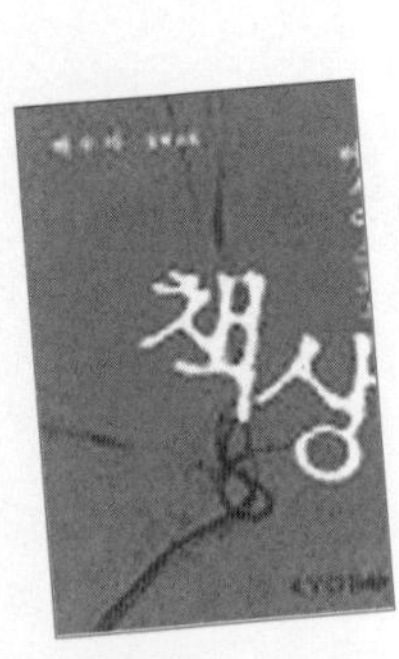

배수아의
「에세이스트의 책상」

배수아 소설에도 대중소비문화의 요소는 자주 동원되는데 이 소비의 주체는 아이들입니다. 이 아이들은 '게스 청바지'나 '폴로 티셔츠' 등을 소비하고 담배를 피는 따위의 어른 흉내를 냄으로써 또래들과 구별짓기를 시도합니다. 전통적 가치관으로 보면 낯설고 불온한 이 아이들의 소비적 욕망과 어른이 되고픈 열망은 「푸른 사과가 있는 국도」에 잘 나타나 있습니다. 이 아이들은 「심야통신」에 오면 출현이

뜸해집니다. 그리고 2000년대에 들어 작가는 「에세이스트의 책상」 「독학자」 같은 성찰적 에세이풍의 소설을 발표합니다.

"영상문화와 가상현실의 시대를 사는 이미지 세대의 이야기꾼"이란 평가를 받는 김영하의 작품에도 다양한 장르의 대중문화가 등장합니다. 「나는 나를 파괴할 권리가 있다」에는 자살 안내인이라는 특이한 직업을 가진 화자가 등장합니다. 나는 다비드의 화집을 보고, 재즈 트럼펫터인 쳇 베이커의 연주를 듣습니다. 단편집 「도마뱀」에서는 영화 「도어스」에 나오는 대사들이 인용되기도 하지요. 그러나 김영하 소설에서 대중문화의 요소는 일종의 장식에 불과할지도 모릅니다. 작가는 "나르시시즘, 악마적 탐미주의, 에로티시즘, 물화(物化)된 성과 욕망, 급진적 허무주의, 변형된 후일담, 키치, 판타지" 등의 다양한 주제를 감각적이고 매끄러운 서술기법으로 풀어낸다는 평가를 받고 있으니까요. 다양한 주제만큼이나 작가는 특이한 소재를 소설화합니다. 「피뢰침」은 벼락 맞은 사람들이 모여 그 체험을 재구성한다는 내용이고 「엘리베이터에 낀 그 남자는 어떻게 되었나」는 제목 그대로 엘리베이터에 낀 남자의 이야기입니다.

김경욱의
「베티를 만나러 가다」

김경욱 또한 대중문화의 세례를 흠뻑 받은 작가 중의 하나입니다. 그의 소설집 『바그다드 카페에는 커피가 없다』에는 「택시 드라이버」 「지존무상」 「시네마 천국」 같은 영화들이 등장합니다. 이런 영화들은 작품의 분위기를 조성하는데 한몫을 합니다. 그러나 「베티를 만나러 가다」에서는 영화가 단순히 분위기를 위한 조연이 아니라, 영화 그 자체가 소설의 주요 토대가 되거나 그것으로 새로운 텍스트를 만들어내는 쪽으로 발전합니다. 이런 방식이 게임으로까지 확장된 작품이 「누가 커트 코베인을 죽였는가」입니다. 여기서 소설은 규칙 제한을 받는 게임과 동질의 것이 되고 맙니다.

해학적인 문체를 사용한 성석제

1986년에 시인으로 문단에 발을 내민 성석제는 1994년에 「그곳에는 어처구니들이 산다」라는 소설집을 내놓습니다. 그의 소설에 등장하는 인물은 하나같이 보잘것없습니다. 「조동관 약전(略傳)」에서는 평범한 건달이 등장하고, 「황만근은 이렇게 말했다」에서는 팔삭둥이로 태어나 가난하게 살며 평생 이용만 당한 인물의 생애가 나옵니다. 그 어리숙한 사람들이 능청을 떨고, 의뭉을 부리며, 해학을 빚어내는 인생길을 따라가다 보면 슬며시 미소가 피어오릅니다. 이는 90년대 작가들의 새로움과는 한참 거리가 멀지만, 고전적 이야기체(體)가 되레 신선하게 보이기도 합니다.

성석제의 「황만근은 이렇게 말했다」

5. 으악! 무서운 여성 작가들

가부장적 체제가 오랫동안 유지된 한국에서 여성들의 사회적 입지는 좁았습니다. 그러나 1990년대에 들어서면 이런 상황이 변하기 시작합니다. 이제 여성의 교육과 사회 참여가 자연스러워지는 분위기인데, 여기에는 페미니즘(femminism)[89]의 역할이 컸습니다. 페미니즘은 여성에게 가부장적 억압에서 벗어나려는 노력과 더불어 자아를 새롭게 성찰하는 이론적 토대를 제공했습니다.

89) 페미니즘

남성중심 사회에서 파생한 여성문제를 개선하려는 일련의 주의(主義)를 총칭하는 용어. 페미니스트들은 남성의 타자인 여성의 특수성을 정립하고 성적 억압을 당하는 등의 현실적 문제를 올바른 방향으로 해결하려는 활동을 수행했다. 이 과정에서 단순히 여성과 남성의 '차이'를 규명하는 문제뿐 아니라, '역사적 과정 속에서 주체적 여성상 확립'이 중요하게 여겨졌다. 이에 영향받은 90년대 페미니즘 소설의 경향은 대체로 ①여성해방 ②여성적 삶의 미세한 결에 대한 탐색 ③자전적 성장소설 ④여성의 자아 정체성 탐구 등으로 나눌 수 있다.

여성주의의 확산은 많은 여성 작가들의 등장[90]에도 기여했습니다. 이전에도 여성 작가가 존재했지만 문단에서 차지하는 비율은 상대적으로 미미했습니다. 그러나 90년대에 여성들은 글쓰기를 매개로 자아를 재발견했고 그 양적 성장은 남성들을 압도하고 있습니다. 루카치의 "소설은 성숙한 남성의 형식"이란 언술은, 적어도 90년대에는 영향력이 쇠약해진 것이 사실입니다. 이러한 변화에는 상대적으로 남성작가들의 부진도 있지만, 《문학사상》이 밝힌 대로 ①제도적 남녀 균등 기회 ②여성의 가사노동 경감 ③여성의 프로정신 강화 ④여성 엘리트들의 문학 선호 ⑤여성 문인들의 의욕 왕성 등의 이유를 들 수 있을 것입니다. 이들 여성 작가들은 여성이기에 겪어야 하는 문제에 다양한 목소리를 내기 시작합니다. 비단 이것뿐만이 아닙니다. 그들은 내밀한 시선으로 인간과 한국 사회를 관찰한 작품들을 발표합니다.

1972년 10월에 창간된 《문학사상》 창간호

90) 여성 작가들의 등장

《문학사상》 2002년 4월호에 실린 '문단의 여성시대가 오고 있다'라는 특집기사는 문단의 여성시대 도래를 구체적으로 보여준다. 이 특집은 우선 1990년에서 2002년까지 8대 일간지 신춘문예 당선자의 여성 비율이 70~80%임을 밝히고, 1990~2001년까지 5개 문예지(《문학사상》《현대문학》《작가세계》《문학동네》《문예중앙》)의 여성 신인작가 발굴 비율이 42.4%를 차지하고 있음을 알려준다. 신인뿐 아니라 기성 여성 문인들의 활약상도 괄목할 만해서, 1990~2001년까지 10개 주요 문학상(동인·이상·현대·소월시·김수영·삼성·한겨레문학상·오늘의 작가상·문학동네소설상·문학동네신인작가상) 수상자 106명 가운데 여성문인이 44명을 차지했음을 제시한다.

페미니즘적 시각을 작품화한 은희경

신경숙과 함께 90년대 대표적인 여성 작가는 은희경입니다. 은희경은 장편 「새의 선물」[91]에서 '진희'라는 개성적 인물을 창조해 남성중심주의 사회를 활달한 어조로 냉소하고, 「타인에게 말걸기」에서 예의 냉소에 농담과 위악을 덧보태 사랑은 낭만이라는 통념의 허상을 신랄히 꼬집습니다. 은희경의 세상 인식이 단지 냉소적 관점에만 머무르는 것은 아닙니다. 「멍」과 같은 작품에서는 비극적인 세상을 관조하는 깊이 있는 시선도 보이기 때문입니다.

김형경의 「담배 피우는 여자」는 남편의 폭력에 희생당하는 여성이 나옵니다. 이 작품에서 남성과 여성의 관계는 한마디로 왕과 노예의 그것과 다를 바 없습니다. 집안에서 군림하는 남편에게 소설 화자는

김형경의 「담배 피우는 여자」

매를 맞기가 다반사인데 그것은 옆집 여자도 마찬가지입니다. 그런 지옥 같은 삶에서 담배를 피는 일이란 현실에서 벗어나기를 소망하는 행위와 다르지 않습니다.

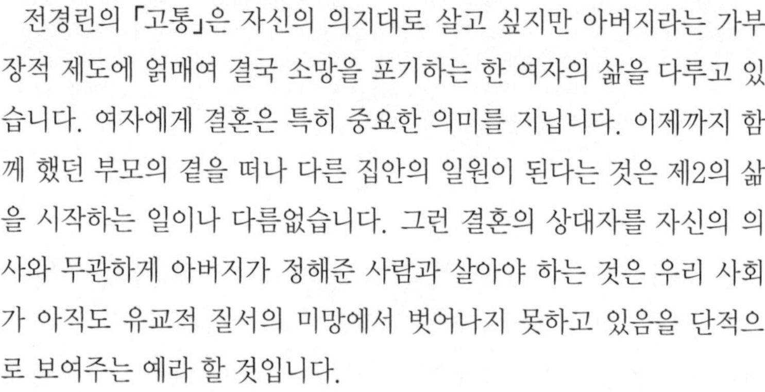

91) 「새의 선물」의 줄거리

이 소설은 삼십대 중반을 넘긴 '나'가 열두 살 소녀 시절을 회상하는 구조로 되어 있다. 부모와 이별하고 외가 식구들과 함께 사는 나는 이미 세상이 그리 호의적이지 않은 곳임을 알아챈다. 이미 세상을 다 알아버린 나는 그래서 주변으로 눈길을 돌리는데, 거기서 만나는 다양한 인간 군상들은 하나같이 착하지만 야무지지 못하다. 가령 철없고 순수한 이모, 남편을 잃고 자식 장군이만 믿고 사는 아줌마, 무능력하고 실없는 바람둥이 광진 테라 아저씨, 착하고 인정 많은 그의 부인, 나의 이모를 좋아하는 순정파 깡패 홍기웅 등등. 이 작품은 장편소설답게 다양한 인물의 형형색색한 삶의 지도를 때로는 따뜻하게, 때로는 냉소적으로 그려놓고 있다.

전경린의 「고통」은 자신의 의지대로 살고 싶지만 아버지라는 가부장적 제도에 얽매여 결국 소망을 포기하는 한 여자의 삶을 다루고 있습니다. 여자에게 결혼은 특히 중요한 의미를 지닙니다. 이제까지 함께 했던 부모의 곁을 떠나 다른 집안의 일원이 된다는 것은 제2의 삶을 시작하는 일이나 다름없습니다. 그런 결혼의 상대자를 자신의 의사와 무관하게 아버지가 정해준 사람과 살아야 하는 것은 우리 사회가 아직도 유교적 질서의 미망에서 벗어나지 못하고 있음을 단적으로 보여주는 예라 할 것입니다.

이혜경의 장편소설
「길 위의 집」

위의 작품들은 고통받는 여성들의 삶을 고발하는 성격을 띠고 있습니다. 여기에서 한 걸음 진전한 여성작가 소설들은 좀더 넓은 세상으로 시선을 넓힙니다. 한 개인이 주위를 둘러볼 때 가장 먼저 마주치는 것은 가족입니다. 가족의 의미를 줄기차게 질문한 이혜경은 '오늘의 작가상' 수상작인 장편 「길 위의 집」에서 가족이란 본질적으로 개인 중심적이라는 통찰을 보여줍니다. 서로를 배려하지 않는 가족간의 반목은 당연합니다. 특히 가부장적 제도에서 부자간의 갈등은 여성들을 더욱 고통스럽게 합니다.

조경란 또한 「가족의 기원」에서 단절된 가족의 모습을 포착합니다. 그는 현대의 가족은 허상으로 존재할 뿐 실제로는 소통이 단절된 타자들의 집단에 불과하다는 비관적 인식을 보여줍니다. 작가의 이러한 인식은 「나의 자줏빛 소파」 등에서 가족 관계를 넘어 인간의 진정한 소통에 대한 질문으로 확장됩니다.

조경란의 「가족의 기원」

여성의 시선이 사회로 보다 확장된 경우는 하성란의 예에서도 찾을 수 있겠습니다. 정밀한 눈길로 사물의 세목을 놓치지 않고 묘사하기로 유명한 그는, 「곰팡이꽃」에서 소통 부재한 삶을 보여줍니다. 작품에는 짝사랑하는 여자에게 접근을 시도하지만 실패해, 그녀가 배출하는 쓰레기를 통해서라도 교류하려는 기이한 남자가 등장합니다.

남성중심 사회에서 시련을 당하지만 그런다고 해서 여성의 위대함이 감소하는 것은 결코 아닙니다. 고통을 감내하고 모성으로 왜곡된 세상을 감싸려 할 때 여성의 위대함은 오히려 도드라집니다. 공선옥은 80년대 '광주'의 비극을 등단작인 「시앗불」에서부터 고집스럽게 형상화한 작가입니다. 그의 소설에 등장하는 여성 대개는 역사적 상황이나 상처에 무심하지만 그녀들은 시대의 참극에 상처 입은 남편(남자)들을 모성으로 품어줍니다. 「어미」에서는 제목 그대로 어려움 속에서도 어머니의 자리를 버리지 않는 여성상이 그려져 있습니다.

6. 나의 길을 굳건하게

1990년대 글쓰기가 다양한 방식으로 진행되었다는 사실은 앞에서 살핀 그대로입니다. 가벼운 키치(kitsch)[92]적 글쓰기의 풍랑 속에서도 나름의 창작 방법론을 고수하며 작품세계를 심화시킨 작가들이 있습니다. 이들은 90년대에 등장한 젊은 작가들에 아랑곳 않고 독자

92) 키치(kitsch)
가짜, 사이비 등을 뜻하는 미술용어. 원래는 '물건을 속여 강매'한다는 뜻이다. 이 말은 이후 고급예술과 대척되는 수준 낮은 대중예술을 총칭하는 의미로 사용되고 있다.

정찬의 소설집
「완전한 영혼」

들에게 진지한 주제의식으로 소설의 감동을 선사합니다.

권력과 언어의 관계에 근원적인 성찰을 보인다는 평가를 받는 정찬은 1980년대 작 「완전한 영혼」에서 장인하라는 순진무구한 인물을 내세워 폭력적 현실에 순수로 대응하는 인물을 창조했습니다. 이러한 작품 세계의 연장선상에서 그는 「슬픔의 노래」[93]를 씁니다. 이 작품에도 광주에서 진압군으로 있었던 한 인물이 등장합니다. 그는 죄의식에서 벗어나기 위해 연극배우가 되어 예술가의 길을 걷습니다. 한국과 비슷한 역사를 공유한 폴란드의 구레츠키가 "예술가란 살아남은 자의 형벌을 가장 민감히 느끼는 사람"인 동시에 "그 형벌을 견뎌야" 하는 사람이라고 내린 정의는 소설 주인공이 예술을 통한 죄의식을 감당하려는 모습과 다르지 않습니다. 이처럼 작가는 불행한 역사가 아무것도 해결되지 않은 채 살아남은 자에게 고통을 주고 있음을 알려줍니다.

93) 「슬픔의 노래」의 줄거리

소설가이자 신문기자인 나는 「슬픔의 노래」를 작곡한 헨릭 구레츠키를 취재하러 출장을 간다. 거기서 나는 박운형과 김성균의 통역 도움을 받는다. 인터뷰 성사가 불안정한 가운데 셋은 술을 마시다 아우슈비츠 수용소를 찾는다. 이어진 술자리에서 나는 박운형이 광주에서 진압군으로 있었다는 사실을 알게 된다. 그가 폴란드에 온 것도 당시의 상처를 극복하기 위한 것이라고 김성균은 말한다. 이후 작곡가의 취재 과정에서 나는 예술가의 소명의식에 대해 듣게 된다.

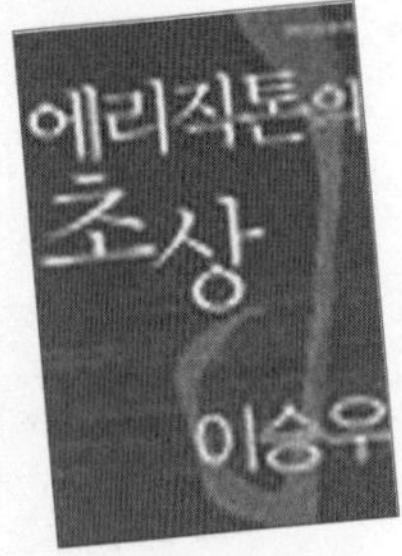

이승우의
「에리직톤의 초상」

관념적인 소설을 쓴다는 평을 받는 이승우는 데뷔작 「에리직톤의 초상」에서 종교와 현실을 권력의 메커니즘을 통해 그려내고 이후 민감하고 다양한 사회 현실을 다룬 작품집 「일식에 대하여」를 상재합니다. 90년대 그의 눈길은 일상으로 향하여 「사람들은 자기 집에 무엇이 있는지도 모른다」에서는 '집'을 모티프로 삼아 지극히 당연하고 낯익은 세계에서의 낯섦을 그려내고 있습니다.

최인석의 「노래에 관하여」는 5공 정권에 의한 인권유린의 한 극점을 상징하는 삼청교육대 사건을 다루고 있습니다. 이 작품은 부정한 역사 현실에서 인간의 내면에 잠재된 폭력성과 광기를 보여줍니다. 소설에 정치적 상상력을 결합하고 있다는 평가를 받는 작가는 이후 「아름다운 나의 귀신」에서 사당동 판자촌 철거 반대 투쟁을 벌이는 과정을 소설화합니다. 국민소득이 증가하고 사회가 나날이 발전해, 이제는 별로 관심을 기울이지 않는 사회의 그늘을 작가는 여전히 묘파해내고 있습니다.

최인석의
『아름다운 나의 귀신』

1994년에 등단한 전성태는 90년대의 신세대 작가들이 도시에 촉각을 곤두세웠던 것과 달리, 농촌을 배경으로 한 작품을 많이 썼습니다. 그는 젊은 작가로는 이색적으로 방언을 능숙하게 구사합니다. 작가의 대표작이라 할 수 있는 「매향(埋香)」은, 폐광촌을 배경으로 한 많은 삶을 살아가는 노인들의 이야기입니다.

앞에서 말한 대로 이들은 전통적인 창작방법으로 90년대 사회 곳곳의 문제를 지적합니다. 이들의 세계관이나 창작방법론이 완고하고 진부해 보일 수 있으나 냉정한 시각으로 현실을 탐사하는 자세는 90년대의 부박한 일부 소설가들에게 귀감이 될 수 있을 것입니다.

전성태의 소설집 『매향』

IX. 2000년대의 소설

90년대 소설의 다양한 글쓰기 경향은 2000년대에 들어 더욱 확산되었습니다. 이것은 소설의 외연을 넓힌 공로와 함께 소설의 고유 형식에 대한 질문을 남기기도 했습니다. 그만큼 이 시대의 소설은 내용과 형식의 측면에서 천태만상으로 나타납니다.

야생의 여성성을 추구하는 천운영

천운영은 2000년대 여성작가의 소설 방향을 새롭게 튼 작가로 기억될 수 있을 것입니다. 90년대에 밀려온 여성 작가의 소설 경향은 앞 장에서 다룬 바 있습니다만, 천운영의 작품세계는 그것과 궤를 달리합니다. 데뷔작 「바늘」에서 문신을 해주며 살아가는 여성이나 「숨」[94]에서 육식을 즐기는 할머니, 남편에게 물리적인 폭력을 행사하는 「행복고물상」의 아내 등은 전통적 여성상에서 벗어나 있습니다. 그러한 여성상을 한 평론가는 '야생의 여성성'이란 어구로 적절히 표현합니다. 이후 그는 두 번째 작품집 「명랑」에서도 그로테스크(grotesque)[95]한 여성상을 개성적으로 그려내고 있습니다.

94) 「숨」의 줄거리

여성작가 소설로는 매우 특이한 이 작품의 내용은 이렇다. 어느 날 나는 결혼 승낙을 받기 위해 할머니를 찾아간다. 결혼 승낙 요구에 할머니는 송치(암소의 뱃속에 든 새끼)를 구해오라고 하지만 축산시장에서조차 그것을 구하기가 어렵다. 그러다 소의 무게를 늘이기 위해 불법으로 소머리에 물을 주입하면 송치를 구해주겠다는 제안을 받는다. 결국 나는 그 일을 하다 단속반에 쫓겨 도망치다 결혼 상대자인 미연의 품속으로 숨어든다.

95) 그로테스크

본질적으로는 기괴하고 비정상적인 어떤 것이라는 의미. 예술 작품에서 상호 이질적인 요소의 격렬한 대립으로 부조화, 혐오, 공포 등의 분위기를 조성할 때 그로테스크하다고 본다.

2000년대 한국 소설사에서 박민규는 기발한 상상력으로 낯선 작품 세계를 일구고 있습니다. 데뷔작 「지구영웅전설」에서 작가는 예측불허의 만화적 상상력을 도입하고 뛰어난 입담으로 독자들을 매료시킵니다. 장편 「삼미슈터스타즈의 마지막 팬클럽」[96]에서는, 그야말로 별 볼일 없는 인간들을 등장시켜 프로가 되기를 강요하는 고도화된 자본주의 사회구조를 풍자합니다. 이 작품에서도 작가의 유쾌한 상상력은 여지없이 발휘됩니다. 그의 최근 작품집 『카스테라』에서는 상상력이 우주 공간으로까지 확대됩니다. 그러나 그의 작품성이 단순히 상상력에 의해서만 이루어지는 것은 아닙니다. 그의 소설은 경쾌하나 그 안에 담긴 주제의식은 묵직하고, 각박한 현실을 살아가는 인간에 대한 애정으로 재미와 더불어 감동을 선사합니다.

96) 「삼미슈터스타즈의 마지막 팬클럽」의 줄거리

프로야구가 처음 시작된 1982년에 나는 중학생이 되었다. 나는 아버지의 기대에 부응하기 위해 공부를 열심히 해야겠다고 생각한다. 연고지를 인천으로 한 '삼미 슈퍼스타즈'의 팬클럽 일원이 된 나는 그 팀의 열성적인 팬이었으나 팀은 해체된다. 나는 일류 집단 소속의 중요성을 깨닫고 열심히 공부해 일류대학에 진학한다. 카페에서 아르바이트를 하며 세상의 다양한 사람들을 만나고 첫사랑 연인도 사귀었으나 사랑은 실패로 돌아간다. 졸업 후 대기업 입사와 함께 결혼을 하고 회사를 위해 헌신적으로 일했지만 아내는 떠나고 IMF의 여파로 나는 정리해고를 당한다. 실직 후 삼미슈퍼스타즈의 열성적 팬이었던 조성훈과 그럭저럭 시간을 보내던 나는 삼미 팀의 해체 13년 만에 마지막 팬클럽을 창설한다. 그들은 프로가 되기 위해 야구를 하지 않고, 단지 '자기수양'이라는 목표로 연습을 하며 삼미 팀의 정신을 깨닫는다. 그 후 사 년, 팬클럽은 해체되고 회원들은 일상으로 돌아간다.

김종광은 요즈음 젊은 작가에게 보기 힘든 입담의 소유자입니다. 구수한 충청도 사투리로 풀어가는 능청스런 입담은 독자를 웃음짓게 하지만, 그 이면에는 변두리 사람들의 애환이 담겨 있습니다. 특히 도시화에 밀려 황폐해진 농촌의 정황을 그리는 데 탁월한 작가는,

「모내기 블루스」에서 자신의 특기를 유감없이 발휘하고 있습니다.

이기호의 소설집 『최순덕 성령 충만기』

이기호는 등단작 「버니」에서부터 독특한 소설 형식을 구축하고 있습니다. 이 작품은 랩의 리듬에 맞춰 씌어진 소설이고, 「최순덕 성령 충만기」는 성경의 어투를 차용해 작품을 이끌어가고 있습니다. 이러한 시도는 근대의 산물인 소설 형식의 붕괴를 통해 탈근대, 혹은 전근대적 서사를 회복하려는 작가의 의도라 할 수 있습니다.

김애란은 2005년 제38회 한국일보문학상을 수상하는 역량을 보여준 작가입니다. 수다한 일상사를 매끄러운 문체로 "익살스럽고 따뜻하고 돌발적이면서도 친근"하게 그려낸다는 김윤식의 평가는 작품의 핵심을 정확히 짚어냈다고 여겨집니다. 「달려라, 아비」에서 아버지의 부재로 인한 상처를 경쾌함과 페이소스를 곁들여 그려낸 작가는 「베타별이 자오선을 지날 때, 내게」[97]라는 작품에서 스무 살 재수생 시절의 성장통과 생의 본질을 깊이 있게 보여줍니다.

97) 「베타별이 자오선을 지날 때, 내게」의 줄거리

작품의 주인공 '아영'은 학원 강사 면접시험을 마치고 집으로 가던 중에 노량진을 지나치게 된다. 그녀는 그 순간 자신의 재수 시절을 회상한다. 노량진에서 많은 사람을 만났고 다양한 경험을 했지만 결국 노량진이라는 곳은 스쳐 지나는 공간일 뿐이다. 재수가 끝나면 대학이라는 사회에 소속되어 그곳에 발을 들이지 않는 것처럼 말이다. 결국 그녀는 대학에 합격하고 졸업하지만 이번에는 취직이 쉽지 않다. 그녀는 이제 입사원서를 내러, 혹은 입사원서를 내고 귀가길에 노량진을 지난다. 이처럼 이 작품은 인생이란 어쩌면 순환선처럼 변치않는 일상의 반복이 아닌가 하는 상념을 씁쓸하게 그리고 있다.

엽기, 판타지적 요소 등을 도입해 냉정한 시선으로 그려낸 김이은도 주목할 만한 작가입니다. 첫 작품집 「마다가스카르 자살예방센터」는 "평속하거나 감상적이지 않으며 세련되고 냉정한 태도를 유지한, 작가의식 선명한 신감각풍"이라는 평가를 받고 있는데, 그 개성적 세계가 확장된 다른 소설을 기대하게 합니다.

2000년대 한국 소설을 빛낼 많은 작가들이 저마다의 개성으로 활약하고 있습니다만 우려의 목소리도 들립니다. 계간지 《대산문화》 2006년 봄호에서 한 기성작가는, 신예 소설가들의 작품이 전혀 새롭지도 않으며 일종의 유행을 좇아 생존한다고 비판합니다. 또 한 평론가는 이들의 작품에는 세계와 삶, 존재의 의미에 대한 문학의 전통적 물음이 희미해졌음을 지적합니다.

김애란의 소설집
『달려라, 아비』

소설은 하나의 유기체라 할 수 있습니다. 시대의 변화와 더불어 소설도 함께 호흡하며 생장합니다. 특히 2000년대 작가들은 이 글을 읽는 여러분과 동시대의 삶을 살아가겠지요.

2장
시

Ⅰ. 현대시의 토양 다지기

Ⅱ. 근대시 키우기

Ⅲ. 문예부흥시대로 꽃피우는 시문학

Ⅳ. 시가 만개하는 1930년대

Ⅴ. 친일문학 극성기의 순수시

Ⅵ. 해방과 민족문학의 수립

Ⅶ. 전쟁과 폐허에서 피어난 꽃

Ⅷ. 순수 · 참여와 새로운 시적 모험

Ⅸ. 산업화시대의 시

Ⅹ. 1980년대 시의 흐름

Ⅺ. 다양한 관심 속에 피어난 시

Ⅰ. 현대시의 토양 다지기

1. 자유시의 출발

우리나라 자유시의 출발은 언제부터일까요? 일반적으로는 1894년 갑오경장을 전후한 시기부터 한일합방 후 1910년까지를 개화기[1]라 부르며, 이 시기에 자유시의 토양이 다져졌다고 보고 있습니다.

근대화의 시발점이 된 갑오경장을 그 기점으로 삼는 이유는, 이를 계기로 서양의 근대적 문명과 사상이 적극적으로 받아들여져 정치·사회·문화에 새로운 변화를 가져오는 범국민적 근대화 운동이 일어나고, 이에 따라 시문학도 새로운 모습을 드러내게 되었기 때문입니다.

1) 개화기
개화기라는 의미는 외부로부터의 타율적인 개방의 의미를 갖고 있다는 이유로 최근에는 '애국계몽기' 혹은 '신문학기' 라고도 한다.

개화기에 나타난 새로운 시문학 형태는 개화가사·창가·신체시 등을 들 수 있습니다. 그러나 한편 고전문학의 맥을 이어오던 가사·시조·사설시조·한시 등도 여전히 창작되었으니 신문학은 전통적 문학과 함께 그 모습을 드러냈다고 할 수 있습니다.

이렇게 전통적인 문학과 서구의 영향을 받은 문학이 공존하는 문학 현상은 1910년대로 넘어가면서 점차 사라지게 됩니다.

개화기 시가들은 근대화에 발맞추어 창간된 여러 신문과 잡지에 소개되었습니다. 이에 이 시기부터

1910년대의 신식 결혼식 장면

작가의 이름이 알려지고 대중독자가 생기는 등 작품 발표의 근대적 모습을 보이게 되었으니, 이 또한 작품의 내용과 함께 작가의 활동도 근대적 성격을 겸하게 되었던 것입니다. 여기서는 개화기에 새롭게 등장하면서 후에 본격적인 현대문학으로 이어질 개화기 시가[2)]를 중심으로 그 특징들을 살펴보겠습니다.

2) 시가
일반적으로 개화기 시가의 발달 단계는 개화가사→창가→신체시→자유시로 본다.

*개화기 문학의 주요 환경

1. 국어의 중요성 인식	국어 연구 활발. 이봉운, 지석영, 주시경 등
2. 신문, 잡지의 발행	〈한성순보〉〈독립신문〉〈대한매일신보〉〈황성신문〉〈제국신문〉《소년》
3. 서양 문물 소개	유길준의 『서유견문』

2. 최남선①과 최초의 신체시

최초의 신체시 「해에게서 소년에게」를 쓴 최남선

텨…ㄹ썩 텨…ㄹ썩, 쏴…아.
ᄯᅡ린다, 부슨다, 문허 바린다.
泰山갓흔 높흔 뫼, 딥태갓흔 바위ㅅ돌이나
요것이 무어야, 요게 무어야,
나의 큰 힘, 아나냐, 모르나냐, 호통ᄭᅡ디 하면서,
ᄯᅡ린다, 부슨다, 문허 바린다.
텨…ㄹ썩, 텨…ㄹ텩, 텩, 투르릉, 콱.

—최남선, 「해(海)에게서 소년(少年)에게」 제1연

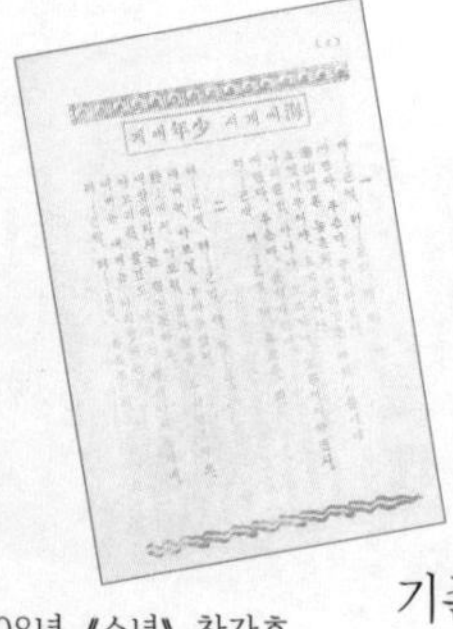
1908년 《소년》 창간호에 실린 「해에게서 소년에게」 부분

이 시는 한국시문학사에서 최초로 '시'라는 이름이 붙여진 작품입니다. 비록 '신체시' 혹은 '신시' 등 수식어를 붙여 부르며 지금의 현대시와는 구분하고 있지만, 처음으로 시조가 아닌 '시'라는 장르로 부른다는 데 커다란 의미가 있습니다. 왜냐하면 이 시는 기존 문학의 내용이나 형태와는 사뭇 달랐기 때문입니다.

1908년 11월 최초의 잡지이기도 한 《소년》[3]을 창간한 최남선은 잡지 첫 페이지에 이 시를 실었습니다. 이 시는 1~6까지 번호가 붙여진 6연 형태로 소년의 무한한 힘과 기상을 바다의 거센 파도에 비유하고 있습니다. 시인 최남선은 당시 18살이었으니 시 속의 소년이 곧 최남선 자신이기도 합니다. 소년은 힘센 파도와 같아 구시대의 모든 것을 개혁하고 새로운 문물을 받아 발전시킬 새 시대의 주인공임을 외치고 있는 것입니다. 이는 자연 속에서 유유자적하면서 산수를 노래하는 음풍농월(吟風弄月)적인 과거 우리 선조의 시와는 매우 다른 모습이었습니다. 바로 개혁정신을 강조한 것이지요. 좀 어렵게 말하면, 개혁하자는 구호를 바다라는 자연물과 소년에 빗대어 관념을 형상화하고 있습니다. 내용뿐 아니라 시의 형태 또한 새롭습니다. 첫 연의 7행이 바로 그것입니다. 기존에 쓰이던 시조의 규칙적인 형태이며 우리 전통문학의 기본 자수율인 3·4조를 깨뜨린 자유스러운 형식으로 이는 작가가 새 시대의 내용에 어울리는 새로운 형식이 필요하다고 생각했기 때문이겠지요. 그밖에도 시에 처음으로 등장하는 의성어와 대화체, 그리고 종결어미 '~다'의 쓰임 등이 새로운 모습이었습니다.

3) 최초의 잡지 《소년》

1908년에 창간되어 1911년 폐간되기까지 총 23권이 발간되었다. 개화기에 발간된 신문들과 함께 신문학 발전에 크게 기여했다. 최초의 신체시를 비롯하여 이야기, 기사, 세계지리, 문물들 외에 외국시와 소설이 번역 소개되었다. 한문보다 국문 사용을 활발히 했다. 최남선과 이광수가 주요 필자였으며 우리 문학사의 '2인 문단시대'를 형성하는 계기가 되었다.

그러나 이러한 특징에도 불구하고 완전한 자유시로 볼 수 없는 이유는 아직도 옛 모습의 흔적이 있기 때문입니다. 시의 한 연만 보면 제법 자유로운 형태를 보여주고 있지만 총 6연인 시 전체를 살펴보면 모두 동일한 율격이 지켜지고 있습니다. 말 그대로 자유로운 '자유시' 라는 이름을 얻으려면 어떤 규칙도 적용되지 않아야 되는데, 우선, "텨…ㄹ썩 텨…ㄹ썩, 쏴…아" 라는 의성어가 각 연마다 공식처럼 되풀이되었고, 3·3·5, 4·3·4·5 등의 동일한 음수율과 음보율이 반복되고 있기 때문입니다. 최남선은 자유로운 시를 쓰려 하면서도 한편으로는 각 연의 대응 행들을 일정한 규율로 맞추려고 노력했던 것입니다.

그러므로 이 시는 본격 자유시로까지는 볼 수 없지만 최초로 시조의 정형적인 틀에서 벗어난 모습이므로 '신체시'[4] 또는 '신시' 로 이름 붙여져 한국 시문학사에 큰 의미를 갖게 되었습니다. 차차 이야기하겠지만 1908년에 선보인 최남선의 「해에게서 소년에게」는 이후 나타날 최초의 자유시인 주요한의 「불놀이」의 예고편이라고도 할 수 있습니다.

4) 신체시
한국 시가의 발전과정상 창가와 자유시 사이에 위치하는 새로운 양식의 시. 신시(新詩)·신시가(新詩歌)·신체시가(新體詩歌)라고도 한다. 종래의 고가(古歌)인 시조나 가사와는 달리 당대의 속어(俗語)를 사용하고, 서유럽의 근대시나 일본의 신체시의 영향을 받은 한국 근대시의 초기 형태이다.

3. 신체시 이전부터 불리던 개화가사와 창가

한편, 외국 문물이 앞다투어 들어오자 우리 민족은 역사적 현실을 자각하게 되었습니다. 국어에 대한 관심이 높아지고 서양의 교육제도가 도입되었으며 기독교의 전파로 성경과 찬송가가 한글로 번역되는 등 새로운 문학 현상이 일어납니다. 이에 신체시가 등장하기 이전부터 개화·계몽과 동시에 자주독립·애국애족 등을 주제로 한 작품들이 많이 쓰이게 되는데, 이는 개화가사 또는 창가로 불리게 되었습니다.

개화가사는 조선시대 시조와 가사문학의 주된 율격인 3·4조나 4·4조 연속체의 낯익은 형태였으나 내용은 달랐습니다. 권유와 설득의 내용을 담고 있는데 내용에 따라 개화가사·애국독립가·동학가·의병가사 등으로 분류되기도 합니다. 개화가사의 기원은 1860년대라 할 수 있지만 개화가사[5)]가 활발하게 씌어진 것은 1890년대부터 1900년대로 볼 수 있습니다. 1896년 한글전용신문인 〈독립신문〉이 간행되고 독자들의 투고작품을 싣게 되면서 개화가사는 더욱 유행하게 됩니다. 아래 두 작품은 개화가사와 의병가사의 예입니다.

5) 최초의 개화가사
1860년대에 발표된 최제우의 「용담유사」는 동학사상을 담은 포교가사이고, 신채호의 「괘심한 서양되놈」은 외세의 유입에 저항하는 내용이다.

잠을깨세 잠을깨세
새천년이 꿈속이라
만국이 회동하야
사해가 일가로다
구구세절 다버리고
샹하동심 동덕하세

—이중원, 「동심가」 부분

어와 세상 사람들아
검셰 형편 드러보소
아태조 창업하사
오백여년 나려올 제
오천년 요순지치
이천년 공부자도
인의예지 법을 삼아
삼강오륜 분명허다

(중략)

이천만 우리 동포
아연이 잇단말가
군률을 당치말고
하루 밧비 출두허고
칼을 집고 이러서서
문경업 더러가니……

—신태식, 「창의가」 부분

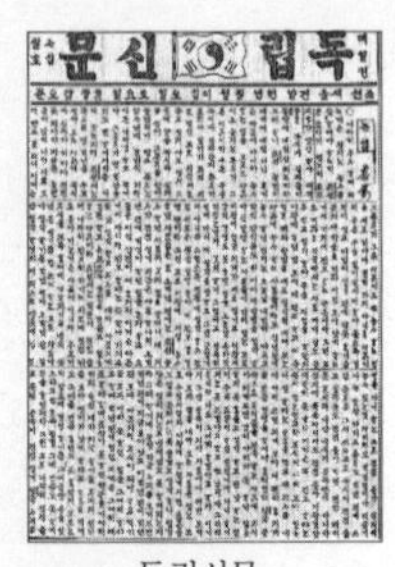
독립신문

창가는 1880년대 나온 찬송가집이나 서양 행진곡의 영향을 받아 씌어졌으며, 옛 시가 형식을 조금 벗어난 7·5조를 기본으로 했습니다. 최초의 창가는 〈독립신문〉에 발표된 이용우의 「애국가」와 최병헌의 「독립가」로부터 출발하여 이후 기독교계의 학생이나 교사 그리고 일반 청년층에까지 번지는 유행가로 발전하게 됩니다. 최남선은 신체시뿐 아니라 창가도 많이 지었는데, 「경부철도가」 「한양가」 「세계일주가」 등이 있으며, 그밖에 지은이를 알 수 없는 많은 창가가 곡조를 붙여 불려졌습니다.

우렁탸게 토하난 긔뎍소리에
남대문을 등디고 ᄯᅥ나나가서
빨리부난 바람의 형세 갓흐니
날개가딘 새라도 못ᄯᅡ르겠네

늙은이와 덞은이 석겨안젓고
우리네와 외국인 갓티탓스나
내외틴소 다갓티 익히디내니
됴고마한 ᄯᅡᆫ 세상 뎔노일웠네

—최남선, 「경부철도가」 부분

이 작품도 그렇지만 창가는 대개 문명 개화와 애국 등의 주제를 담고 있었습니다. 당시에 최남선의 창가를 비롯하여 「조선유람가」 「들구경」 「어린이 꿈」 「새해」 등의 창가가 불려졌습니다. 이러한 창가의 등장은 개화가사 뒤를 이은 신체시 출현의 전단계로 보고 있습니다. 그러나 1920년대 이후 창가는 전통 음률에서 벗어나 7·5조, 8·5조 등으로 바뀌고, 그밖에 퇴폐와 애정 등을 주제로 한 다양한 내용으로 바뀌기도 합니다.

4. 개화기 시가의 의의

개화기 문학은 고전문학에서 서구적 신문학으로 바뀌는 과정에 나타난 과도기적 문학입니다. 개화가사→창가→신체시로 이어지는 개화시가는 한국 전통적 시가의 율조에 바탕을 두고 새로운 변화를 시도해가는 문학이었습니다. 서구문명 유입에 따른 근대적 자각과 민족에 대한 자각을 함께 보여주면서 한국의 민족문학은 이 개화기부터 본격적으로 싹트기 시작했습니다. 이렇게 볼 때 한국문학은 민족의식과 근대적 자아의식의 관계를 바탕으로 하여 민족의 독립과 번영을 위한 저항과 신문학의 도입이라는 예술 창조의 두 가지 측면을 함께 파악하면서 이해해야 할 것입니다.

Ⅱ. 근대시 키우기

1. 서양시를 들여와 문학교양시대로

최초의 본격 종합 월간지 《청춘》

최초의 순문예지 《창조》

최초의 시전문 동인지 《폐허》

1910년대는 최남선에 이어 이광수, 주요한, 김억 등이 등장하면서 보다 문학활동이 활발해집니다. 특히 주요한은 최초의 자유시를 발표하고 김억은 1918년 《태서문예신보》를 창간하여 프랑스 상징주의 시를 소개하는 등 새로운 바람을 일으킵니다. 이는 개화기 시문학의 토양 위에 서구시의 양분을 본격적으로 들여오게 된 것이지요. 1900년대 문학 환경에 잡지 《소년》이 큰 역할을 했다면 1910년대에는 《태서문예신보》가 자유시의 탄생에 결정적인 역할을 합니다.

이 무렵 여전히 신체시와 개화가사가 쓰이는 가운데 새로운 시작품이 창작됩니다. 김억과 주요한이 개화가사의 정형적 음수율과 반복리듬에서 벗어나려는 노력을 하자 대중을 향한 계몽적·교훈적 내용이 개인의 자유로운 감정을 표현하는 자유시형으로 변모하게 됩니다. 문학을 계몽의 도구로 여기던 시대에서 조금씩 문학을 교양이나 예술로 여기는 움직임이 시작된 것입니다. 또한 1914년 최남선이 창간한 잡지 《청춘》에 이어 1910년대 말 《창조》를 비롯하여 1920년에 동인지 《폐허》가 발간됩니다. 1920년대 동인지 시대의 기틀이 마련되고 있었던 것입니다. 이러한 변화는 현대시의 커다란 특징이기도 한 예술적 문학 탄생의 기반을 이루었고, 다양한 문학적 기법이 등장할 조짐을 보여주는 것이었습니다.

2. 최초의 자유시 「불놀이」

최초의 자유시 「불놀이」를 쓴 주요한

아아, 날이 저문다, 서편 하늘에, 외로운 강물 우에, 스러져가는 분홍빛 놀…… 아아 해가 저물면, 날마다 살구나무 그늘에 혼자 우는 밤이 ᄯᅩ 오 것마는, 오늘은 사월이라 파일날 큰길을 물밀어가는 사람 소리는 듯기만 하여도 홍성시러운 거슬 웨 나만 혼자 가슴에 눈물을 참을 수 없는고?

아아 춤을 춘다, 춤을 춘다 싯벌건 불덩이가, 춤을 춘다. 잠잠한 성문 우에서 나려다보니, 물 냄새 모랫 냄새, 밤을 ᄭᅢ무는, 하늘을 ᄭᅢ무는, 횃불이 그래도 무어시 부족하야 제 몸ᄭᅡ지 물고 ᄯᅳ드며 (하략)

—주요한, 「불놀이」 부분

주요한의 「불놀이」는 최초의 자유시라 불리고 있습니다. 1919년 잡지 《창조》 창간호에 발표되는데 《창조》를 창간한 김동인은 이 시를 실으며 "독자들이 지금까지 보지 못한 최초의 시"라고 말하였습니다. 그러면 도대체 이 시가 이전에 발표된 신체시와는 어떻게 다르다는 것일까요?

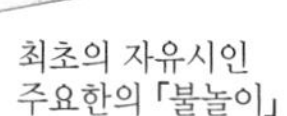

최초의 자유시인 주요한의 「불놀이」

우선 형식면에서 4·4조나 7·5조 등의 전통적 율격을 완전히 깨뜨린 산문 형태라는 겁니다. 5연으로 연 구분을 하고 있기는 하지만 기존의 형태와는 전혀 다른 모습이지요. 내용면에서도 애국이나 새로운 문명을 찬양하는 교훈적, 계몽적 내용이 아니라는 점입니다. 「불놀이」는 사월초파일 행사인 관등놀이를 소재로 하고 있으나 구경꾼들의 떠들썩한 축제 분위기와는 반대로 쓸쓸하고 고독함을 느끼는 서정적 자아를 노래하고 있습니다. 이는 한 개인이 민족이나 국가를 위한 사명감을 표현하는 것이 아니라 자신의 주관적 서정을 이야기하고 있다는 큰 차이를 보여주는 것입니다. 뿐만 아니라 표현 방법에서도 프랑스 상징주의 시의 영향을 받아 최초로 상징적 기법을 시에 적용하였습니다. 자신의 정서를 '불'과 '물' 등의 다양한 대립 이미지를 통하여 도치와 점층, 비유와 상징 등으로 자유롭게 시상을 구사하고 있습니다. 이러한 여러 특징으로 신체시와는 다른 최초의 자유시라는 자격을 갖게 되었어요.

그러나 사실 주요한은 「불놀이」보다 먼저 《학우》라는 잡지에 「에튜우드」라는 제목으로 여덟 편의 자유시를 발표한 적이 있습니다. 즉, 「에튜우드」에서부터 자유시의 모습이 나타나므로 이를 최초의 현대시로 봐야 한다는 주장도 있습니다. 어쨌든 주요한에 이르러 최남선의 강한 창가적 요소가 완전히 사라진 자유시가 등장한 것입니다. 그러면 이러한 현상은 어떻게 나타난 것일까요? '아니 땐 굴뚝에 연기 날 리 없다'는 속담을 떠올리며 새로운 현상에 대한 원인과 결과를 살피다 보면 한국문학사를 보다 재미있게 이해할 수 있습니다. 자, 그럼 한국문학사라는 굴뚝에 자유시라는 연기를 피워올린 땔감은 무엇이었을까요?

3. 김억과 《태서문예신보》

《태서문예신보》를 통해 서구의 시를 활발히 소개한 김억

자유시 탄생의 일등공신은 김억②의 등장과 《태서문예신보》를 비롯한 잡지의 출현이었습니다. 특히 1918년 8월 창간된 《태서문예신보》는 국내 창작시와 함께 베를렌느·투르게네프·롱펠로우·예이츠 등 50여 편의 구미시를 번역 소개하여 외국시가 어떤 것인지를 보여주었습니다. 《태서문예신보》는 주간잡지로 약 5개월이라는 짧은 기간 동안 발간되었지만 한국시문학사에서 차지하는 자리는 대단히 큽니다.

《태서문예신보》를 창간한 김억은 프랑스 상징주의 시단과 상징주의란 무엇인가를 소개하면서 자유시 이론을 발표하여 한국 최초의 시론을 쓰기도 합니다. 또한 스스로 창작시를 발표하였으며 백대진·장두철·황석우 등의 전문시인을 발굴하는 등 한국 자유시의 개척자 역할을 합니다. 이렇게 등장한 《태서문예신보》의 시인들은 개인적 서정을 노래함으로써 비로소 현대시의 길로 안내하는 결정적인 역할을 합니다. 자유시 형성 초기에 《태서문예신보》를 중심으로 활동한 김억과 그밖의 시인들의 선구적 역할과 공헌은 매우 컸습니다. 이러한 변화는 1919년 《창조》에 실리는 주요한의 「불놀이」에 이르러 중요한 결실로 맺어집니다. 《태서문예신보》는 자유시의 출현은 물론 1920년대 한국시의 나아갈 바를 밝히는 도화선이 되었던 것입니다.

《태서문예신보》에 이어 1919년 2월에 창간된 《창조》는 최초의 순수 문예지입니다. 《소년》과 《청춘》, 《태서문예신보》가 교양지 성격이었다면 《창조》는 최초의 순수 문예지였다는 것이 큰 의미가 있습니다. 1910년대 말의 《창조》에 이어 1920년에 발행되는 《폐허》 역시 1910년대 한국문학이 계몽주의 성격에서 벗어나고 있음을 보여주었습니다. 한편 1914년에 창간된 《청춘》은 최남선이 창간한 잡지로 현상문예작품을 최초로 모집하여 강용흘·김명순·방정환 등 새로운 작가를 등장시키기도 하였습니다. 1910년대는 주요한과 김억 외에 황석우을 비롯하여 남궁벽·변영로·오상순·박종화 등의 시인들이 활동했으며 이들은 1920년대에 더욱 활발하게 활동했습니다.

4. 1910년대 시의 의의

1910년대 시문학의 활동은 최남선 유의 창가, 개화가사 등으로부터 벗어나려는 움직임에서 시작됩니다. 이에 따라 1910년 말에 이르면 개화기 시가 형태는 사라집니다. 이와 더불어 《태서문예신보》에 의한 외국 문예의 유입, 문예 전문지 《창조》 등의 출현으로 문학의 대중화가 이루어지고 최초의 자유시가 등장합니다. 1910년대 시는 이러한 환경 속에서 계몽적 문학에서 탈피하여 자유시로 향하게 되는 밑거름이 됩니다.

Ⅲ. 문예부흥시대로 꽃피우는 시문학

1. 시의 발흥기 1920년대

1910년대 말부터 일어난 새로운 시의 물결에 발맞추어 준 것은 '3·1운동 실패' 라는 역사적 사실이었습니다. 이미 계몽문학 세계에서 조금씩 변화를 보이던 시문학은 1920년대에 이르면 더욱더 주관적 정서의 세계로 나아갑니다. 프랑스 상징주의의 영향으로 새로운 창작 정신을 갖게 된 시인들은 우울·탄식·절망·현실도피 등의 정서를 추구하던 터에 독립에 대한 좌절감에 부딪혀 한층 더 무력감과 상실감에 빠지게 됩니다. 서구 사조의 영향과 역사적 사건들이 함께 어우러지면서 문학적 이상과 현실이 일치하는 절묘한 경우가 된 것이지요. 울고 싶었는데 한 대 맞은 것처럼 시인들은 너도나도 허무감과 좌절감에 사로잡혀 시를 쓰게 됩니다. 여기에 3·1운동의 힘으로 얼마간의 언론 자유를 얻어내면서 문예지와 종합지, 신문들이 많이 창간되고, 이를 통하여 많은 시인과 작품이 발표됩니다. 수많은 문예지 중 특히 《폐허》《장미촌》《백조》를 중심으로 감상적이고 영탄적인 허무주의 경향의 시가 창작됩니다. 이로써 1920년대 시문학은 문예부흥시대를 맞이하는데, 1920년대 초기의 대표적인 시인은 김억과 주요한, 황석우 등이었습니다.

1921년 5월에 창간된 시동인지 《장미촌》

다른 한편으로는 1925년 KAPF(조선프롤레타리아예술가동맹)의 결성이라는 문학사에서 중요한 사건 하나가 일어납니다. 이 단체를 만든 사람들은 근대화의 유혹 뒤에 숨은 식민지 지배국가의 이기주의적 속셈을 깨닫고서, 조직적인 문학 활동을 통하여 현실참여적인 문학을 전파했습니다. 앞서 말한 현실도피적 자세와는 사뭇 다른 자세이지요. 이들은 카프문학파라고 불려졌습니다.

*창간 잡지 및 신문

연 도	창간지 명
1920	순문예지 《창조》(1919), 《폐허》, 종합지 《개벽》 신문 〈동아일보〉 〈조선일보〉
1921	순수문예지 《장미촌》
1922	종합지 《조선지광》《동명》, 순문예지 《백조》
1923	종합지 《금성》
1924	순문예지 《조선문단》《폐허이후》《영대》《생장》
1927	순문예지 《해외문학》《문예시대》
1929	종합지 《삼천리》《문예공론》《조선문예》

*주요 동인지 활동 내역

동인지	창간시기	특 징	주 요 동 인	비 고
창조	1919	본격적 자유시 발표	주요한, 김동인, 전영택, 김환, 김억, 이광수	최초의 순문예지
폐허	1920	서구 상징주의 소개, 퇴폐적 경향 주조	김억, 남궁벽, 황석우, 염상섭, 오상순	최초의 시 전문동인지
장미촌	1921	자유시의 선구로 자칭	변영로, 박종화, 박영희, 오상순, 이훈, 황석우, 정태신, 노자영	순문예지(《폐허》와 《백조》의 교량 역할)
백조	1922	감상적 낭만주의 주조	나도향, 홍사용, 노자영, 박종화, 이상화, 오천석, 이광수, 박영희, 김기진	순문예지(《장미촌》 후신)
금성	1923	민족주의 경향, 해외시 번역	이상백, 백기만, 양주동, 이장희, 손진태, 유엽	
영대	1924	해외시 번역, 극시 번역	김동인, 김억, 이광수, 주요한, 김소월, 전영택	순문예지(《창조》 후신)
폐허이후	1924	허무주의 주조	염상섭, 주요한, 변영로, 현진건, 김억, 김명순	창간호로 폐간

1910년대 초의 신문학 형성기를 지나 1910년대 전기 계몽·교양 문학기, 그리고 후기의 동인지 발간에 이어 1920년대는 문학 각 장르의 창작 활동이 본격화됩니다. 1920년대 후기에는 동인지 시대를 벗어나 일반 문단을 형성하는 움직임이 일어납니다. 이때 대표 문예지가 1925년에 나온 《생장》, 1929년에 나온 《문예공론》과 《조선문예》 등입니다. 이 문예지들은 《폐허》나 《백조》 같은 잡지처럼 특수한 유파를 형성하지 않고 전 장르에 걸쳐 문학관의 차이를 초월하여 작품을 실었습니다. 더불어 독자문예와 현상문예 외에 일반인의 투고작까지 실어주어 신인 등장의 길을 다양하게 마련, 보다 범국민적인 문학 활동을 확대해갑니다.

1929년에 나와 3호로 종간된 《문예공론》

2. 신경향파문학의 등장과 프로문학

1920년대에 나타난 문학운동 중 색다른 것은 신경향파(新傾向派) 문학과 프로문학[프롤레타리아 문학]이었습니다. 1923년을 전후하여 《백조》 동인이던 김기진은 박영희·이상화 등과 함께 《백조》파의 부르주아 문인들과 우리는 다르다고 주장하며 '파스큘라' 라는 그룹을 결성하고 '신경향파' 라 불렀습니다. 이것이 곧 카프 결성의 기틀이 됩니다. 이는 1920년 초부터 밖에서 들어온 사회주의 사상과 풍조를 배경으로 계급간의 갈등과 식민지에 대한 저항 등을 배경으로 하여 일어난 것이었습니다. 신경향파의 등장에 이어 1925년에 프로문학단체인 카프가 결성되었고 1935년 강제 해산될 때까지 카프문학은 근 10여년간 노동자와 농민의 목소리를 대변하는 창구 역할을 했습니다. 신경향파문학과 카프문학, 즉 프로문학과는 약간의 차이가 있는데 이 둘을 구분하자면 신경향파문학은 계급평등 등 다분히 인도주의적 입장이 바탕이 되었고, 프로문학은 마르크스주의에 대한 신념을 기반으로 하고 있었습니다. 다음 시를 보면 카프 시인이 부르주아

카프문학계의 맹장 박영희

시인들을 보는 시각이 잘 나타나 있습니다.

파스큘라를 조직한 김기진

카페 의자에 걸터앉아서
희고 흰 팔을 뽐내어 가며
우-나로-드라고 떠들고 있는
육십 년 전의 로서아(露西亞) 청년이 눈앞에 있다……

Chair Revolutionist,
너희들의 손이 너무도 희구나!

희고 흰 팔을 뽐내어가며
입으로 말하기는 "우-나르-도!"……

—김기진, 「백수의 탄식」 부분

프로문학은 기존의 문학과 단절하려는 여러 가지 시도를 합니다. 이들이 말하는 '부르주아 문학'이란 서정시를 일컫는 것으로, 당시 문단의 발표작들을 실질적으로 아무 쓸모 없는 퇴폐적인 사조라 비판하면서 앞으로 시는 민중을 위해 써야 한다고 주장합니다. 이에 속하는 대표적인 시인은 김기진과 박영희, 임화 등입니다. 이 가운데 임화의 「우리 오빠와 화로」와 「네거리의 순이」는 서사적 요소와 함께 서정성까지 획득한 카프시의 대표작으로 뽑고 있습니다. 그러나 이런 목적으로 씌어진 시들은 이데올로기 주입과 계급혁명이라는 정치성이 노출되어 작품으로서의 성과를 남기지 못했다는 평가를 받기도 합니다.

카프시의 대표작들을 발표한 임화

3. 해외문학파와 민족문학 부활운동

다른 한편으로는 1926년 일본유학생들에 의해 '해외문학연구회'가 결성되었습니다. 이어 각기 독문학·노문학·영문학·불문학을 공부하던 김진섭·이선근·정인섭·이하윤·이헌구·김광섭·장기제 등이 1927년 《해외문학》이라는 잡지를 창간합니다. 이들은 스스로 해외문학파라 칭하며 1930년대까지 많은 서양문학을 소개, 번역하였으나 지나치게 서양문학 우월주의적 태도를 취했고, 창작보다는 평론 쪽 발표가 많았습니다. 활동에 비하여 그다지 큰 문학적 성과는 이루어 내지 못했다고 보고 있습니다.

반면에 전통에 대한 관심도 높아지면서 민족문학 부활운동이 일어납니다. 민요시운동과 시조부흥운동이 그것입니다. 사실 민요시운동은 1900년대 민요를 개작하여 애국계몽의 주장을 하자는 운동도 있었으니 이번이 처음은 아니었습니다. 1920년대부터 1930년까지 다시 민요시운동이 일어나는데 이는 근대시를 개척하면서 민요시도 아울러 조사, 연구하자는 것이었습니다. 1924년 엄필진의 『조선동요집』은 전래민요를 수록한 최초의 민요집이며 1933년 『조선구전민요집』에는 많은 민요가 수록됩니다. 더불어 민요와 시를 접근시키며 민요시를 주장합니다. 이광수·이은상·김동환·황사용·김억 등이 활동하였으며 '조선심', '민족의 얼' 등의 민족성을 강조한 것입니다. 그러나 이런 민요시 작품은 실상 그다지 큰 성과를 이루지는 못했습니다.

그러나 이에 비하여 같은 맥락에서 일어난 시조부흥운동은 일정한 성과를 이루어냅니다. 최남선은 1926년 《조선문단》에 「조선국민문학으로서의 시조」 시론을 발표하며 열렬하게 시조부흥운동을 주장합니다. 시조를 부흥하되 내용과 표현은 새롭게 해야 한다는 것으로 최남선·이은상·이병기 등의 시조시인이 있었습니다. 1926년에 최남선은 『백팔번뇌』를, 1933년에 이은상은 『노산시조집』을, 1939년에 이병기는 『가람시조집』이라는 개인시조집을 발행합니다. 그밖에 1930년대까지 안확·정인보·이희승·김억·조운 등이 시조를 지었습니다.

이은상의 『노산시조집』

4. 3인의 대표 시인

*1920년대 대표 시인과 특징

시 인	생존연대	활 동	주 요 작 품	시 풍
홍사용	1900~1947	《백조》 동인	「나는 왕이로소이다」	감상적, 낭만적
이상화	1901~1943	《백조》 동인, 카프 가입	「나의 침실로」「빼앗긴 들에도 봄은 오는가」	퇴폐적, 낭만적, 향토적, 상징적
김소월	1902~1934	《창조》에 첫 발표. 이후 《개벽》에 다수 발표	「산유화」「진달래꽃」「왕십리」「초혼」「가는 길」	민요적, 서정적, 여성적
한용운	1879~1944	승려, 독립운동가	「님의 침묵」「나룻배와 행인」	형이상학적, 명상적, 종교적, 서정적
김동환	1901~?	《삼천리문학》 발간, 민요시 운동 전개	「국경의 밤」「눈이 내리느니」	대륙적, 현대적, 서사시
변영로	1898~1961	《장미촌》 동인	「논개」「조선의 마음」	서정성, 민족애
박종화	1901~1981	《백조》 동인	「밀실로 돌아가라」「말세의 희탄」「흑방비곡」	퇴폐적, 낭만적
박영희	1901~?	《백조》 동인	「유령의 나라」「월광으로 짠 병실」	퇴폐적, 낭만적
김기진	1903~?	《백조》 동인, 신경향파	「백수의 탄식」「한 개의 불빛」	카프파
임 화	1908~1953	프로문학	「우리 오빠와 화로」「네거리의 순이」	카프파

위와 같이 수많은 시인들이 등장하는 가운데 특히 김소월·한용운·이상화는 한국시 문학사에 커다란 발자취를 남긴 주요한 시인이 됩니다.

1) 이상화

'마돈나' 지금은 밤도 모든 목거지에 다니노라 피곤하여 돌아가려는도다

아, 너도 먼동이 트기 전으로 수밀도(水蜜挑)의 네 가슴에 이슬이 맺도록 달 오너라.
(중략)
'마돈나' 지난 밤이 새도록 내 손수 닦아 둔 침실로 가자, 침실로!
낡은 달은 빠지려는데 내 귀가 듣는 발자국— 오, 너의 것이냐?

「나의 침실로」를 쓴 이상화

'마돈나' 짧은 심지를 더우잡고 눈물도 없이 하소연하는 내 마음의 촉(燭)불을 봐라.
양털같은 바람결에도 질식(窒息)이 되어, 얄푸른 연기로 꺼지려는도다.
(중략)

「이상화 시전집」

'마돈나' 마돈나 언젠들 안 갈 수 있으랴, 갈 테면 가자. 끄을려 가지 말고!
너는 내 말을 믿는 '마리아'— 내 침실이 부활(復活)의 동굴(洞窟)임을 네야 알련만…

—이상화, 「나의 침실로」 부분

「나의 침실로」는 이상화의 초기 시로 퇴폐와 관능, 죽음과 허무가 주조를 이루고 있습니다. 이러한 경향은 상징주의 시가 일반적으로 지닌 성격으로, 현실을 거부하고 초감각적 상징세계를 꿈꾸며 부르는 고뇌와 비탄의 가락이지요. 이 작품은 '마돈나', '침실', '수밀도의 네 가슴', '나의 아씨여' 등의 감각적 시어들로 말미암아 표면적으로 남녀간의 정욕을 노래한 애정시로 볼 수도 있습니다. 그러나 시적 자아가 '마돈나'와 함께 가고 싶어하는 '침실'은 육체적 쾌락을 실천하는 일반적 의미의 침실이 아니라, 영원한 안식과 새로운 활력을 부여하는 재생의 장소를 상징하는 것입니다. 그렇다면 이 시는 남녀간의 애정을 소재로 하여 관능적이고 낭만적인 표현 방법에 의해 영원한 꿈 같은 안식처를 갈구한 작품임을 알 수 있습니다. 다시 말해 현실을 버리고 '침실'(밀실, 동굴)로 사랑하는 '님'을 불러 미의 만끽을 추구하는 것이지요. 이상화는 가톨릭 신앙을 지닌 시인으로

'마돈나' 는 순결을 상징하는 종교적 인물인 성모마리아를 지칭하지만 「나의 침실로」의 마돈나는 관능적 여성으로, 감각적 표현의 효과를 높이고 있습니다. "수밀도의 네 가슴에 이슬이 맺도록 달려오기"를 바라는 구절은 이러한 시적 분위기를 더욱 고취시키고 있습니다. '마돈나' 는 자유와 평화가 박탈된 식민지의 어두운 현실 속에서 인간 본연의 삶을 열망하는 미적 표상이기도 한 것입니다.

그러나 이상화는 후기에 이르면 빼앗긴 조국의 현실과 그 권리를 찾기를 바라는 신념과 의지를 적극적으로 표현합니다. 이는 이상화의 또 하나의 대표작인 「빼앗긴 들에도 봄은 오는가」에 잘 나타나 있습니다. 시를 통하여 점점 민족 현실과 계급의식에 대한 관심이 커가고 있음을 알 수 있습니다. 특히 「빼앗긴 들에도 봄은 오는가」는 이상화가 상징주의나 퇴폐주의에 가담하면서도 민족 토착의 서정성을 간직하고 식민지 치하의 비애와 일제에 대한 저항의식을 보여주고 있다는 데 큰 가치를 두고 있습니다.

2) 김소월

나 보기가 역겨워
가실 때에는
말없이 고히 보내드리우리다.

영변(寧邊)에 약산(藥山)
진달래꽃
아름따다 가실 길에 뿌리오리다.

가시는 걸음 걸음
놓인 그 꽃을
사뿐히 즈려 밟고 가시옵소서.

김소월의 시집 『진달래꽃』

나 보기가 역겨워
가실 때에는
죽어도 아니 눈물 흘리오리다.

—「진달래꽃」 전문

김소월[3]은 전통적 정감을 민요적 율조로 구성하여 독자적인 시세계를 구축한 시인으로 한국 현대시사에서 가장 큰 업적을 남긴 시인입니다. 당시 상징주의의 유입으로 서구화되고 있던 시단의 표현 방식과는 매우 다른 모습이었지요.

대표작 「진달래꽃」은 김소월 시의 특징을 그대로 보여주는 작품입니다. 이별의 정한이라는 비극적 감정을 전통적인 율격인 7·5조와 3·4조의 율조로 읊고 있지요. 김소월의 시에 반영된 비애의 감정은 현실에 대한 이념이 아니라 삶과 죽음, 이별 등의 보다 근원적인 것입니다. 이별에 대한 사무친 정한을 동양적 체념과 운명관에 따른 처절한 자기 희생의 사랑으로 표현하면서 삶에 대한 진실성을 보여주고 있는 것입니다. 이 시의 묘미는 결코 사랑하는 사람을 보낼 수 없어 죽도록 눈물을 흘려야 할 이별임에도 "말없이 고이 보내드"린다거나 "죽어도 아니 눈물 흘"린다는 역설적 표현으로 슬픔을 강조하고 있는 데 있습니다. 바로 이러한 모습이 한국적 한(恨)의 표현이라는 것이지요. 김소월은 그밖에도 「산유화」 「접동새」 「가는 길」 「초혼」 「금잔디」 등 뛰어난 작품을 많이 썼습니다.

1920년대에서 1930년대 초에는 만주로 이민 간 동포가 많았던 시기입니다. 이에 고향에 대한 마음을 나타내는 「진달래꽃」과 「산유화」 같은 작품은 대자연 속의 고향의 풍토와 향수를 노래하여 우리 민족의 정서에 잘 맞았습니다. 김억의 제자이기도 하면서 '민요적 시형에 독특한 시세계를 확립한 시인' 으로 1920년대 시단에 우뚝 솟아 한국 시문학사의 산맥이 된 시인이 바로 김소월입니다.

3) 한용운

1926년 『님의 침묵』을 자비 출판한 한용운

님은 갔습니다. 아아 사랑하는 나의 님은 갔습니다.
푸른 산빛을 깨치고 단풍나무 숲을 향하야 난 적은 길을 걸어서 참어 떨치고 갔습니다.
황금의 꽃같이 굳고 빛나든 옛 맹서는 차디찬 티끌이 되야서 한숨의 미풍에 날어갔습니다.
날카로운 첫 키스의 추억은 나의 운명의 지침을 돌려놓고 뒷걸음 쳐서 사러졌습니다.
(중략)
아아, 님은 갔지마는 나는 님을 보내지 아니하였읍니다. 제 곡조를 못 이기는 사랑의 노래는 님의 침묵을 휩싸고 돕니다.

—한용운, 「님의 침묵」 부분

한용운의 시집 『님의 침묵』

한용운의 「님의 침묵」은 이별의 슬픔을 극복하고 새로운 만남의 기쁨을 기약하고 있습니다. 이별의 슬픔을 새로운 만남의 기쁨으로 역전시킨 것이지요. 또한 이 시는 '님'이 누구냐에 따라서 주제와 내용이 크게 달라집니다. 바로 '님'의 정체가 시의 감상과 이해의 열쇠가 되는 것이지요. 한용운은 '군말'이라는 산문에서 "님만 님이 아니라, 기룬 것은 다 님"이라고 스스로 님의 정체를 밝히고 있습니다. 이는 독자의 '님'에 대한 체험의 극대화를 유도하며, '님'은 시인이 지정한 특정한 무엇을 의미하는 것이 아니라, 읽는 이로 하여금 각자 체험케 하는 '무엇'인 것입니다. 따라서 '님'은 읽은 사람에 따라 조국이기도 부처이기도 희망이기도 애인이기도 하겠지요.

한용운은 일찍이 불가에 들어가 불교사상을 토대로 시와 소설을 썼습니다. 3·1운동 당시 33인의 한 사람이기도 했으며 이로 인해 옥고를 치르기도 했습니다. 1926년 발간된 시집 『님의 침묵』은 우리 시문학사의 기념비적 시집으로 1920년대 시문학에 큰 파문을 일으켰습니다. 시집에는 「님의 침묵」 「알 수 없어요」 「당신의 편지」 「이별」 등 88편의 시가 실려 있습니다.

5. 1920년대 시의 의의

1920년대에는 동인지가 다수 등장함으로써 각기 다른 성향의 문학 작품이 씌어지기 시작했습니다. 시상의 자유로운 흐름에 따른 자유시가 확립되고 다양한 시적 모습이 나타나는 시의 전성시대를 맞게 됩니다. 전기에는 감상적이거나 퇴폐적인 시가 주류를 이루다 후기에는 목적주의적 카프시가 등장하기도 했습니다. 한편 전통 시가에 대한 관심이 높아지는 가운데 김소월 등이 등장, 전통적 정서를 창조적으로 계승하여 현대시의 서정 세계를 확립하게 됩니다.

Ⅳ. 시가 만개하는 1930년대

1. 1930년대의 의의

1930년대에는 현대시에 대한 의식이 다양한 시 창작과 시 이론 및 방법론 탐구로 나타납니다. 1920년대 시는 중반까지 감상주의적 색채를 벗어나지 못했던 반면에 후반에는 프로시가 주류를 이룹니다. 이에 대한 반동으로 1930년대에는 프로시의 목적성 때문에 훼손되었던 시의 예술성을 회복하려는 움직임이 활발해집니다. 해외문학파와 시문학파에 의한 초기의 순수서정시와 중기의 모더니즘 시, 그리고 후기의 생명파 시들의 등장이 그것입니다. 시대적 환경도 많이 바뀝니다. 일제가 만주사변과 중일전쟁 등 전쟁에 힘을 모으면서 탄압이 다시 심해지자 현실적으로 목적성의 시는 더 이상 쓸 수 없게 되고 서정성만이 문학을 유지할 수 있는 상황으로 바뀐 것입니다. 카프문학은 심한 탄압으로 강제 해체되기에 이릅니다. 이러한 상황 속에서 1930년대 시문학은 다양한 예술 탐구가 이루어지면서 많은 시들이 활발하게 씌어지는 황금기를 맞습니다. 그러나 1930년대 말부터 일제는 중국 대륙으로의 침략의 야망을 실현시키며 한국문학의 숨통을 틀어막기 시작합니다.

《시문학》을 발행한 시인 박용철

2. 순수서정시와 시문학파

1930년대의 순수서정시는 시문학파에 의하여 주도됩니다. 박용철이 《시문학》이란 잡지를 발행하고 박용철·김영랑·정지용·신석정 등이 활발하게 활동하면서 '시문학파'가 형성됩니다. 1920년대가 서구시를 수입, 이론과 방법을 적용하며 퇴폐성을 추구하였다면 1930년대 시문학파의 경우는 심화된 정감을 한국적 운율로 재구성하는 자각이 뚜렷해지고 보다 참신하고 감각적인 표현 방법이 탐구됩니다. 시문학파는 1920년대의 시와 30년대의 시의 경계를 분명하게 긋는 큰 역할을 합니다.

1930년 3월부터 1931년 10월까지 통권 3호를 펴낸 《시문학》

순수서정시를 대표하는 시인으로 김영랑이 등장합니다. 김영랑은 순수서정의 내면세계를 노래했지만 시가 언어의 조작으로 이루어지는 예술이라는 것을 깨닫고 있었습니다. 시적 기교를 통하여 시의 서정성을 심화시키는 방법론을 실천하게 됩니다. 어떻게 하면 독자로 하여금 깊은 공감을 얻어낼 수 있을까 연구하는 과정에서 유성음과 의성·의태어의 사용, 남도 사투리 가락의 차용 등 시의 형태와 율격에 천착하게 됩니다.

복원된 김영랑의 생가에 세워진 시비

돌담에 소색이는 햇발같이
물아래 웃음 짓는 샘물같이
내마음 고요히 고흔 봄길 위에
오늘 하루 하늘을 우러르고 싶다

—김영랑, 「돌담에 소색이는 햇발」 제1연

모란이 피기까지는
나는 아직 나의 봄을 기둘리고 있을 테요
모란이 뚝뚝 떨어져버린 날
나는 비로소 봄을 여흰 설음에 잠길 테요
오월 어느 날 그 하루 무덥던 날
떨어져 누운 꽃잎마저 시들어버리고는
천지에 모란은 자취도 없어지고
뻗쳐오르던 내 보람 서운케 무너졌느니
모란이 지고 말면 그뿐 내 한 해는 다 가고 말아

삼백예순 날 하냥 섭섭해 우옵내다
모란이 피기까지는
나는 아즉 기둘리고 있을 테요 찬란한 슬픔의 봄을

—김영랑, 「모란이 피기까지는」 전문

《시문학》에는 박용철·김영랑과 함께 정지용도 많은 시를 발표합니다. 정지용은 감각적이고 선명한 이미지를 추구하였습니다. 사물에 대한 느낌을 감정보다는 지성을 통해 객관화시켜 그 아름다움을 보여주려는 노력을 그는 했습니다. 정지용에 의해 고도로 계산된 냉철한 지성이 번뜩이는 시가 씌어지게 됩니다. 그러나 모더니즘을 지향하는 정지용에게는 언어에 대한 극도의 절제미와 세련미를 추구하는 순수시의 특징이 함께 깃들게 됩니다. 아무튼 그는 현실 상황보다는 개인적 감정이나 사물의 느낌을 감각적인 언어를 통해 선명하게 보여주려 하였습니다. 그밖에 신석정·이하윤·임학수·김상용 등이 순수서정시를 썼던 시인들입니다.

모더니즘 시를 쓴 정지용

3. 모더니즘의 도입과 시운동

한국문학에 모더니즘[6]을 도입한 사람은 비평가이던 최재서와 김기림, 백철이라고 할 수 있습니다. 모더니즘은 기계문명과 도시생활의 영향하에 사물과 세계를 보는 새로운 시각과 방법론을 갖게 했습니다. 특히 엘리엇과 에즈라 파운드 등의 서구시가 소개되면서 우리나라에서도 도시문명을 시각화·음악화·회화화함으로써 감각적인 표현을 추구하는 시운동을 펼치게 됩니다. 모더니스트들은 시가 '지어지는 것'이라는 의식을 강조하며 시적 가치를 위하여 의도하고 기획하는 의식적 방법을 주장, '주지주의'라 불리기도 합니다. 시인으로는 김기림·정지용·김광균이 있었으며, 이 세 사람은 현대인의 지적 세계를 민감하게 인식

6) 모더니즘
자연과학사상을 반대하고, 현대의 기계문명을 비판하여 일어난 20세기 초의 예술사상. 당시의 기성 질서와 기존 사고에 반항하여 새로운 것을 추구한 운동으로 넓은 의미의 모더니즘은 이미지즘, 다다이즘, 초현실주의, 입체파, 주지주의 등을 포함한다.

고향인 충북 옥천에 세워져 있는 정지용의 시비

하고 사색과 감각의 오묘한 결합을 시도하면서 새로운 시를 개척해 갑니다.

유리창에 차고 슬픈 것이 어른거린다.
열없시 붙어서서 입김을 흐리우니
길들은 양 언 날개를 파다거린다.
지우고 보고 지우고 보아도
새까만 밤이 밀려나가고 밀려와 부딪치고,
물먹은 별이 반짝, 보석처럼 백힌다.
밤에 홀로 유리를 닦는 것은
외로운 황홀한 심사이어니,
고은 폐혈관이 찢어진 채로
아아, 늬는 산새처럼 날러갔구나!

—정지용, 「유리창」 전문

외인묘지의 어두운 수풀 뒤엔
밤새도록 가느단 별빛이 나리고,
공백한 하늘에 걸려있는 촌락의 시계가
여윈 손길을 저어 열 시를 가리키면
날카로운 고탑같이 언덕 우에 솟아 있는
퇴색한 성교당의 지붕 우에선

분수처럼 흩어지는 푸른 종소리.

—김광균, 「외인촌」 부분

초기에 인간의 원죄의식을 다룬 서정주

한편 다다이즘과 초현실주의의 영향을 받은 주지주의 시인으로는 이상과 서정주④가 있습니다. 이상은 인간의 잠재의식 세계를 파고들어 기괴한 방법으로 주지시를 시도했으며, 서정주는 초기에 보들레르의 영향을 받아 악마주의적 요소와 원죄의식 등을 노래합니다. 그러나 후기에 이르면 이와는 거리가 먼 전설을 바탕으로 하거나 서정적인 세계로 옮겨갑니다. 1936년 《시인부락》에 발표했던 「화사」는 저주와 유혹이 교차되는 '뱀'의 독특한 이미지를 구사, 절망적인 현실 상황 속에서 인간 회복을 희구하는 몸부림을 보여줌으로써 관능적이고 원시적인 생명력을 추구한 작품입니다.

> 사향 박하의 뒤안길이다.
> 아름다운 배암……
> 얼마나 커다란 슬픔으로 태어났기에, 저리도 징그러운 몸뚱아리냐
>
> 꽃대님 같다.
>
> 너의 할아버지가 이브를 꼬여내던 달변의 혓바닥이
> 소리 잃은 채 낼름거리는 붉은 아가리로
> 푸른 하늘이다. ……물어뜯어라, 원통히 물어뜯어,
>
> (중략)
>
> 바늘에 꼬여 두를까부다. 꽃대님보다도 아름다운 빛……
> 클레오파트라의 피 먹은 양 붉게 타오르는
> 고운 입술이다……스며라! 배암.
>
> 우리 순네는 스물 난 색시, 고양이같이 고운 입술……스며라! 배암.
>
> —서정주, 「화사」 부분

한편 이상⑤은 〈조선중앙일보〉에 「오감도」라는 이상한 제목의 시 15편을 연재 발표했는데 이 작품은 지금까지 보지 못했던 기묘한 내용과 형태로 초현실주의, 모더니즘적 표현의 천재적 작품이라는 찬탄과 무슨 말인지도 모를 언어장난으로 시도 아니라는 비난을 동시에 받았습니다. 이런 이유로 이상의 시는 오늘날까지 연구되는 유명한 작품이 되었습니다.

烏瞰圖
詩第一號
李箱

1934년 7월 24일부터 8월 8일까지 〈조선중앙일보〉에 연재되었던 연작시 「오감도」 중 제1호

찬탄과 비난을 동시에 받은 이상

1930년대에 나타난 모더니즘 시인들은 도시와 서구, 그리고 근대적 풍경에 관심을 기울여 기계문명과 도시생활을 감각적으로 표현했습니다. 이들에 의해 건조하고 메마른 인간성이 표현되었는데, 여기에 대한 반성으로 1930년대 말 새로운 유파가 탄생합니다. 바로 생명파와 청록파입니다. 이들에 의한 생명과 자연에 대한 탐구는 한국시의 새로운 경지를 개척하는 것이 됩니다.

4. 생명파와 청록파

생명파 시인으로 분류되는 유치환

1930년대 후반기에 우리 시단에 새로운 시를 보여주는 시인들이 나타납니다. 《시인부락》을 통해 등단한 생명파 시인 서정주와 유치환⑥, 《문장》을 통해 등단한 청록파 시인 박목월·박두진·조지훈이 이들입니다. 생명파 시인은 시대적 울분을 억제하며 초연하게 걷기도 하고 광야에서 울부짖기도 하면서 우리 자신의 인생을 문제삼았습니다. 청록파 시인은 모두 잃어버린 고향을 그리워한다는 공통점이 있습니다. 이들의 고향은 곧 자연입니다. 생명파가 인간의 심정으로 문명에 항거하였다면 청록파는 자연을 통하여 문명에 항거합니다.

이 두 파의 공격 대상은 차가운 문명을 노래하는 모더니즘이었습니다. 시문학파의 순수에 바탕을 두고 시문학파가 시도했던 시정신을 이들이 완성해나간 것입니다. 청록파 시인의 활동은 1940년대 시문학사에서 좀더 상세히 이야기하겠습니다.

이것은 소리 없는 아우성
저 푸른 해원을 향하여 흔드는
영원한 노스탈쟈의 손수건.
순정은 물결같이 바람에 나부끼고
오로지 맑고 곧은 이념의 푯대 끝에
애수는 백조처럼 날개를 펴다.

아아 누구던가
이렇게 슬프고도 애달픈 마음을
맨 처음 공중에 달 줄을 안 그는.
—유치환, 「깃발」 전문

1930년대의 주요 발표지는 〈동아일보〉, 〈조선일보〉 같은 신문의 문예면이었고, 잡지 《조광》《신동아》《중앙》《조선문학》 등도 문학에 많은 기여를 했습니다. 동인지는 《시문학》《삼사문학》《시인부락》《자오선》《문장》이 있었으며 시전문지 《시원》이 있었습니다. 주요 시인과 그 활동을 살펴보면 다음과 같습니다.

시 인	생존연대	활동 및 시경향	주 요 작 품	비 고
김영랑	1903~1950	《시문학》의 주요 동인, 맑고 투명한 언어의 음악성	「모란이 피기까지는」「돌담에 속삭이는 햇발같이」「내 마음을 아실 이」「오메 단풍 들것네」	본명 : 윤식 소수서정시
신석정	1907~1974	《시문학》 창간 동인, 자연귀의, 목가적	「임께서 부르시면」「그 먼 나라를 알으십니까」「아직 촛불을 켤 때가 아닙니다」	퇴폐적, 낭만적, 향토적, 상징적
정지용	1902~?	전기 : 현대적 감각의 이미지 추구 후기 : 동양적 관조와 자연노래	「향수」「백록담」	모더니즘 선구자, 납북시인
김기림	1908~?	구인회 일원, 문명비판, 모더니즘	「기상도」「바다와 나비」	모더니즘 시론 소개, 납북시인
김광균	1914~1993	《시인부락》《자오선》 동인, 현대문명과 도시감각을 회화적 강력한 색채감과 공감각적 이미지로 표현	「외인촌」「데생」「설야」「와사등」「추일서정」	이미지즘, 모더니즘 대표시인
백석	1912~?	방언 사용과 서사적 요소 도입으로 고향 상실감 표현	「여승」「여우난곬」「남신의주유동박시봉방」	토속적 시세계

시 인	생존연대	활동 및 시경향	주 요 작 품	비 고
이용악	1914~1971	북간도 유랑민의 애환	「분수령」「낡은 집」「오랑캐꽃」	월북시인
이상	1910~1937	구인회 일원, 초현실주의와 심리주의 경향의 독창적 자의식의 세계	「거울」「오감도」	본명 : 김해경 실험적 시세계
서정주	1915~2000	《시인부락》 주재, 초기는 생명사상에 대한 원죄의식, 원색적 악마주의적, 후기는 설화를 소재로 함	「화사」「귀촉도」「밀어」「광화문」「동천」	한국시의 원형질을 탐색
유치환	1908~1967	낭만적 상징적 경향으로 출발하여 생명 탐구로	「생명의 서」「깃발」「바위」「울릉도」	생명파
박목월	1917~1978	동양적 세계 추구	「청노루」「불국사」	청록파
박두진	1916~1995	신앙을 바탕으로 한 자연 친화	「묘지송」「향현」「해」	청록파
조지훈	1920~1968	선(禪)과 지사적 기풍	「고풍의상」「승무」「봉황수」	청록파
이육사	1904~1944	남성적 강인한 대륙적 시풍	「청포도」「절정」「광야」「교목」	본명 : 원록, 활. 항일투사
윤동주	1917~1945	섬세한 시심의 순교자적 자세	「서시」「자화상」「또 다른 고향」「별 헤는 밤」	기독교적 원죄의식
박용철	1904~1938	시문학파 주도, 심미적	「떠나가는 배」「밤 기차에 그대를 보내고」	순수서정시
김동명	1900~1968	전원적, 목가적	「파초」「내 마음은」	순수서정시
김상용	1902~1951	목가적	「남으로 창을 내겠소」「새벽별을 잊고」	순수서정시
신석초	1909~1975	선비적, 전통세계 자기화	「무녀의 춤」「바라춤」「서라벌 단장」	전통지향
노천명	1912~1957	향토적 소재의 서정화	「자화상」「사슴」「슬픈 그림」「푸른 5월」	여성성 추구
김현승	1913~1975	종교적 서정세계 추구	「가을의 기도」「견고한 고독」「눈물」	신앙상의 갈등 양상

1930년대는 모윤숙과 노천명 두 시인에 의한 여류시인들의 활동도 눈길을 끕니다. 1938년에 발간된 『현대조선문학전집 시가집』에는 33명의 시인의 시가 실려 있는데 이 가운데 여류시인은 네 사람이었습니다. 이 중 김오남과 주도윤은 활동이 미미했으나 모윤숙과 노천명은 시를 많이 발표하고 시집도 출판했습니다. 모윤숙은 1933년 『빛나는 지역』을 내고 여류시인임을 강조하며 여성으로서의 자세를 주장했다면, 같은 해 노천명은 시집 『산호림』을 내어 모윤숙과는 다른 깐깐하고 당찬 모습의 시를 썼습니다. 이 두 사람은 한국시문학사에서 여성으로서 선두주자 역할을 했습니다.

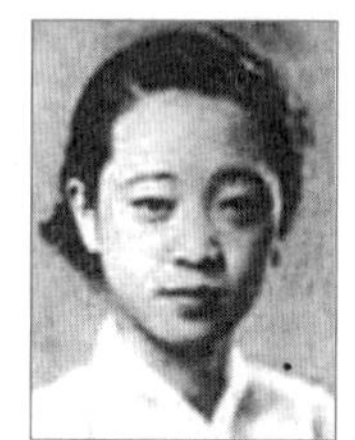

1930년대에 활발히 활동한 시인 노천명

1930년대를 대표하는 여류시인 모윤숙

5. 30년대 시문학의 의의

1920년대가 보였던 시적 한계를 시의 자율성과 예술성을 통해 회복하고자 한 순수서정시 창작이 우세한 시기였습니다. 언어에 대한 탐색과 시의 형태나 시의 기교에 대한 세련된 방법론을 모색, 실천함으로써 한국시가 현대시로 한층 나아가는 여건을 마련하게 됩니다. 후반기 생명파와 청록파 시인의 등장으로 이후 이들이 함께 이룩할 서정의 세계를 준비하는 시기였던 것입니다. 현대시문학사에 주옥같은 작품을 남길 시인들이 등장하여 기량을 연마했습니다.

Ⅴ. 친일문학 극성기의 순수시

1. 일제 말기의 시문학

한국문학사에서는 이 시기를 흔히 암흑기라고 합니다. 일본은 1941년 태평양전쟁을 일으키고 〈동아일보〉〈조선일보〉 같은 신문, 《문장》《인문평론》 같은 문예지를 강제 폐간시키고 창씨개명과 한글 사용까지 금하게 하니 시인들은 더 이상 한글로 시를 쓰고 발표할 수도 없게 됩니다. 그렇게 되자 이광수를 대표하여 많은 시인들이 변절, 전향하여 친일문학에 앞장서게 됩니다. 이와는 반대의 길에서 청록파 시인 조지훈·박두진·박목월은 전통적인 소재로 자연을 노래, 민족정서를 표현했습니다. 더불어 일제에 항거하는 이육사⑦, 윤동주의 저항시 또한 우리 시문학사에서 주요한 자리를 차지합니다. 친일을 마다한 많은 시인들은 침묵하거나 낙향하여 붓을 꺾기도 하고 1930년대부터 만주에서 활동하던 시인들과 유치환·이학성·김조규 등은 간도의 〈만선일보〉를 중심으로 망명지 시단을 형성합니다.

2. 같으면서 서로 다른 청록파 시인

『청록집』 표지

청록파 시인 세 사람은 모두 1939~41년에 잡지 《문장》을 통해 등단합니다. 이후 1940년대 환경 속에서 은밀히 우리말 창작을 계속한 시인으로 해방 후 시집을 함께 묶게 되는데, 그 이름이 『청록집』이었습니다. 이에 이 세 시인을 가리켜 청록파라 말합니다. 이 시집은 '따로 또 같이' 라는 독특한 힘을 발휘하여 새로운 서정시의 세계를 개척했다는 점이 높이 평가되고 있습니다. 세 시인은 자연을 소재로 하고, 민족 주체성을 형상화하고 있다는 공통점을 갖고 있으면서도 각기 다른 개성 있는 시 세계를 이룩했습니다.

조지훈은 민족적이고 전통적인 동양적 선의 세계를 시로 나타냈습니다. 그는 한학과 동양철학을 공부하고 오대산 월정사에서 수행을 하기도 했습니다. 그 과정에서 자신만의 시관을 확립하게 되는데 전통적 민족정서와 불교사상이 주를 이룹니다. 대표작품으로 「고풍의상」 「승무」 「봉황수」가 있습니다. 아래의 「승무」는 시인이 수원 용주사에 갔다가 재를 올리는 모습을 보고 지은 시입니다.

동양적 선의 세계를
추구한 조지훈 시인

얇은 사(紗) 하이얀 고깔은
고이 접어서 나빌레라

파르라니 깎은 머리
박사(薄紗) 고깔에 감추오고,

두 볼에 흐르는 빛이
정작으로 고와서 서러워라.

빈 대에 황촉불이 말없이 녹는 밤에
오동잎 잎새마다 달이 지는데

소매는 길어서 하늘은 넓고
돌아설 듯 날아가며 사뿐히 접어올린 외씨버선이여!

—조지훈, 「승무」 부분

박두진은 어릴 때 기독교와 인연을 맺었으며 기독교적 신앙을 기반으로 자연과 인간의 조화를 추구했습니다. 세 시인 중 가장 저항정신이 강하고 부당한 현실 속에 투사로서의 시정신을 보였습니다. 대표시로 「낙엽송」 「향현」 「해」 등이 있습니다. 「해」에서는 순수한 한글의 반복적 언어의 배열과 배합으로 정의와 대자연을 힘차게 찬미하고 있습니다. 이는 암흑기 속에서 광명을 열망하는 저항의 시로 볼 수도 있습니다.

자연과 인간의 조화를 추구한 박두진 시인

해야 솟아라, 해야 솟아라, 말갛게 씻은 얼굴 고운 해야 솟아라. 산 넘어서 밤새도록 어둠을 살라 먹고 이글 이글 앳된 얼굴 고운 해야 솟아라.

달밤이 싫여, 달밤이 싫여, 눈물 같은 골짜기의 달밤이 싫여 아무도 없는 뜰에 달밤이 나는 싫여….

—박두진, 「해」 부분

초기에 향토적 서정을 노래한 박목월 시인

박목월은 토속적인 언어로 향토적 서정을 섬세하게 노래한 시인으로 대표작품으로 「윤사월」 「청노루」 「나그네」[7] 등이 있습니다. 1995년까지 생존한 시인으로 초기에는 자연과 동양적 이상향을 나타냈으나 말기에는 기독교적 신앙을 바탕으로 시를 썼습니다. 시집으로 『산도화』 『蘭, 기타』 『청담』 『경상도의 가랑잎』 등이 있습니다.

송홧가루 날리는
외딴 봉우리

윤사월 해 길다
꾀꼬리 울면

산지기 외딴집
눈먼 처녀사

문설주에 귀 대고
엿듣고 있다.

—박목월, 「윤사월」 전문

7) 「나그네」
조지훈의 시 「완화삼」에 대한 답시. 조지훈 시의 일부 "'술 익는 강마을의 저녁 노을이여"는 박목월의 시에서 "술 익는 마을마다/타는 저녁놀"로 바뀌어 인용되었다. 두 사람의 친분을 보여주는 시이다.

3. 저항시인 이육사와 윤동주 및 백석

수많은 조선인을 전쟁터로 내몬 시기에 일제에 저항하는 시를 쓴 이육사와 윤동주가 있었습니다. 일제 말기는 대다수의 시인들이 일제에 협력하거나 침묵으로 대응하던 때였습니다. 이육사는 잡지 《자오선》 동인으로 시를 쓰면서 투옥되기도 했던 민족운동가였습니다. 강인하고 대륙적인 지사적 특징으로 대다수 시인들이 여성적 어조로 슬픔을 노래하고 있을 때 남성적 목소리로 치열한 의식을 보여주었습니다. 대표적인 작품으로 「절정」과 「청포도」가 있습니다. 「절정」은 지사적 품격과 독특한 형식의 균형감과 절제미를 보여주는 작품입니다. 절박한 시적 상황과 이를 극복하려는 내면적 태도가 긴장 속에서 초월적 정신의 경지를 나타냅니다.

북경의 경찰 감옥에서 옥사한 이육사

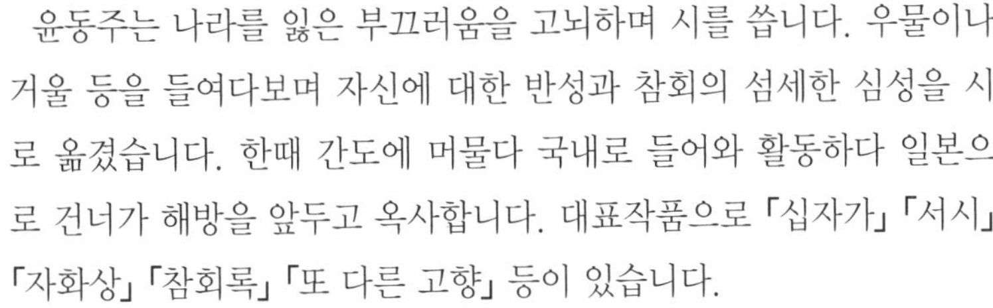

윤동주는 나라를 잃은 부끄러움을 고뇌하며 시를 씁니다. 우물이나 거울 등을 들여다보며 자신에 대한 반성과 참회의 섬세한 심성을 시로 옮겼습니다. 한때 간도에 머물다 국내로 들어와 활동하다 일본으로 건너가 해방을 앞두고 옥사합니다. 대표작품으로 「십자가」 「서시」 「자화상」 「참회록」 「또 다른 고향」 등이 있습니다.

일본 후쿠오카 형무소에서 옥사한 윤동주

산모퉁이를 돌아 논가 외딴 우물을 홀로 찾아가선 가만히 들여다봅니다.

우물 속에는 달이 밝고 구름이 흐르고 하늘이 펼치고 파아란 바람이 불고 가을이 있습니다.

그리고 한 사나이가 있습니다.
어쩐지 그 사나이가 미워져 돌아갑니다.

돌아가다 생각하니 그 사나이가 가엾어집니다.
도로 가 들여다보니 사나이는 그대로 있습니다.

윤동주의 「서시」
육필원고

다시 그 사나이가 미워져 돌아갑니다.
돌아가다 생각하니 그 사나이가 그리워집니다.

우물 속에는 달이 밝고 구름이 흐르고 하늘이 펼치고 파아란 바람이 불고 가을이 있고 추억처럼 사나이가 있습니다.

—윤동주, 「자화상」 부분

일제시대에 『사슴』(1936)을 냈던 백석은 이 시기에 「남신의주유동박시봉방」이라는 절창을 보여줍니다. 이 시는 국외자가 된 자신의 신세를 비통하게 노래한 독백체의 작품입니다. 비극적 세계관에 사로잡혀 있지만 비관주의에 머무르지 않고 자신의 미래에 대한 단호한 결의를 보여주어 어려운 시기를 지혜롭게 넘기려는 지식인의 각오를 피력하고 있습니다. 『사슴』은 30년대 민족현실의 탁월한 시적 형상화입니다. 평안도 방언을 무궁무진하게 구사한 그의 토속적인 시세계는 일제의 언어말살정책에 대한 눈물겨운 방법적 대응이었습니다.

4. 암흑기의 시문학의 의의

일제의 극심한 탄압으로 우리글까지 빼앗긴 현실 속에서도 꾸준히 시를 쓴 시인들이 있었습니다. 대다수 시인들이 친일파 문학을 일삼는 가운데 청록파 시인의 시들은 한국시단에 기념비적 성과를 가져옵니다. 더불어 이육사와 윤동주 등의 저항시의 성과와 간도 망명시인들의 활동은 해방 후 찬란한 한국 시단을 형성할 잠재력이 되었습니다. 그러므로 이 시기를 한국문학의 암흑기라고 흔히 말하지만 한편으로는 한국문학의 저력을 키워낸 저항기라고도 할 수 있습니다.

Ⅵ. 광복과 민족문학의 수립

1. 광복 후의 시대상

광복은 우리 민족에게 어떤 영향을 주었을까요? 일본의 압제에서 벗어난 해방의 기쁨은 잠시였고, 우리 민족의 의도와는 다르게 맞이하게 된 분단의 현실 앞에서 작가들 또한 분열과 투쟁의 양상을 내보였습니다. 제2차 세계대전이 미국을 중심으로 한 연합군의 승리로 끝이 난 덕분에 맞이한 해방은 완전한 독립이 될 수 없었습니다. 해방이 되자 남쪽의 통치자가 된 이승만은 미국을, 북쪽의 통치자가 된 김일성은 소련을 끌어들여 도움을 받게 됩니다. 1948년 남한만의 정부가 수립되기 이전에는 38선을 경계로 하여 남북으로 갈라진 상태에서 정치적 혼란기를 맞을 수밖에 없었습니다. 36년간 일제의 수탈로 인해 국가경제가 거의 파탄에 빠져 있었는데 말입니다. 민주주의와 공산주의 양 이데올로기의 대립과 경제적 빈곤은 우리 사회에 큰 혼란을 야기했는데 그것이 1950년 6월 25일에 폭발하게 됩니다. 아무튼 '해방 공간'의 혼란 속에서 이 땅의 문인이 해결해야 할 첫 번째 문제는 민족문학의 수립이었습니다.

1945년 8월 15일, 광복의 기쁨에 만세를 부르는 서울시민

무엇보다도 작가들은 모국어를 바탕으로 한 우리 문학을 회복하고, 친일문학 등의 나쁜 유산을 청산해야 했습니다. 특히 민족문학을 건설하기 위해서는 일제가 강제로 금지한 우리말과 우리의 글을 되찾아야 했습니다. 일제 말기에 이르러 국어 사용이 전면 금지되었기에 일본어로 사고하고 작품을 쓰면서 잃어버린 모국어를 되살려내는 것은 작가들에게 매우 중요한 일이었습니다. 이러한 상황 속에서 전개된 국토의 분단과 이데올로기 대립은 이 땅의 작가들에게 물린 쇠코뚜레 같은 것이었습니다.

2. 광복 직후 한국시의 두 경향

광복 직후 한국시는 순수문학으로서의 민족문학과 계급문학으로서의 민족문학이라는 두 가지 경향으로 대립되어 있었습니다. 시인들도 두 부류로 나뉘어 각각의 입장에서 시를 썼습니다. 김기림·정지용·권환·김동석·김상오·민병균·박세영·박아지·박팔양·백인준·설정식·오장환·유진오·윤곤강·이용악·이찬·임화·조벽암 등이 계급문학으로서의 민족문학을 지지했다면, 김광섭·김상옥·모윤숙·박남수·박두진·박목월·박종화·조지훈·양주동·이하윤·이한직·서정주 등은 순수문학으로서의 민족문학을 지지했습니다.

모더니즘을 국내에 소개한 김기림

이들 가운데 김기림[8]은 T.S. 엘리엇과 I.A. 리처즈, 허버트 리드 등의 이론을 통해 한국에 모더니즘을 소개한 시 이론가이면서 「기상도」와 「태양의 풍속」 등의 장시를 발표한 시인이었습니다. 그는 1930년대 모더니스트로서 순수시를 주장하였지만 해방 이후에는 계급문학을 옹호하는 주장을 폈습니다. 1946년 2월 8일 전국문학자대회에서 김기림은 '우리 시의 방향'이라는 제목을 붙인 강연에서 "시는 새로운 문학 건설의 한 날개로서 처참한 폐허에서 불사조와 같이 떨치고 일어났을 때 그것은 틀림없이 이 새 나라의 것이었으며 그 중에서도 새로운 나라의 등불이며 별이고자 하였다"라고 주장했습니다. 이 말은 시를 순수시의 영역에서 벗어나 정치의 영역까지 확장시켜야 한다는 발언이었습니다.

정지용⑨은 1948년 10월에 발행된 《문장》 27호에서 "정치성 없는 예술이란 말하자면 생활과 사상성이 박약한 예술인 것이므로, 정신적 국면 타개에도 방책이 없었던 것이다"라고 주장하여 지난 1930년대에 박용철·김영랑 등과 함께 순수문학을 표방하며 《시문학》을 이끌던 때와는 사뭇 다른 입장을 밝혔습니다.

1939년 2월에 창간된 월간 문예지 《문장》지 표지

이러한 계급문학에 대항하여 순수문학을 주장한 조지훈⑩은 「순수시의 지향」에서 "순수한 시정신을 지키는 이만이 시로서 설 것이요 진실한 민족정신을 지키는 이만이 민족시를 이룰 것이니 시를 정치에 파는 경향시와 민족의 해체를 목표로 하는 양두구육(羊頭狗肉)의 민족시인 계급시의 결탁은 도리어 시 및 민족시의 한 이단이 아닐 수 없다"라고 주장했습니다. 조지훈은 시에서 정치를 분리하여 순수시와 민족시의 방향을 제시했던 것입니다.

3. 세 권의 합동 시집

『해방기념시집』(1945)은 순수문학 진영인 중앙문화협회에서 범문단적으로 시인을 모아 엮은 시집이기 때문에 이념적 색깔이 뚜렷하게 나타나지 않았습니다. 『횃불—해방기념시집』(1946)은 좌익적 색채를 드러내고 있던 조선문학가동맹에 참여하고 있던 13인의 시선집으로, 정치적인 선동을 위한 시들이 많이 수록되어 있었습니다. 『연간조선시집』(1947)은 조선문학가동맹이 그 조직을 완비한 후에 간행한 것으로 계급문학의 입장에 선 모든 시인들을 포함하고 있었습니다. 이 시집에는 당시 좌익계열의 시인들이 내세웠던 이데올로기 요구와 구호화된 정치적 이념이 주조를 이루고 있었습니다.

계급문학에 대항하여 순수문학을 주장한 조지훈

4. 오장환과 이용악의 시적 변모

『성벽』(1937)과 『헌사』(1939)의 시인 오장환⑪은 해방 직후에 간행된 두 권의 시집 『병든 서울』(1946)과 『나 사는 곳』(1947)을 통해 보다 현실 지향적인 시적 태도를 드러냈습니다. 시집 『병든 서울』에는 19편의 시가 수록되어 있습니다.

순수 지향에서 이념의 문학으로 돌아선 오장환

눈발은 세차게 나리다가도
금시에 어지러히 허트러지고
내 겸연쩍은 마음이
공청(共靑)으로 가는 길

동무들은 벌써부터 기다릴 텐데
어두운 방에는 불이 켜지고
굳은 열의에 불타는 동무들은
나 같은 친구조차
믿음으로 기다릴 텐데

아 무엇이 자꾸만 겸연쩍은가
지난날의 부질없음
이 지금의 약한 마음
그래도 동무들은
너그러이 기다리는데……

—「공청(共靑)으로 가는 길」 부분

『오장환전집』

자기 성찰에서 오는 약간의 슬픔과 모멸감이 느껴지는 시입니다. 그러나 「병든 서울」 같은 시에서는 이념에 대한 경직된 관념과 아울러 새로운 자본주의에 대한 적개심과 분노가 십분 드러나고 있습니다.

이용악⑫도 첫 시집 『분수령』(1937), 『낡은 집』(1938)에서 보여주었던 현실 감각과는 다른 차원의 시적 인식을 『오랑캐꽃』(1947)에서 보여주었습니다.

이빨 자욱 하얗게 흠간 빨뿌리와 담뱃재 소복한 왜접시와 인젠 불살라도 좋은 몇 권의 책이 놓여있는 거울 속에 너는 있어라
성미 어진 나의 친구는 고오고리를 좋아하는 소설가
몹시도 시장하고 눈은 내리던 밤 서로 웃으며 고오고리의 나라를 이야기하면서 소시민 소시민이라고 써놓은 얼룩진 벽에 벗어버린 검은 모자와 귀걸이가 걸려있는 거울 속에 너는 있어라

그리웠던 그리웠던 구름 속 푸른 하늘은 우리 것이라
그리웠던 그리웠던 메이데이의 노래는 우리 것이라

—「오월에의 노래」 부분

이용악이 관념의 세계를 완전히 벗어난 것은 아니지만 당대의 현실적인 문제에 접근해 있음을 알 수 있습니다. 산문에 가까운 일상적 표현을 시에 끌어들인 이유는 이용악이 체험적 진실에 접근하려는 노력에서 비롯된 것이었습니다.

이밖에 임화⑬의 『찬가』(1947), 임학수의 『필부의 노래』(1948), 박아지의 『심화』(1946) 등이 모두 계급문학을 지향하는 좌익 시단에서 나온 것입니다. 이들의 시는 계급의 이익에 충실한 주제와 정치적 사건을 형상화하는 것이 대다수였습니다.

연변 용정에 있는 윤동주 시비

한편, 순수시를 표방하는 민족문학 진영의 시인들은 『육사시집』(1946)과 『하늘과 바람과 별과 시』(1948)라는 이육사와 윤동주의 시집을 간행함으로써 해방 직후의 기념비로 기억되고 있습니다. 그리고 박두진·박목월·조지훈 3인의 합동시집 『청록집』(1946), 김상옥의 『초적』(1947), 유치환의 『생명의 서』(1947), 신석정의 『슬픈 목가』(1947), 서정주의 『귀촉도』(1938), 박두진의 『해』(1949) 등이 이 시기에 나왔습니다.

이 시기에 나온 서정주의 『귀촉도』도 동양적 서정성과 전통적인 정

서가 균형을 갖춘 시집입니다.

눈물 아롱아롱
피리 불고 가신 님의 밟으신 길은
진달래 꽃비 오는 서역 삼만 리
흰 옷깃 여며 여며 가옵신 님의
다시 오진 못하는 파촉(巴蜀) 삼만 리.

신이나 삼아줄걸 슬픈 사연의
올올이 아로새긴 육날 메투리
은장도 푸른 날로 이냥 베혀서
부질없는 이 머리털 엮어드릴걸.

서정주의 시집 「귀촉도」

초롱에 불빛 지친 밤하늘
굽이굽이 은핫물 목이 젖은 새
차마 아니 솟는 가락 눈이 감겨서
제 피에 취한 새가 귀촉도 운다.
그대 하늘 끝 호올로 가신 님아.

—「귀촉도」 전문

서정주의 첫 시집 『화사집』(1941)에서 보여주었던 허무주의와 관능적 감각 대신 서정성과 전통적 정서의 균형미를 「귀촉도」는 잘 보여주고 있습니다. 현실의 힘든 상황을 포용하면서도 동시에 초월하려는 의지의 시편인데, 서정주는 이 시집 이후로 한국적인 정서에 의지하면서 설화적 세계로 나아가게 됩니다.

유치환은 『생명의 서』에서 인간 존재와 생명의 본질을 추구합니다. 특히 그의 시는 한국시가 지녀온 여성적 화자의 주류 대신에 남성적 어조를 취함으로써 그가 표방하는 주제의 건강함과 개성을 확보하고 있습니다.

이들 시인 이외에도 모더니즘적인 시적 경향을 강하게 드러내고 있는 김경린·임호권·김수영·박인환·양병식의 공동시집 『새로운 도시와 시민들의 합창』(1949)은 전통적 정서와 도시적 감각을 동시에 아우르는 새로운 시적 모험에 도전하는 시인들이 나타남을 알려주고 있습니다.

모더니스트 김경린

Ⅶ. 전쟁과 폐허에서 피어난 꽃

1. 전시 문단의 형성

1950년대는 한국전쟁으로부터 1960년 4·19혁명에 이르는 격정의 시대였습니다. 우리 민족에게 6·25는 엄청난 물리적 충격과 함께, 지울 수 없는 내면적 상처와 외적 상황에 대한 근본적 한계의식을 동시에 안겨주었습니다. 그리고 그 충격과 한계는 민족 구성원 모두의 내면에 말로 표현할 수 없는 피해의식과 민족의 운명에 대한 깊은 허무감을 각인시켰습니다. 이 비극적인 전쟁을 통해 민족의 분단은 고착화되었고, 이를 계기로 남과 북의 정치체제는 독재와 권력 지향의 구조를 구축하게 되었습니다.

6·25전쟁으로 폐허가 된 마을

한국전쟁을 거친 후 한국문학은 남북 분단과 이념의 대립으로 인해 사회주의 관련 소재를 다루지 못하게 되었고 이념으로부터 도피하는 양상을 보이게 되었습니다. 더 나아가 민족공동체의 이상은 해체되고 분단을 당연시 여기는 의식도 팽배해지게 되었습니다.

1950년대 전반에는 전쟁 현장을 그린 시가 횡행했습니다. 한국전쟁이 발발하자 '문총구국대'를 중심으로 종군작가단이 활동하게 되었는데, 종군작가단에는 최태웅·김송·정비석·장덕조·박영준·박인환·방기환·마해송·조지훈·최인욱·최정희·

박두진·박목월·이한직이 참여했습니다. 종군작가단은 직접 전쟁의 현장을 방문하고 시국강연, 문학의 밤, 시화전, 문인극 등의 행사를 개최하여 전시임에도 문학활동을 전개했습니다.

적의 콩 볶는 듯한
속성 음향을랑 남기고
뽀뿌라 가로수에 낙렬(落裂)하는
칠오십 밀리의 순발탄

백오 고지를 점령한
우군이 적 소굴을 소탕하는
화염방사기의 줄기찬 광채
그리고 불똥이 만무(滿舞)하여
훤히 비치는 서대문지구의
거리 거리와 큰 집 작은 집들

—이영순, 「연희고지」 부분

원수를 물리치고
바람처럼 난데없이 밀어든 고을
어두운 거리 거리엔 뜻 아닌
병차 소리 총검 소리의 파도
보라
군데군데 모닥불 화광을 에워
비록 융의는 낡고
풍모는 야윘으되
오히려 원수에게도 자랑 높은 군병이여 조국의 의지여
너희 밤하늘에 별같이
조국의 변변 방방을 이같이 지켜지라

—유치환, 「아름다운 군병」 부분

두 편 모두 전쟁시의 속성을 잘 보여주고 있습니다. 특히, 유치환의 경우는 생사를 초월하는 군인정신을 모범적으로 그리고 있습니다. 유치환은 스스로가 민족의 수난을 증언하는 시인이기를 자처하였고, 초조와 고뇌 속에서 전쟁의 현실을 그려보고자 했습니다. 전시문학의 대표적인 장르라고 말할 수 있는 시는, 전쟁의 현장 체험이 직설적으로 표출되기도 하고, 결연한 자기 의지가 굵은 목소리로 나타나는 특징을 지니고 있었습니다.

일상의 현실을 즐겨 다룬 조병화 시인

이영순의 『연희고지』(1951)와 유치환의 『보병과 더불어』(1951)는 대표적인 종군시집이라고 할 수 있습니다. 아울러 실전의 경험을 바탕으로 이루어진 장호강의 『총검부』(1952)는 전쟁이라는 극한상황에 대처하는 자신의 의지를 시적으로 형상화한 점이 이색적인 시집입니다.

전장의 후방에서 김춘수⑭는 시집 『부다페스트에서의 소녀의 죽음』(1951)을 내면서 인간의 삶과 사물의 존재에 대한 물음을 던졌고, 조병화⑮는 시집 『패각(貝殼)의 침실』(1951)에서 일상의 현실을 서정성이 짙은 언어로 보여주었습니다.

2. 전후시의 몇 가지 특징

1) 새로운 시인들의 등장

전쟁이 끝난 뒤에 재편성된 시단에는 김광균·김광섭·김상옥·김용호·노천명·박두진·박목월·서정주·신석정·신석초·유치환·장만영·조지훈 등의 기성시인들이 새로운 자신의 시적 지향을 보여주었습니다. 새로운 시인들은 모두 해방 이후의 이념 대립과 전쟁이 가져다준 비극을 체험하면서 시의 순수성과 서정성에 복귀했습니다. 전쟁 후에 나타난 새로운 시인들은 전통적인 서정성의 세계로 더 나아가거나 새로운 언어와 새로운 시정신 구현의 길로 나아갔습니다. 전쟁과 폐허의 잿더미에서 시를 쓴 시인들을 '전후파 시인'들이라고 한다면, 이들 새로운 시인들을 가리킨다고 할 수 있을 것입니다.

『한국전후문제시집』(신구문화사, 1964)은 전후파 시인들의 면면을 살펴볼 수 있는 좋은 사화집입니다. 이 사화집에는 박인환·고원·고은·구상·구자운·김관식·김광림·김남조·김수영·김윤성·김종문·김종삼·김춘수·민재식·박봉우·박성룡·박양균·박재삼·박태진·박희진·성찬경·신동문·신동집·이동주·이원섭·이형기·전봉건·정한모·조병화·조향·황금찬 등의 작품이 수록되어 있습니다. 그 외 구경서·김규동·김구용·김요섭·홍윤숙·한성기 등의 시인들도 있었습니다. 이러한 새로운 시인들은 1950년대 전후파를 형성하며 시의 새로움과 다양성의 전성기를 보여주었습니다.

2) 시정신과 시적 방법의 새로운 모색

전후시의 경향은 시의 정서를 중요시하는 경우와 시적 인식의 확장을 중요시하는 경우로 크게 나누어집니다. 전자는 대개 전통 서정시로 지칭되고 후자는 시적 언어와 형태에 새로운 실험을 감행하면서 전통 서정시의 확장에 주력해온 시인들(언어파 또는 실험파)과 사회적 인식과 현실 문제를 시에 끌어들인 시인들(현실파)로 지칭됩니다. '언어파' 의 시인들은 시적 인식을 중시함으로써 시어의 효과를 겨냥합니다. 흔히 후기 모더니즘 운동으로 불리는 이들 시인들의 시적 성과는 한국어에 현대적 감각을 부여하고 시적 형태에 대한 모색을 꾀했다는 것입니다. 한편 '현실파' 시인들은 사회적 상황에 대한 비판적 인식과 풍자적 접근이 시를 통해 가능함을 보여주었습니다.

3) 시적 논리를 갖춘 전후시의 등장

전통 서정시의 세계에 대한 일부 시인들의 지향은 조지훈의 『시의 원리』(1953)와 서정주의 『시문학개론』(1958)이 이론적 근거를 제시했습니다. 시적 감수성의 심화를 꾀한 조지훈과 서정주의 이론은 시의 생명적 본질, 개인적 감성, 언어의 순일성에 대한 강한 애정을 보였습니다. 시적 언어와 시적 인식에 대한 천착은 김춘수의 『한국현대시형태론』(1958)과 김규동의 『새로운 시론』(1959)으로 나타났습니다.

> 이와 같이 오늘날 한국시단의 신진적 주류를 형성하여 나가고 있는 계층을 새로운 시인 즉 모더니스트들의 활약이라고 본다면 이와 정반대로 현실의 암흑을 피하여 지나간 과거의 전통 속에서 쇠잔한 회상의 울타리 안으로만 움츠려 들려는 유파들이 또 하나 다른 흐름을 형성하고 있다는 사실은 한국 시단만이 가지는 슬픈 숙명인 동시에 참을 수 없는 비극이 아닐 수 없다. '청록파'를 중심으로 한 시인들의 소위 순수시운동이 바로 그것이다.
>
> —김규동의 「새로운 시론」 부분

이와 같이 서정적인 아름다움의 세계에서 지적인 아름다움의 세계로 시적 지향을 전환시키려 했던 김규동의 시론은 한국 현대시론의 분기점에 해당됩니다.

서정주의 시집 「국화 옆에서」

4) 순수와 서정의 세계

> 가난이야 한낱 남루에 지나지 않는다.
> 저 눈부신 햇빛 속에 갈매빛의 등성이를 드러내고 서 있는
> 여름 산 같은
> 우리들의 타고난 살결 타고난 마음씨까지야 다 가릴 수 있으랴
>
> 청산이 그 무릎 아래 지란을 기르듯
> 우리는 우리 새끼들을 기를 수밖에 없다
> 목숨이 가다 가다 농울쳐 휘어드는
> 오후의 때가 오거든
> 내외들이여 그대들도
> 더러는 앉고

더러는 차라리 그 곁에 누워라
지어미는 지애비는 물끄러미 우러러보고
지애비는 지어미의 이마라도 짚어라

어느 가시덤풀 쑥굴헝에 누일지라도
우리는 늘 옥돌같이 호젓이 묻혔다고 생각할 일이요
청태라도 자욱히 끼일 일인 것이다.

—「무등을 보며」 전문

서정주의 시세계는 시집 『귀촉도』(1948) 이후 토착적인 정서의 지향이 더욱 두드러졌습니다. 「무등을 보며」는 이전의 「국화 옆에서」와 「밀어」 등의 시에서 확인할 수 있었던 고전적 지향을 심화시키면서 동시에 시적 자아의 성숙을 보여주는 중요한 작품입니다. 전통적 서정 세계에 대한 서정주의 관심이 토착 언어의 시적 세련미와 시 형태의 균형과 질서의 균형을 이뤄 이룩한 성과가 바로 「무등을 보며」였습니다.

박재삼의 시집
『다시 그리움으로』

마음도 한 자리 못 앉아 있는 마음일 때
친구의 서러운 사랑 이야기를
가을 햇볕으로나 동무삼아 따라가면
어느새 등성이에 이르러 눈물나고나.

제삿날 큰집에 모이는 불빛도 불빛이지만
해질녘 울음이 타는 가을강을 보겠네.

—박재삼, 「울음이 타는 가을강」 제1연

슬픔과 정한의 시인
박재삼

박재삼⑯은 1950년대를 대표하는 슬픔과 정한의 시인이라고 할 수 있습니다. '울음'의 정서는 억눌린 삶의 서러움에서 비롯된 것인데, 1920년대의 김소월이나 1930년대 김영랑·서정주·박목월과는 달리 삶의 근원적 정서에서 촉발된 것입니다. "가슴을 다친 누이는／오지 못할 사람의 편지를 받고/다시 한번/송두리째 가슴이 찢어진다./아, 하늘에서 쏟아지는 눈물/땅에서도 괴는 눈물의/이 비오는 날!"(「비오는 날」)은 '비애감'이라고 하는 인간의 근원적인 정서를 드러내 보여주었습니다.

'후반기' 동인의 리더였던 박인환

5) 시적 인식과 확대

순수와 전통적 시세계를 지향하는 시인들과 다르게 시적 인식과 확대를 지향한 시인들은 '후반기' 동인들인 김경린·조향·박인환·김규동·김차영·이봉래 등이었습니다. 이들이 바로 새로운 시운동의 중심이었습니다.

박인환의 시집 『목마와 숙녀』

날개 없는 여신이 죽어버린 아침
나는 폭풍에 싸여
주검의 일요일을 올라간다.
파란 의상을 감은 목사와
죽어가는 놈의
숨가쁜 울음을 따라
비탈에서 절름거리며 오는
나의 형제들

—박인환, 「영원한 일요일」 부분

젊은 시절, '후반기' 동인으로 활동했던 김규동

현기증 나는 활주로의
최후의 절정에서 흰나비는
돌진의 방향을 잊어버리고
피묻은 육성의 파편들을 굽어본다.
기계처럼 작열한 심장을 축일
한 모금 샘물도 없는 허망한 광장에서
어린 나비의 안막을 차단하는 건
투명한 광선의 바다뿐이었기에……

—김규동, 「나비와 광장」 부분

'후반기' 동인들이 관심을 기울이고 있는 것은 도시에서 살아가는 개인의 불안심리와 그 내면의식에 대한 탐구였습니다. 이들 동인들의 시에서 가장 특징적인 것은 언어와 소재의 확대입니다. 이들의 언어는 즉물적이었고, 이들의 소재는 도시문명의 어둠이 대부분을 차지했습니다. 이러한 특이성은 폐쇄된 서정의 시세계를 도시화가 진행되고 있는 현실의 차원으로 확장시켜놓고 있다는 점에서 의미가 있습니다. 특히 1950년~60년대에 일군의 시인이 도시문명의 문제점을 다각도로 접근하고 시적 형상화를 시도한 점은 주목할 만합니다. 김기림으로 대표되는 1930년대의 모더니스트와 1980~90년대 황지우·장정일·유하·함민복 등이 보여주는 '도시시'의 가교 역할을 이들이 했기 때문입니다.

전후시의 전체적인 흐름으로 볼 때 '후반기' 동인과 직접적인 관계는 없지만 절대적 신앙에 의지해서 관념적으로 자기 세계를 구축한 김현승과, 존재의 의미와 언어의 가능성을 시의 세계에서 가늠했던 구상과 김춘수의 업적은 이 시기 시적 경향의 한 흐름을 나타내고 있습니다.

존재론적 시세계를 추구한 구상 시인

6·25전쟁에 의한 동족상잔, 폐허의 자리에서 허무와 불안을 이겨내고 새롭고 다양한 시적 모험의 열망이 가득했던 시기가 1950년대의 시문학이었습니다. 1960년 4·19혁명을 통해 극적 전환기를 맞이하게 된 1950년대의 시문학은 향후 한국시의 원천이라 할 수 있는 다양한 시적 자원을 제공했던 것입니다.

Ⅷ. 순수·참여와 새로운 시적 모험

1. 시의 현실 참여와 참여시

시의 현실참여를 주장한 김수영

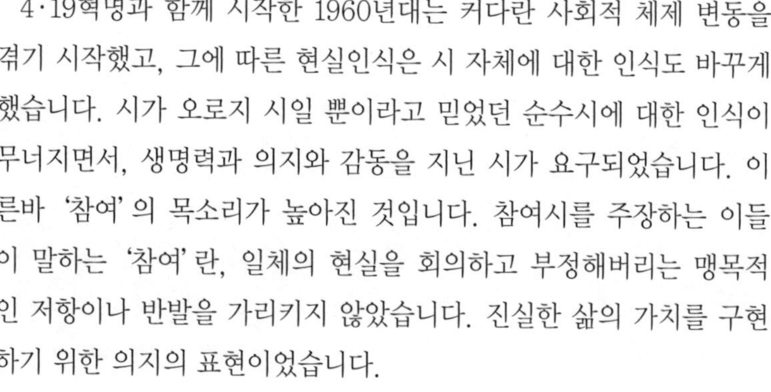

4·19혁명과 함께 시작한 1960년대는 커다란 사회적 체제 변동을 겪기 시작했고, 그에 따른 현실인식은 시 자체에 대한 인식도 바꾸게 했습니다. 시가 오로지 시일 뿐이라고 믿었던 순수시에 대한 인식이 무너지면서, 생명력과 의지와 감동을 지닌 시가 요구되었습니다. 이른바 '참여'의 목소리가 높아진 것입니다. 참여시를 주장하는 이들이 말하는 '참여'란, 일체의 현실을 회의하고 부정해버리는 맹목적인 저항이나 반발을 가리키지 않았습니다. 진실한 삶의 가치를 구현하기 위한 의지의 표현이었습니다.

시의 현실 참여를 실천적으로 보여준 대표적 시인은 김수영[17]이었습니다. 김수영은 문학의 참여 문제를 주도하면서 「시여 침을 뱉어라」(1968)를 비롯한 산문으로 자신의 시적 입장을 밝혔습니다. 시집 『달나라의 장난』(1959)을 통해 모더니스트로서의 면모를 보이던 김수영은, 4·19 이후에는 실험성과 서정성의 균형을 유지하면서도 생활과 현실을 발견하는 데 주력하게 됩니다.

김수영의 시집 『거대한 뿌리』

자유를 위해서
비상하여 본 일이 있는
사람이면 알지
노고지리가
무엇을 보고

노래하는가를
어째서 자유에는
피의 냄새가 섞여 있는가를
혁명은
왜 고독한 것인가를

—「푸른 하늘을」 전문

풀이 눕는다.
비를 몰아오는 동풍에 나부껴
풀은 눕고
드디어 울었다.
날이 흐려서 더 울다가
다시 누웠다.

—「풀」 부분

투철한 역사의식에 입각하여 시를 쓴 신동엽

4·19혁명 이후에 발표한 김수영의 「푸른 하늘을」과 「풀」은 모두 하나의 시적 경지를 보여주고 있다는 평가를 받고 있습니다. 그의 대부분의 시는 일상적 현실을 노래함으로써 구체적인 삶의 부분에 접근하고 있습니다. 김수영은 참여의 개념에 자유의 개념을 접목시켜서 한국문화의 다양성과 활력을 깨치는 무서운 폭력을 정치적 자유의 결여라고 규정했습니다.

신동엽⑱의 「껍데기는 가라」는 김수영과 함께 참여시를 대표합니다. 이 시에서 시인은 명령하는 어조로 역사의 허구성과 폭력을 몰아내고자 하는데, 특히 현실참여의 의지와 전통적 서정성을 결합시키고 있습니다.

껍데기는 가라
사월도 알맹이만 남고
껍데기는 가라

껍데기는 가라
동학년 곰나루의, 그 아우성만 살고
껍데기는 가라

—신동엽, 「껍데기는 가라」 부분

우리들의 어렸을 적／황토 벗은 고갯마을／할머니 등에 업혀
누님과 난, 곧잘／파랑새 노랠 배웠다.

울타리마다 담쟁이넌출 익어가고／밭머리에 수수모감 보일 때면
어디서라 없이 새 보는 소리가 들린다.

우이여! 훠어이!

쇠방울 소리 뿌리면서／순사의 자전거가 아득한 길을 사라지고
그럴 때면 우리들은 흙토방 아래／가슴 두근거리며
노래 배워 주던 그 양품장수 할머닐 기다렸다.

새야 새야 파랑새야／녹두밭에 앉지 마라.
녹두꽃 떨어지면／청포장수 울고 간다.

잘은 몰랐지만 그 무렵／그 노랜 침장이에게 잡혀가는／노래라 했다.

지금, 이름은 달라졌지만／정오(正午)가 되면 그 하늘 아래도 오포(午砲)가 울리었다.

—「금강」 부분

신동엽의 장시집 「금강」

동학을 소재로 한 신동엽의 장시 「금강」(1967)은 우리 시의 전통이라고 볼 수는 없는 서사시의 가능성을 엿볼 수 있게 했습니다. 2장씩 전시·후시를 포함하여 총 30장 4800여 행의 장편 서사시로서 실존 인물인 전봉준과 가공의 인물인 신하늬로 대표되는 인물들을 등장시켜 동학혁명을 형상화했습니다. 민중적 세계관과 반외세에 대한 시인의 시적 인식을 잘 보여준 「금강」은 당대적 삶의 의미를 역사적 사건의 의미로 재해석함으로써 확인하고자 하는 서사시의 본령에 충실

히 따른 작품이었습니다. 「금강」은 참여시의 성격을 분명히 지니면서도 서정성과 서사성의 균형적 결합을 시도했다는 점에서 주목할 만한 시입니다.

「성북동 비둘기」를 쓴 김광섭 시인

이와 함께 1960년대 중반 이후 근대적 산업사회로 접어들기 시작하면서 시인의 시선에도 변화가 생겼습니다. 산업사회로 변모함에 따라 발생하게 된 소외계층에 대한 관심이 증대되었습니다. 김광섭의 「성북동 비둘기」는 자연 파괴에 따른 인간성의 훼손과 물질적 풍요 속에 삶의 근거지를 상실하게 된 서민의 삶이 잘 그려져 있습니다. 이성부·조태일·최하림·문병란·김준태 등은 경제적으로 어려운 처지에 놓인 사람들의 입장에서 시를 썼습니다. 특히 이성부는 「벼」에서 역사적으로 수난을 많이 당한 민중을 긍정적으로 그려냈습니다. 이성부의 연작시 「전라도」에서 누대로 핍박받은 전라도인을 한국의 소외계층 전체로 확장시켰습니다. 시인은 이 작품에서 단순한 분노 표출과 공허한 주장에 머물지 않고 고통받는 민중의 삶을 절제된 언어로 묘사하는 방식을 취함으로써 참여시의 대표작이 되게 했습니다.

김준태의 시집 『칼과 흙』

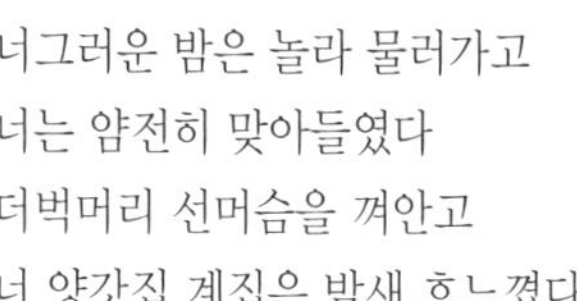
너그러운 밤은 놀라 물러가고
너는 얌전히 맞아들였다
더벅머리 선머슴을 껴안고
너 양갓집 계집은 밤새 흐느꼈다

집에 돌아오니
창백한 아침이
식구들과 더불어 굶주리고 있었다

—「전라도」 부분

전라도를 성역화한 시인 이성부

이러한 연작시는 현대시의 장시(長詩)화라는 특성을 반영하면서 신동엽의 「금강」처럼 1970년대 한국 현대시의 주류적 형태의 모태가 되었습니다. 신경림은 「농무」 「겨울밤」 「시골 큰집」 등에서 농민의 생활상을 구체적으로 묘사함으로써 전원을 노래하는 '농촌시'가 아니라 농민이 등장하는 '농민시'의 출현을 예고하게 됩니다.

한편 1966년, 참여시와 시론을 제창하는 데 큰 역할을 한 『창작과 비평』의 창간은 60년대 한 시대뿐만이 아니라 한국 현대문학사와 문단사에서 주요한 사건이었습니다. 《문학과 지성》이 1970년에 발간되면서 양대 산맥을 형성, 계간지 시대의 도래를 이끌게 되는 것입니다.

1966년에 창간된 《창작과 비평》

2. 언어의 순수성과 순수시

현실참여를 내세웠던 시인들과 달리 언어의 응축과 시적 긴장을 더욱 중시하는 1960년대의 시인들이 있었는데, 문덕수·성찬경·박희진·천상병·김종삼 등이 바로 그러한 부류였습니다.

김구용의 「三曲」(1964)은 총 829행의 보기 드문 장시로 신동엽의 「금강」과는 달리 의식의 흐름 수법을 활용하여 한국인 의식의 구조와 문명에 대한 비판을 시도한 문제작이었습니다. 이미지들의 자유연상과 결합, 서술자의 기묘한 경험들, 대담한 성적 묘사 등을 실험하여 난해한 시의 대표작으로 평가받고 있습니다.

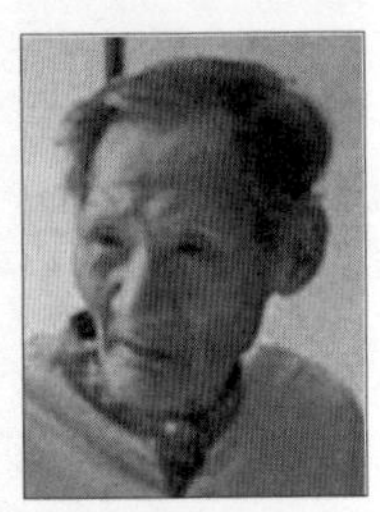
의식의 흐름 기법으로 시를 써 난해함을 가중시킨 김구용 시인

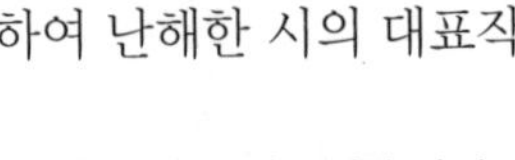

내용 없는 아름다움처럼

가난한 아희에게 온
서양 나라에서 온
아름다운 크리스마스 카드처럼

어린 羊들의 등성이에 반짝이는
진눈깨비처럼.

—김종삼, 「북치는 소년」 전문

김종삼[19]의 경우는 순수지향의 의식이 어린아이 또는 예술가의 이

미지를 통해 구현되었습니다. 그는 현실적인 것과 거리를 두고 있는 이상적인 세계를 그려내고 독백처럼 자신의 꿈을 그려냈습니다.

김춘수는 연작시 「타령조」에서 전통 장타령의 사설조를 도입하여 리듬 해체 작업과 더불어 의미해체 작업을 시도했습니다. 그의 실험은 무의미 시로 명명되었습니다. 의미는 산문에 더욱 어울리지만 '무의미'는 시의 형식에 더욱 어울린다는 입장에서 무의미는 산문으로부터 완전히 독립되는 서정 양식의 고유 영역임을 주장했습니다. 의미 중심의 전통적 서정시의 입장과는 정반대의 시론이었던 것입니다.

한때 무의미시론을 주창한 김춘수 시인

황동규의 시집 『어떤 개인 날』(1961)과 『비가』(1964), 김영태의 시집 『유태인이 사는 마을의 겨울』(1965), 이승훈의 시집 『사물 A』(1969) 등은 언어와 기법에 대한 새로운 모색을 통해 60년대 이후 강한 개성을 내보이는데, 이들은 김춘수의 시적 인식에서 상당한 영향을 받고 있습니다.

현대시 동인의 주축 맴버인 이승훈 시인

1962년에 출발한 '현대시' 동인은 김춘수를 전범으로 삼아 언어에 대한 성실한 천착과 개성적 실험으로 시의 방법론을 심화·확대시키고 순수시를 1960년대의 주류가 되게 했습니다. 허만하·주문돈·김규태·마종기·김영태·이승훈·박의상·이수익·오세영 등 '현대시' 동인들의 시는 감상적인 서정이나 파토스가 아니라 인식이었고 지적 모험이었습니다. 그들의 시는 내면에 대한 탐구였고 언어와 형식 실험은 그 탐구에 대한 시적 대응이었습니다.

1960년 4·19혁명은 자유와 민주의 정치적 이념이 구호가 아니라 우리 삶 자체임을 깨우쳐주었습니다. 또한 4·19혁명은 민중의 입장에서 사회를 바라볼 수 있는 시각을 획득할 수 있는 토양을 마련해주었습니다. 이는 1960년대의 참여시를 낳게 한 발생론적 근거가 되었습니다. 동시에 김춘수와 '현대시' 동인들은 언어의 시적 가능성을 확대하고 시적 모험을 감행함으로써 1960년대는 향후 한국 현대시가 커다란 변모를 겪게 되는 주요한 원인을 제공한 연대가 되었습니다.

Ⅸ. 산업화시대의 시

1. 현실참여시의 양산

급격한 산업화가 시작된 1970년대에는 경제가 급성장하고 근대적 산업구조가 확립되었습니다. 도시는 비대해졌고 도시에서 살아가게 된 많은 사람들은 물질만능주의 가치관을 갖게 되면서 많은 혼란을 겪었습니다. 이와 더불어 1960년대부터 지속된 유신독재는 전사회적인 통제와 감시 체제를 구축함으로써 정치적 불안정과 경제적 불평등의 문제가 사회 전면에 표출되었습니다. 이와 같은 산업화시대인 1970년대의 한국 시는 김수영의 시와 김춘수의 시의 갈등과 종합이라는 양상으로 정리할 수 있습니다. 60년대의 참여·순수시는 70년대 시의 새로운 토양이 되었던 것입니다. 70년대에 들어서면서 김수영류의 참여시는 1960년대부터 시작된 억압적 정치 상황으로 인해 저항적 성격을 지니면서 더욱 확대되는 양상을 띠었습니다. 영도자(領導者)임을 자임한 박정희 대통령에 의해 '유신정치'라는 강압일변도의 체제로 돌입하자 70년대의 시인들은 독재에 항거하고 자유를 쟁취하기 위한 무기로서 시를 쓰지 않을 수 없게 된 것입니다.

박정희 정권의 부패권력을 풍자한 시 「오적」을 발표한 김지하 시인

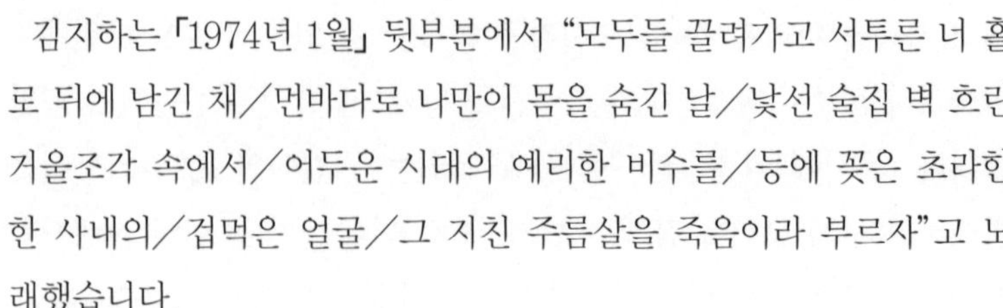
김지하는 「1974년 1월」 뒷부분에서 "모두들 끌려가고 서투른 너 홀로 뒤에 남긴 채／먼바다로 나만이 몸을 숨긴 날／낯선 술집 벽 흐린 거울조각 속에서／어두운 시대의 예리한 비수를／등에 꽂은 초라한 한 사내의／겁먹은 얼굴／그 지친 주름살을 죽음이라 부르자"고 노래했습니다.

김지하는 1970년 봄에 박정희 군사정부 하에서 온갖 특권을 누리던 장성, 재벌, 국회의원 등 부정부패의 원흉들을 풍자한 시 「오적(五賊)」을 《사상계》 5월호에 발표한 죄로 체포되었고, 양성우는 1975년 봄에 광주 YMCA 구국기도회에서 「겨울공화국」을 낭독한 죄로 교직에서 쫓겨났습니다. 또 1974년 《창작과 비평》 여름호에 「잿더미」 등 7편의 시를 발표하고 문단에 나온 김남주는 1979년 10월에 이른바 '남민전' 사건에 연루되어 투옥되었습니다.

김지하의 시집 「오적(五賊)」

김수영과 신동엽의 타계 이후 대표적인 현실참여 시인은 신경림입니다. 신경림은 "시인이란 삶의 현장에서 멀리 앞선 채 꿈속에서처럼 쇠된 목소리로 예언하는 선지자가 아니다. 하루하루의 삶에 지친 민중을 질타하는 선각자도 아니다. 오히려 폭풍이 몰아쳐 선지자의 예언과 선각자의 외침을 일시에 침묵시킨 이 시대에, 이 땅에 살기 위하여 '봄이 오기 전에' 얼음을 깨고, 자유를 위해 '증오할 것을 증오'하는, 민중의 삶 속에서 땀과 숨결을 함께 하는 평균적인 사람이요, 이 삶의 현장을 노래하는 사람"이라고 말했습니다.

징이 울린다 막이 내렸다
오동나무에 전등이 매어달린 가설무대
구경꾼이 돌아가고 난 텅 빈 운동장
우리는 분이 얼룩진 얼굴로
학교 앞 소줏집에 몰려 술을 마신다
답답하고 고달프게 사는 것이 원통하다

—신경림, 「농무」 부분

신경림의 시집 「농무」의 영문판

부르도자는 쉴새없이
내 가난마저 죽이면서
내 이웃들의 깨알같은 꿈마저 죽이면서
눈들을 모으고 귀를 모았다
화려한 소식이 곳곳에 파고들어

이마를 쳐들었다 세상에 대하여
나무라고 후회하고

—이성부, 「철거민의 꿈」 부분

신경림은 김수영 시의 모더니즘적 요소와 신동엽 시의 도시 서민의 애환과 분단의식을 배제하고 1970년대의 산업화시대의 절제된 언어로 묘파함으로써 70년대의 대표 시인으로 평가를 받았습니다. 이성부는 농민과 도시 서민의 고통을 그렸으며, 이시영의 『만월』(1976), 정희성의 『저문 강에 삽을 씻고』(1978), 김창완의 『인동일기』(1978), 김명인의 『동두천』(1979), 정호승의 『슬픔이 기쁨에게』(1979), 이동순의 『개밥풀』(1980)에 수록된 작품도 모두 격동의 시대에 씌어진 시집으로 어두운 시대를 살아가는 시인의 아픔이 어떤 것인가를 보여주고 있습니다.

한편 김춘수는 1970년대에 평문 「의미와 무의미」 등을 통해 '무의미시론'을 심화했습니다. 그의 무의미시론은, 시론 「대상·무의미·자유」(1973)를 근거로 하면,

1) 대상과의 거리가 상실될 때는 이미지가 대상이 된다.
2) 그때 나타나는 시가 무의미시이다.
3) 무의미는 그러나 기호론이나 의미론의 용어와는 다르게 사용된다.
4) 그것은 불안의 논리를 띤다.
5) 남는 것은 시의 방법론적 긴장이다.

정호승의 시집
『저문 강에 삽을 씻고』

와 같이 정리할 수 있습니다. 시인이 대상과의 거리를 상실한다는 것은 그가 그려내는 시적 대상이 소멸한다는 것이지만, 이러한 시적 대상의 소멸은 단순한 소멸로 그치지 않고, 대상의 구속으로부터 시인이 자유로워짐을 의미합니다. 또한 대상과의 거리가 상실된다는 것은 어떤 의미 부여 행위로부터도 우리가 자유로워짐을 의미합니다.

왜냐하면 대상에 구속되어 있으면 의미의 일정한 범주에서 일탈할 수 없기 때문입니다. 그러므로 대상으로부터의 자유는 시인을 무의미의 영역에 머물게 해줍니다. '꽃'이라는 '언어'는 꽃이라는 '대상'을 지시할 때 의미가 있듯이 대상으로부터 자유가 무의미를 낳는다는 것은 이러한 문맥적 의미를 지니는 것입니다.

이러한 김춘수의 무의미시론은 이승훈의 비대상시, 오규원의 날이미지 시론으로 이어지게 됩니다. 이승훈의 시는 외부의 사물을 시적 대상으로 삼고 있는 것이 아니라 자신의 직관 그 자체를 시의 대상으로 삼는 특성을 지니고 오규원의 시는 사물의 존재를 감각적 인식에 따라 보이는 대로 느끼는 대로 적는 것을 거부합니다. 오규원은 오히려 감각적으로 인식된 것을 뒤집어놓고 보이는 것을 감추기도 합니다. 그리하여 그는 전도된 언어 속에서 사물의 새로운 의미를 발견해 냅니다.

1970년대 한국시의 또 다른 특성으로 새로운 세대를 중심으로 나타난 도시적 감수성을 들 수 있습니다. 감태준·정호승·김승희·이하석·김광규·이성복·최승호·장석주 등은 70년대에 등단하여 도시적 감수성과 산업화시대의 모순을 형상화했습니다. 감태준은 산업화시대에 소외된 인간들의 삶, 즉 고향을 상실하고 도시 변두리에서 떠도는 도시빈민의 삶에 대한 관심을 보여주었습니다.

도시 빈민들의 삶을 고찰한 감태준

산자락에 매달린 바라크 몇 채는 트럭에 실려 가고, 어디서 불볕에 닿은 매미들 울음소리가 간간이 흘러왔다
다시 몸 한 채로 집이 된 사람들은 거기, 꿈을 이어 담을 치던 집 폐허에서 못을 줍고 있었다

그들은, 꾸부러진 못 하나에서도 집이 보인다
헐린 마음에 무수히 못을 박으며, 또 거기, 발통이 나간 세발자전거를 모는 아이들 옆에서, 아이들을 쳐다보고 한번 더 마음에 못을 질렀다

—감태준, 「몸 바뀐 사람들」 부분

그날 아버지는 일곱 시 기차를 타고 금촌으로 떠났고
여동생은 아홉 시에 학교로 갔다 그날 어머니의 낡은
다리는 퉁퉁 부어올랐고 나는 신문사로 가서 하루종일
노닥거렸다 前方은 무사했고 세상은 완벽했다 없는 것이
없었다 그날 驛前에는 대낮부터 창녀들이 서성거렸고
몇 년 후에 창녀가 될 애들은 집일을 도우거나 어린
동생을 돌보았다 그날 아버지는 未收金 회수관계로
사장과 다투었고 여동생은 愛人과 함께 음악회에 갔다

—이성복, 「그날」 부분

이성복의 시집 『뒹구는 돌은 언제 잠 깨는가』

「몸 바뀐 사람들」에서 시인이 보여주고자 했던 것은 몸 바뀐 사람들의 삶, 곧 이상적 자아를 상실하고 현실적 자아로 변신할 수밖에 없는 사람들의 삶이었습니다. 감태준의 시는 1970년대 시의 산문화 경향을 보여주었는데 이러한 산문화 경향은 김광규의 시에서 더욱 두드러집니다. 김광규는 산업시대의 모순, 소비문화 속에서 거짓 욕망에 시달리는 자아에 대한 비판을 거의 산문에 가까운 형식으로 그려냈습니다. 이성복은 전통적인 시문법의 대담한 파괴, 통사론적 변형에 의한 개성적인 리듬, 초현실주의 기법의 활용을 통해 70년대 한국 사회의 모순을 지적으로 비판했습니다. 이성복은 「그날」처럼 일상의 삶 속에 은닉된 시대의 폭력과 공포를 "세상은 완벽했다"라는 아이러니를 통해 그려냅니다.

이와 같이 1970년대의 한국시는 60년대의 참여/순수시 논쟁의 연장선에서 각각의 미학을 발전시키면서도 다양한 시적 경향으로 분화되는 시기를 통과해 갔습니다.

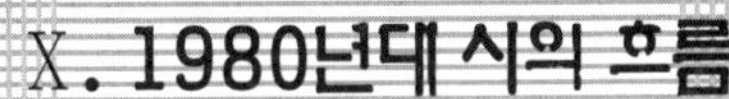

X. 1980년대 시의 흐름

1. 80년대 시단의 전반적 특징

1980년대는 가장 기본적인 표현 욕구마저 검열 받고 통제 당하는 시대였습니다. 이러한 상황에서 문학은 어떤 반응을 보였을까요? 1980년 5월 광주민주화운동이 일어나고, 군사정권은 자신의 권력을 유지하기 위해 억압적인 정치상황을 형성하며 문화적 탄압을 시작하게 됩니다. 그 대표적 사례가 1970년대 문학을 주도하던 양대 계간지 《창작과 비평》과 《문학과 지성》을 강제 폐간한 것이라고 할 수 있습니다. 이러한 억압에 대해 1980년대 새로운 문학적 운동이 전개되는데 무크지[56]와 동인지 활동입니다. 그들은 기존의 권위에 대해 부정하며, 시에 있어서도 고정된 틀을 깨기 위한 여러 가지 시도를 했습니다.

또한 1980년대에 들어서면서 물질만능주의 소비사회의 다양한 현상들이 시의 영역에 확산되기 시작했습니다. 젊은 시인들은 종래의 전통적 서정시가 지녔던 내용과 어법만으로는 현실의 모순을 온전히 드러낼 수 없음을 인식하고, 막힌 현실의 벽을 뚫기 위해 새로운 의사소통의 방식을 꿈꾸었다고 볼 수 있습니다. 그 방식은 크게 두 방향으로 전개됩니다. 하나는 현실의 답답함과 모순적인 상황을 왜곡된 언어 구사법을 통해 역설적으로 드러내는 해체시·도시시의 방향이며, 다른 하나는 현실 비판을 넘어 현실 변혁의 가능성을 신념으로 밀고 나가는 민중시의 방향이라고 할 수 있습니다. 그리고 또 하나의

56) **무크지**
잡지를 뜻하는 매거진(Magazine)과 단행본을 뜻하는 북(book)이 결합된 합성어로, 잡지와 단행본의 성격을 가진 부정기적인 간행물을 지칭한다. 1971년 런던에서 열린 국제잡지협회의 제18차 회의에서 제출된 보고서에서 처음 사용되었으며, 미국에서는 매거북(Magabook), 부커진(bookazine)이라고도 한다.

1966년에 창간된 계간 문예지 《창작과 비평》과 1970년 8월에 창간된 계간 문예지 《문학과 지성》

경향을 든다면 전통적 서정시의 흐름을 계승하고 그 변화를 시도한 시들이라고 볼 수 있습니다. 여기서 1980년대 시의 흐름을 이끌었던 무크지·동인지 운동과 새로운 세대의 시 쓰기를 중심으로 살펴보겠습니다.

1980년대 문학은 정치적인 압력에 의해 탄압을 받기 시작하면서 그 틈에서 자발적인 소집단 문학운동이 활발하게 일어나기 시작합니다. 이것이 무크지 문학운동과 동인지 활동입니다. 무크지는 당시의 까다로운 검열을 피하고 기습적으로 책을 출판하기 위한 것으로, 외형상은 단행본이지만 내용은 잡지식의 연계성을 갖도록 만들어진 것입니다. 이러한 무크지 문학운동은 시에서 활발히 이루어졌으며, 다양한 분야[57]에 퍼져 폭발적인 인기를 끌게 됩니다.

57) 무크지의 영역 확장
문학 이외의 대표적인 무크지로 『르뽀시대』 『시대정신』 『한국사회연구』 『제3세계 연구』 『민중』 『노래』 등이 있었다. 이외에도 이른바 '팸플릿'이라 하여 지하문서들이 대량으로 복사되어 대체매체의 구실을 했다.

1980년 3월 25일, 《실천문학》은 제1권 무크지 창간호를 발행하면서 5권까지는 무크지로 내고, 1985년 봄호로 계간 창간호를 내게 됩니다. 그 뒤를 이어 '한국문학의 현단계'라는 이름으로 《창작과 비평》이 다시 살아나고, 《시인》 《민의》 《문학예술운동》 《사상문예운동》 《노동해방문학》 등 다양한 무크지를 통해 새로운 시들이 발표되고, 당시의 대체매체로서 중요한 역할을 하게 됩니다.

1980년 3월에 창간된 종합문예지 《실천문학》

그리고 1980년대 '시의 시대'라고 불려질 수 있는 가장 큰 원동력이 되었던 또 하나의 축으로 동인지를 들 수 있습니다. 그렇다면 어떤 동인지들이 있었을까요? 우선 1981년 나온 동인지로 《시와 경제》와 《5월시》를 들 수 있는데, 《시와 경제》 동인들은 시는 삶의 모든 문제와 만나는 현장이며 그 속에서 자연스럽게 생겨난 피와 땀의 결정체라고 생각했습니다. '시와 경제 동인'은 홍일선·정규화·황지우·박승옥·나종영·김정환·김사인인데 제2집에 박노해 시인이 참여하게 됩니다. 그들은 민족의 화해와 계층 사이의 소통을 내세우며 1980년대 민중시의 최선에 서게 됩니다.

동인지 《시와 경제》 제1집

《5월시》는 다른 동인지와는 달리 그 성격이 가장 뚜렷하다고 할 수 있습니다. 묵시적으로 그 이름이 부여하고 있는 1980년 5월의 한 역사적 분기점에서 그 사건의 의의를 환기해 한결 극적으로 삶다운 삶을 추구하기 위한 활로를 모색하고자 합니다. 《5월시》 동인으로는 곽재구·김진경·박상태·나종영·이영진·박주관·최두석·나해철 등입니다. 이들은 판화와 공동작업을 시도하기도 했으며, 연작시와 장시 등 다양한 장르 확산 노력도 게을리하지 않았습니다.

1980년대는 현실변혁을 외치는 민중주의 문학이 주를 이루는데 '신화'와 '상상력'을 들고 나온 것이 '시운동'이라는 이름의 동인입니다. 그들은 자유로운 상상력의 세계를 언어로 표현하고자 했으며, 개인의 문학적 개성을 살리는 것이 중요하다고 생각했습니다. 동인으로 하재봉·안재찬·박덕규·남진우·이문재 등이 있으며, 다수의 젊은 시인들과 마찬가지로 현대 산업문명과의 대결을 주제로 삼고 해체시와 도시시 등을 지향했습니다. 1990년대 들어서면서 시운동 출신들은 중요한 역할을 하게 됩니다. 안재찬은 문단과 떨어진 채 '류시화'라는 필명으로 주로 동양의 신비주의와 명상 계통의 외국 책을 옮기는 번역문학가로 활동하면서 『그대가 곁에 있어도 나는 그대가 그립다』(1991), 『외눈박이 물고기의 사랑』(1994) 등의 베스트셀러 시집을 내놓습니다. 그리고 1990년대 문학사에서 빼놓을 수 없는 계간지 《문학동네》를 출발시키는 데 있어 남진우·이문재 등 '시운동' 출신들이 큰 영향을 줍니다. 그러므로 《시운동》은 1990년대와 이어지는 중요한 문학동인지라고 할 수 있습니다. 이렇게 1980년대 다양한 무크지와 동인지의 출현은 문학 대중화에 기여했으며, 새로운 문학 세대의 등장을 유도했습니다.

계간문예지 『문학동네』

2. 시의 새로운 집짓기, 해체와 파괴

1980년대 시에 있어서의 가장 큰 변화라고 하면 시에 있어서의 형식 파괴가 일어난다는 것입니다. 이러한 형식의 파괴는 기성시단에 충격을 던지며 새로운 세대의 시 전략으로 등장하게 됩니다. 소위 '해체시'[58]라고 불리는 이것의 문학적 새로움은 시적인 것에 대한 인식의 변화로부터 기인한다고 볼 수 있습니다. 이들은 시에 대한 독자들의 고정관념을 파괴시키는 동시에 독자들에게 충격을 주고, 그 충격효과를 통해 자신들의 시에 담긴 메시지를 독자들이 주목해주기를 바랬던 것입니다. 이러한 시적 태도를 보여준 시인으로 이성복·황지우·박남철·이승하·장정일·김영승·이윤택·유하 등을 들 수 있습니다.

58) 해체시

1960년대 후반부터 발표한 일련의 책들에서 전통적인 서양의 형이상학에 대해 중요한 비평을 가한 프랑스의 자크 데리다가 주도한 문학비평의 유파나 그 운동을 '해체'라 한다. 한국 문학에서는 전통시의 형태를 파괴한 일련의 전위적 실험시를 가리키는 용어로 김준오의 『도시시와 해체시』라는 논문에서 처음 사용되었다. 해체시는 시인의 세계관이 유보된 상태에서 있는 그대로의 현실을, 묘사가 아니라 표절하고 습득하고 인용하는 형태를 취한다. 언어가 더 이상 현실을 완벽하게 재현할 수 없다는 언어에 대한 불신에서 전통 시 형식의 파괴라는 해체의 충격이 가시화된 시를 해체시라 한다.

1980년대 해체시의 출발은 이성복의 『뒹구는 돌은 언제 잠 깨는가』(1980)라고 할 수 있습니다. 시의 형식적인 면에서는 과격하거나 파괴적이지 않지만 세계 인식의 차원에서 해체시의 선두주자라고 할 수 있습니다. 그의 시는 한 개인으로서 경험했던 어두운 내면들이 정치적으로 불안했던 시대의 고통이라는 보편성을 가지고 있습니다.

어머니는 살아 있고 여동생은 발랄하지만

그들의 기쁨은 소리없이 내 구둣발에 짓이겨
지거나 이미 파리채 밑에 으깨어져 있었고
春畵를 볼 때마다 부패한 채 떠올라왔다
그해 겨울이 지나고 여름이 시작되어도
우리는 봄이 아닌 倫理와 사이비 學說과
싸우고 있었다 오지 않은 봄이어야 했기에
우리는 보이지 않는 감옥으로 자진해 갔다
—이성복, 「1959년」 부분

돌발적인 이미지와 파격적인 묘사를 통해 나타내고 있는 내면의 상처, 고통의 아픔 등은 완벽한 시대성을 띠고 있습니다. 이처럼 이성복은 도덕적 기준을 무시한 언어, 시간의 흐름이 뒤틀린 시제, 비어와 속어의 과감한 도입 등으로 불합리한 시대를 담아내려고 한 것입니다.

비시(非詩)적인 시 쓰기를 즐긴 황지우 시인

황지우는 『새들도 세상을 뜨는구나』(1983)에서 만화·몽타쥬[59]·신문·기사 벽보 등의 요소를 시 속에 끌어들입니다.

아아아아아아아 가엾어라 TNT 사제폭탄을 들고
은행엘 쳐들어간 청년은 자폭했고(중앙일보 9월2일자).
술집 호스테스는 정부에게 알몸으로 목 졸려 죽었고(한국일보 6월15일자).
방범대원은 한 밤에 강도로 돌변하고(경향신문 12월 7일자).
……………………………………………………………………
아 세월은 잘 간다.
눈먼 세월. 잘 간다.
나는 손 한번 못 댄 세월. 잘 간다.
아직 오지 않은 사고와 사건과 사태와 우발과 자발과 폭발의 세월. 속으로, 잘 간다.
—황지우, 「활로를 찾아서」 부분

황지우의 시집 『새들도 세상을 뜨는구나』

이러한 시각적인 활자의 배치·패러디[60] 기법 등을 구사하며 형식 파괴시의 첨예한 양상을 보여줍니다. 이 전위적 실험정신은 매스컴에 무감각해진 독자들의 의식을 '낯설게 하기'의 충격 효과를 통해 각성시킨 계기가 될 수 있습니다.

양식 파괴를 통한 충격 효과는 박남철의 『지상의 인간』(1984)에서 더 극단적으로 나타납니다. 야유와 풍자와 욕설의 언어를 통해 기존 질서의 위선과 막힌 현실에 대한 부정의식을 드러냅니다.

내 시에 대하여 의아해 하는 구시대의 독자놈들에게→차렷, 열중쉬엇, 차렷

이 좆만한 놈들이……
차렷, 열중쉬엇, 차렷, 열중쉬엇, 정신차렷, 차렷, ㅇㅇ, 차렷, 헤쳐 모엿!

이 좆만한 놈들이……
헤쳐 모엿,

(야, 이 좆만한 놈들아, 느네들 정말 그 따위로들밖에 정신 못 차리겠어, 엉?)

차렷, 열중쉬엇, 차렷, 열중쉬엇, 차렷……
—박남철, 「독자놈들 길들이기」 부분

59) 몽타쥬
원래 '조립하는 것'을 의미하는 프랑스어이다. 영화는 촬영되는 것이 아니라 조립되는 것, 다시 말해서 원래 따로 따로 촬영된 필름의 단편을 창조적으로 접합해서 현실과는 다른 영화적 시간과 영화적 공간을 만든다. 거기에 새로운 현실을 구축하여 시각적 리듬과 심리적 감동을 자아내게 하는 데서 영화의 예술성이 성립된다고 본다.

야유와 욕설을 시에 구사한 박남철 시인

60) 패러디

패러디(parody)란 어떤 저명 작가의 시의 문체나 운율을 모방하여 그것을 풍자적 또는 조롱삼아 꾸민 익살 시문이다. 어떤 인기 작품의 자구를 변경시키거나 과장하여 익살 또는 풍자의 효과를 노린 경우가 많다. 창조성이 없으며 때로는 악의가 개입되지만 웃음의 정신은 문학의 본질적인 것이다. 고대 그리스의 풍자시인 히포낙스가 그 시조. 이러한 작품이 성행한 나라는 18세기 이후 영국·프랑스·독일이다. 대표적인 작품으로 중세 기사도 전설을 패러디한 세르반테스의 『돈키호테』가 있다.

기존의 시 기준에 비추어 볼 때 위의 작품을 시라고 할 수 있을까 의문이 들 정도로 기존의 시 관습을 시원하게 깨뜨리고 있습니다. 이처럼 박남철은 시에 글자체 혼용, 띄어쓰기 무시, 갖가지 말장난, 비어 및 속어 사용, 한자와 영어의 삽입, 다양한 패러디, 야유 등을 사

용함으로써 기존의 시 형태를 파괴하고 모순된 권위를 사정없이 무너뜨리고 있습니다.

1980년대 초에 보여준 해체시는 당대의 억압적 정치 상황에 대응하는 저항의지를 자기 해체와 양식의 파괴를 통해 추구하고 있습니다. 어느 정도 신선한 충격과 시사적 의미를 획득하였지만, 시대적 상황의 전개 과정에서 그 충격성을 유지하기 어려운 측면도 지니고 있습니다. 따라서 1980년대 중반 이후 이들의 시적 지향은 새로운 과제에 봉착하게 되면서 조금씩 변화하기 시작합니다.

그 선두에 서 있던 사람이 이승하입니다. 그는 『우리들의 유토피아』『욥의 슬픔을 아시나요』『폭력과 광기의 나날』 등에서 우리 사회에 전반에 퍼져 있는 폭력 현상을 집요하게 추적하여 비판합니다. 특히 『폭력과 광기의 나날』에서는 사진이나 그림 등을 이용하면서 새로운 형태의 실험을 시도합니다. 폭력을 자행하는 사람들의 광폭성을 실험적인 형식을 통해 나타내고 있는데, 이것은 가족사의 범위를 넘어서 우리 사회의 부조리, 한국 현대사에서의 폭력 상황, 세계 역사상의 모순까지 광범위하게 파헤쳤다고 할 수 있습니다.

우리 사회 전반에 퍼져 있는 폭력 현상을 비판한 이승하 시인

도 동화(同化)아 도 동화(童話)의 세계야
저놈의 소리 저 우 울음 소리
세 세기말의 배후에서 무 무수한 학살극
바 발이 잘 떼어지지 않아 그런데
자 자백하라구? 내가 무얼 어쨌기에

소 소름 끼쳐 터 텅 빈 도시
아니 우 웃는 소리야 끝내는
끝내는 미 미쳐 버릴지 모른다
우우 보트 피플이여 텅 빈 세계여
나는 부 부 부인할 것이다

—이승하, 「화가 뭉크와 함께」 부분

이승하의 시집 『욥의 슬픔을 아시나요』

위의 작품에서 이승하는 뭉크의 작품 「절규」를 소재로 하여 인간 존재의 연약함을 말더듬이 형식으로 그려내고 있습니다. 끊어질 듯 하면서도 끊이지 않고 들리는 기이한 울음소리에 "미쳐버릴지 모른다"고 토로합니다. 이러한 표현들은 뭉크의 작품을 떠오르게 하면서 그 시적 의미와 이미지를 확장하고 있습니다.

장정일은 이성복·박남철·황지우 등의 해체시와는 또 다른 특성을 보이고 있습니다. 1980년대 후반부터 본격화된 자본주의 사회의 특성을 감각적으로 담아내고 있으며, 그는 소비사회와 대중문화의 감수성을 남다르게 포착하고 비판을 가합니다.

김영승은 자기 반성을 토대로 해체시의 한 흐름에 동참하고 있습니다. 『반성』과 『취객의 꿈』을 비롯한 시집에서 가난한 생활에 힘겨워하는 자신을 자학하면서 자신이야말로 가족들에게 죄를 짓는 죄인이라고 통곡했는데, 결국 부의 분배가 불균형으로 이루어지고 인간관계가 상품화된 1980년대의 자본주의를 공격한 것이라고 할 수 있을 것입니다.

유하는 저급하고 천박한 문화라고 지칭되는 키치[61]를 작품에 본격적으로 도입합니다. 무협지·만화·영화·텔레비전 드라마·광고·패션 등의 키치 문화를 시에 다양하게 활용하고 있습니다.

> 바람부는 날이면, 압구정동에 가야 한다 사과맛 버찌맛
> 온갖 야리꾸리한 맛, 무쓰 스프레이 웰라폼 향기 흩날리는 거리
> 웬디스의 소녀들, 부띠끄의 여인들, 까페 상류사회의 문을 나서는
> 구찌 핸드백을 든 다찌들 오예, 바람불면 전면적으로 드러나는
> 저 흐벅진 허벅지들이여 시들지 않는 번뇌의 꽃들이여
>
> —유하, 「바람부는 날이면 압구정동에 가야 한다 6」 부분

유하는 『바람부는 날이면 압구정동에 가야 한다』와 『세운상가 키드의 사랑』에서 대중문화를 차용하며 후기자본주의 문화와 사회를 비

61) 키치
키치가 처음으로 유행하기 시작한 것은 1870년대 독일 남부였으며, 당시에는 예술가들 사이에서 '물건을 속여 팔거나 강매한다'는 뜻으로 쓰이다가 갈수록 의미가 확대되면서 저속한 미술품, 일상적인 예술, 대중 패션 등을 의미하는 폭넓은 용어로 쓰였다. 현대에 와서는 키치 현상을 보편적인 사회현상, 인간과 사물 사이를 연결하는 하나의 유형, 일정한 틀에 얽매이지 않고 기능적이며 편안한 것을 추구하는 사회적 경향 등으로 풀이하기도 한다.

판했습니다. 그러나 다른 시인들에 비해 무겁거나 심각하지 않으면서 후기자본주의 사회의 감각적이고 소비적인 상황을 가볍게 그려내고 있습니다. 이러한 1980년대 해체시들의 시도는 1990년대까지 이어져 다양한 방향으로 발전하게 됩니다.

3. 민중시의 변화

1980년대의 하나의 흐름이라고 할 수 있는 민중시는 민중의 생활현실에 더 접근하여 함께 호흡할 수 있게 소박하고 쉬운 시, 현장성을 갖춘 시, 현실의 실상을 있는 그대로 재현한 리얼리즘시 등을 요구하게 됩니다. 그러므로 자연히 민중시는 시의 문학성과 시적 형상화 방식보다는 운동성과 민중의식의 고취라는 내용성에 치중하게 되어 구호주의와 상투적인 내용이 많습니다. 그 예로서 김정환·김준태·김명수 등을 살펴볼 수 있습니다.

도시적 일상 속에서 민중의 세계를 바라본 김정환 시인

김정환은 첫 시집 『지울 수 없는 노래』(1982)에서 도시적 일상 속에서 민중의 세계를 바라보는 신선한 긴장과 아름다운 감성을 보여주었으나, 후기로 갈수록 민중해방을 위한 전투적 열정에 치우쳐 도식적 구호의 한계를 벗어나지 못하게 됩니다. 김준태는 광주에 대한 사랑을 절실히 노래하였으나 직설적인 감정의 표출로 인해 시가 주관성에 의해 함몰되는 실수를 하고 있으며, 김명수의 초기 시는 서정적이고 세련된 언어의 세계에서 어둠에 대한 분노로 시세계가 변화되면서 시적 긴장과 감동이 감소되었습니다.

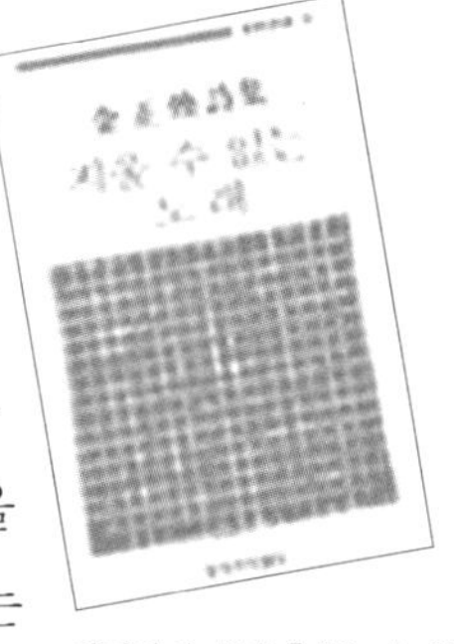
김정환의 시집 『지울 수 없는 노래』

1980년대의 억압적인 체제에 대항하던 민중시는 1970년대 참여시의 성과와 김지하·신경림·이성부 등의 민중지향적 시를 계승하면서도 새로운 형식 실험을 시도하게 됩니다. 민중의식의 내용성을 중시하면서도 그 도식적 구호와 상투성을 극복하기 위하여 민중시는 서정성의 도입, 전통양식의 재현, 서사구조의 도입 등의 형식 실험을 하게 됩니다.

먼저 서정성 도입을 시도한 대표적인 경우로 곽재구의 시를 들 수 있습니다. 그는 민중시의 건강한 뼈대에 서정성의 숨결을 불어넣어, 일상적 삶 속의 작은 사물로부터 슬픔과 희망을 불러일으키며 시대적 아픔을 실감나게 형상화하고 있습니다. 한편 서정성의 도입과 전통양식의 재현을 시도한 경우로는 하종오와 김용택이 있습니다. 하종오는 현실성에 서정성을 결합하면서 민요나 동요의 3음보 율격을 빌려와 민중의 현실적 고통을 표현하기도 하고, 굿 형식의 대담한 수용을 통해 생동하는 민중의 호흡을 담아내려 하였습니다.

김용택의 『섬진강』(1985)을 보면 서정성 확보와 전통양식의 재현을 동시에 보여주면서 민중시의 보기 드문 경지를 개척합니다.

농촌이 처한 현실을 가슴 아파한 김용택 시인

사람덜이 그러능게 아녀
뭐니뭐니 혀도 말여 사람은
심성이 고와야 하고
밥 아까운지 알아야 혀
시방 이 밥이 그냥 밥이간디
우리덜 피땀이여 피땀
밥이 나라라고 나라
자고로 말여 제 땅 돌보지 않는 놈들허고
제 식구 미워하는 놈들
성헌 것 못 봤응게
아, 툭 터놓고 말혀서
쌀금이 왜 이렇게 똥금인지 우린 모르간디

—「마당은 비뚤어졌어도 장구는 바로 치자」 부분

김용택의 시집 『섬진강』

서정시 양식을 통해 농촌 현실의 경험에서 우러난 맑은 정서를 형상화했으며, 판소리나 조선 후기 가사가 지닌 4·4조 4음보의 율격을 수용하면서 그 속에 스며 있는 민중적 생동감을 포착하고 있습니다.

서사구조의 도입을 통한 서사시나 이야기 형식은 기존의 민중시가 지닌 부분적 현실 인식의 한계를 넘어서기 위한 시도였습니다.

이동순·정동주·고정희 등은 장시, 혹은 서사시의 형식을 통해 민중적 현실을 형상화했으나 만족할 만한 성과를 거둔 것은 아니었습니다. 이러한 민중시의 전개는 1980년대 중반 이후 활발하게 전개된 노동문학 논의를 통해 노동시의 대두를 맞이하게 되었습니다. 1980년대 노동시의 가장 큰 특징이라고 하면 노동자들이 직접 참여하여 자신들의 이야기를 쓰기 시작했다는 것입니다. 그리하여 많은 노동자 시인이 문단에 나와 활동을 했으며, 자신들의 이야기를 시로 써서 노동조합의 소식지나 문예지에 작품을 실어 쉽게 시를 접할 수 있었습니다. 이렇게 노동자들이 창작한 노동시는 기존의 작품에서 찾아보기 힘든 구체적 현장성을 바탕으로 하고 있어 많은 독자들에게 공감대를 형성하게 됩니다.

1980년대 노동시의 대표적인 기수라고 하면 주저 없이 박노해를 꼽을 수 있습니다. 당시 박노해의 『노동의 새벽』(1984)은 노동시가 전성기를 구가하게 되는 시발점이라고 할 수 있는데, 그의 시들은 노동현실의 구체적 체험에 토대를 두고 노동자들의 절망과 분노를 감동적으로 형상화하고 있습니다. 즉 노동자들의 처절한 아픔을 보여주면서도 그 아픔을 딛고 일어서려는 치열한 현실인식과 인간에 대한 사랑을 담고 있는 거라 할 수 있습니다.

없어, 선명하게
없어,
노동 속에 문드러져
너와 나 사람마다 다르다는
지문이 나오지를 않아
없어, 정형도 이형도 문형도
사라져 버렸어
임석경찰은 화를 내도

노동현실을 고발한
박노해 시인

긴 노동 속에
물 건너간 수출품 속에 묻혀
지문도, 청춘도, 존재마저
사라져 버렸나봐

—박노해, 「지문을 부른다」 부분

박노해의 시집
『노동의 새벽』

한 노동자의 독백처럼 들리는 이 시는 주민등록을 갱신하러 갔다가 지문이 닳아 없어진 것을 보고 솔직하게 담백하게 그려내고 있습니다. 너무도 쉬운 말로 쓰고 있으면서도 일상에 숨어있는 문제를 깊이 있게 다루어 당시 사람들에게 큰 충격이었습니다.

박노해에 이어 노동시의 성과를 보여준 시인으로 백무산을 들 수 있습니다. 백무산의 『만국의 노동자여』(1988)는 노동자 투쟁의 현장을 생생한 리얼리티로 살려내는 동시에 서정성과 기법의 세련미도 갖추고 있어 노동시의 새 지평을 열었다고 할 수 있습니다. 박노해와 백무산은 당시 한국 사회의 주역으로 등장한 노동자계급의 삶과 물적 생산과 투쟁, 그리고 무엇보다도 그 역사적 임무와 전망을 보여주고 있습니다.

노동자 투쟁의 현장을 사실적으로 묘사한 백무산 시인

현대시의 전개에 있어서 1980년대의 시가 지니는 뚜렷한 특징 중의 하나가 바로 노동시의 대두였으며, 이러한 변화를 통해 우리 시의 지평을 과감히 확대할 수 있었다고 봅니다.

4. 전통적 서정시의 계승과 변모

1980년대의 서정시는 이전의 시대 흐름을 이어 받아 양적으론 줄어들지 않았으나 동시대를 울릴 만큼 시적 성취를 이루지 못했다고 할 수 있습니다. 그만큼 시대 상황을 인식하는 데 있어서나 사회의 변화를 반영하는 데 적극성을 띠지 않고 시의 순수성이나 서정성에 안주했기 때문입니다. 1970년대 등단한 기성 시인들을 중심으로 그

명맥을 유지하고 있었는데 그 대표적인 경우로 이기철·송수권·조정권·나태주·이성선·임영조 등의 시가 있습니다.

이기철은 『청산행』(1982) 이후 작은 것이 지닌 소박한 아름다움의 세계를 통한 삶의 근원으로서의 자연에 다가서려는 몸짓을 보여주고 있으며, 인간의 행복과 정신의 아름다움을 나무·구름·산·꽃 등의 자연 이미지를 통해 표현하고 있습니다.

자연 친화적인 시세계를 지닌 이기철 시인

누이야
가을 산 그리메에 빠진 눈썹 두어 낱을
지금도 살아서 보는가
정정(淨淨)한 눈물 돌로 눌러 죽이고
그 눈물 끝을 따라가면
즈믄 밤의 강이 일어서던 것을
그 강물 깊이깊이 가라앉은 고뇌의 말씀들
돌로 살아서 반짝여 오던 것을
더러는 물 속에서 튀는 물고기같이
살아오던 것을
그리고 산다화(山多花) 한 가지 꺾어 스스럼없이
건네이던 것을

이기철의 시집 『청산행』

누이야 지금도 살아서 보는가
가을 산 그리메에 빠져 떠돌던, 그 눈썹 두어 낱을 기러기가
강물에 부리고 가는 것을
내 한 잔은 마시고 한 잔은 비워 두고
더러는 잎새에 살아서 튀는 물방울같이
그렇게 만나는 것을

서정주의 시정신을 훌륭히 계승한 송수권 시인

누이야 아는가
가을 산 그리메에 빠져 떠돌던
눈썹 두어 낱이

지금 이 못물 속에 비쳐 옴을
—송수권, 「산문에 기대어」 전문

송수권은 『산문에 기대어』(1980)에서 김소월→서정주→박재삼으로 이어지는 전통적인 한의 정서에 토대를 두면서도 그것을 승화시킨 정신적 경지를 보여주고 있습니다. 조정권은 『하늘 이불』, 『산정묘지』 등을 통해 인간은 자연과 대립하거나 분리되지 않고 조화를 유지해야 한다고 생각하며 시의 정신주의를 추구합니다.

가장 높은 것들은 추운 곳에서
얼음처럼 빛나고,
얼어붙은 폭포의 단호한 침묵,
가장 높은 정신은
추운 곳에서 살아 움직이며
허옇게 얼어터진 계곡과 계곡 사이
바위와 바위의 결빙을 노래한다
—조정권, 「산정묘지·1」 부분

조정권 시집 『산정묘지』

한편 연배가 이들보다 높은 임영조는 『바람이 남긴 은어』 『그림자를 지우며』 『갈대는 배후가 없다』 등에서 전통적 서정시의 양식을 취하면서도 인간의 타락에 대한 비판과 풍자, 훼손되는 자연과 인정에 대한 비탄을 금치 못하고 있습니다. 그밖에 나태주·이성선 등이 있는데, 이들은 1980년대적 분위기 속에서 현실의 삶이 상실한 과거와 고향에 대한 그리움을 회상을 통해 그려내고 있습니다.

그러나 이와는 다르게 1980년대의 특성이라 할 수 있는 역사의식과 현실인식을 바탕으로 하면서 서정성을 추구하는 시인들이 등장합니다. 최두석을 비롯해 박태일·오태환·안도현·정일근·김완하·최영철 등을 주목할 수 있습니다.

최두석은 『대꽃』 『성에꽃』 등을 통해 힘없고 가난한 사람들의 삶의 모습을 그려냄으로써 현실상황을 그대로 보여주고 있으며, 박태일은 『그리운 주막』『가을 악견산』 등에서 정감있는 우리말과 시적인 운율을 되살려내고 있습니다. 그리고 안도현은『서울로 가는 전봉준』『모닥불』 등에서 역사와 현실에 부딪히며 느꼈던 것들을 시로 승화시키고 있습니다.

역사의식의 시화에 주력한 안도현 시인

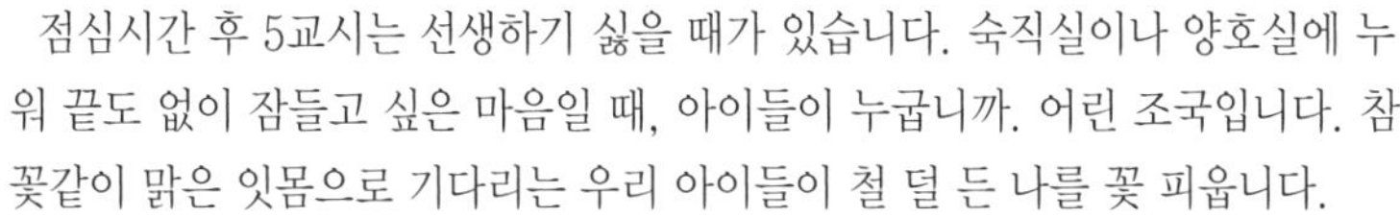

점심시간 후 5교시는 선생하기 싫을 때가 있습니다. 숙직실이나 양호실에 누워 끝도 없이 잠들고 싶은 마음일 때, 아이들이 누굽니까. 어린 조국입니다. 참꽃같이 맑은 잇몸으로 기다리는 우리 아이들이 철 덜 든 나를 꽃 피웁니다.

—안도현, 「봄편지」 전문

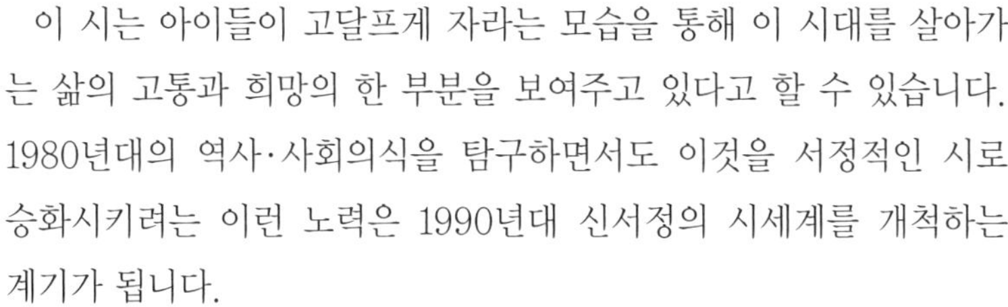

이 시는 아이들이 고달프게 자라는 모습을 통해 이 시대를 살아가는 삶의 고통과 희망의 한 부분을 보여주고 있다고 할 수 있습니다. 1980년대의 역사·사회의식을 탐구하면서도 이것을 서정적인 시로 승화시키려는 이런 노력은 1990년대 신서정의 시세계를 개척하는 계기가 됩니다.

Ⅺ. 다양한 관심 속에 피어난 시

1. 1990년대 시의 흐름

1989년 동서 냉전의 상징이던 베를린 장벽이 무너지면서 소련형 사회주의 국가들이 몰락하고, 소련과 미국을 두 축으로 하던 냉전체제는 사실상 막을 내리게 됩니다. 그러나 냉전이 잦아든 이후에도 세계 곳곳에서는 작은 지역·인종 분쟁과 전쟁이 그치지 않았습니다. 아울러 무인 화성 탐사, 복제양 돌리, 기상 이변 등 세기말의 다양한 모습들이 나타나게 됩니다.

『광기의 역사』를 쓴 미셸 푸코

1990년대로 넘어오면서 한국 사회는 탈이념화·탈정치화의 징후가 뚜렷하게 나타나는데, 인문학적 담론의 무게중심은 이념에서 욕망으로, 거대담론에서 미시담론으로, 마르크스에서 미셸 푸코㉕와 장 보드리야르㉖로, 급진 좌파주의에서 다원주의적 자유주의로 옮아갑니다. 급진 좌파와 강경우파, 혁신 세력과 보수 세력 사이의 대립과 갈등이 수그러들면서 한편은 시한부 종말론과 휴거 소동이 우리 사회를 뒤흔들기도 합니다. 한국 사회는 이러한 혼돈 속에서도 균형을 유지하며 빠르게 대중소비사회로, 개방사회로 나아갑니다. 컴퓨터·텔레비전·핸드폰 등 다양한 영상매체들이 발달하고, 대중문화가 발달하면서 삶이 변화하게 됩니다.

『소비의 사회』를 쓴 장 보드리야르

이러한 국내외 상황은 1980년대와 변별되는 1990년대 시의 새로운 미학을 탄생시키게 됩니다. 1980년대의 현실참여 계열의 시로서는 더 이상 현실적인 시적 대응을 할 수 없었던 것입니다. 따라서 1990년대의 시는 급격하게 변화한 현실에 대한 다양한 시적 인식과 새로운 미학을 선보이게 됩니다.

1990년대 시의 흐름을 몇 가지로 나누어보면 다음과 같습니다. 우선 변화된 현실에 대한 시적 움직임을 보여준 신서정시, 여성을 둘러싼 문제들에 대한 여성시, 환경에 대한 관심을 보여준 생태시, 마지막으로 1990년대 하나의 문화현상이라 할 수 있는 환상성을 가진 시들입니다. 이를 중심으로 살펴보도록 하겠습니다.

2. 새로운 옷으로 갈아입은 서정시

1990년대 서정시는 기존의 서정시 본원적 특징을 고스란히 전승하는 데 있는 것이 아니라 낡은 옛 껍질을 벗고자 했습니다. 지금까지 써왔던 '뻔한 비유들'과 '지겨운 상징들'로부터 벗어나 참신한 시적 비유들을 통해 새롭게 다가오는 현실에 대한 모습들을 담아내려고 했습니다. 1980년대의 서정시와 다르게 1990년대의 신서정시는 다채로운 풍경들을 보여주고 있습니다.

우선 1990년대에 펼쳐진 도시 풍경 속에서 후기 자본주의 문화논리가 빚어낸 온갖 기호들에 시적 상상력을 기대고 있는 신서정시들을 예로 들 수 있습니다. 이 그룹의 문제의식은 1980년대를 지탱시켜주었던 진보적 이념이 자취를 감추면서, 그 자리를 꿰차고 들어온 후기자본주의적 문화적 기호들을 신서정시의 영역으로 편입시키고자 했습니다. 왜냐하면 이러한 문화적 기호들은 1990년대 이후의 현실을 인식할 수 있는 도시의 풍경을 위악적으로 보여주기 때문입니다.

이러한 위악의 시적 태도는 송찬호의 『10년 동안의 빈 의자』, 남진우의 『죽은 자를 위한 기도』, 박상순의 『6은 나무 7은 돌고래』, 배용제의 『삼류극장에서의 한때』 등의 시집에서 90년대를 살아간다는 게 '죽음을 살아간다는 것'과 다를 바 없음을 묵시적으로 말하고 있습

니다. 그들은 죽음의 형식을 통해 삶을 견뎌내고 있는 것으로, 지금 내가 살고 있는 곳에서

시체들
시체들
시체들의 속삭임 속에서 잠든다
시체에서 새어나온 썩은 물이 귓속으로 흘러 들어와
몸 속의 피를 검푸르게 물들이는 밤
사방에서 시체들의 속살거리는 소리
—남진우, 「살아 있는 시체들의 밤」 부분

를 들으며 그들은 삶을 견뎌내고 있는 것입니다. 이와는 달리 전통서정시의 새로운 해석을 통해 섬세하고 감각적인 시들을 보여주는 시인들이 등장하는데, 그 대표적인 시인으로 장석남과 전동균을 들 수 있습니다. 장석남은 『새떼들에게로의 망명』에서 새로운 세대에 의해 심화된 서정적 언어를 보여주고 있습니다. 그의 시는 행간에 침묵을 채워놓는 언어적 절제를 통해, 사물과 마음의 미세한 떨림을 포착하려 했습니다.

신서정시를 쓴 그룹의 대표주자인 장석남 시인

찌르라기떼가 왔다
쌀 씻어 안치는 소리처럼 우는
검은 새떼들

찌르라기떼가 몰고 온 봄 하늘은
햇빛 속인데도 저물었다

저문 하늘을 업고 제 울음 속을 떠도는
찌르라기떼 속에
환한 봉분이 하나 보인다
—장석남, 「새떼들에게로의 망명」 부분

그의 시는 대지의 공간으로 귀환하는 상상력을 통해 모호하면서도 여성적인 서정성을 보여주었습니다. 한편 전동균은『오래 비어 있는 길』과『함허동천에서 서성이다』에서 전통적인 서정시의 정서를 보다 감각적인 언어로 다듬어, 원초적인 자리로 귀환하려는 마음의 움직임을 섬세한 언어적 화음으로 빚어냈습니다. 또한 언어들의 투명하고 아름다운 화음, 시적 화자의 낮은 목소리, 연민과 비애미를 자신이 발견한 사물의 모습을 통해 드러냄으로써 새로운 서정성을 만들어냈습니다.

이와는 조금 다른 이윤학의 시들은 폐허의 이미지로 뒤덮어 버려진 변두리의 공간에서 삶의 쓸쓸함과 비애를 직관하는 시적 묘사를 보여주고 있습니다. 그의 시에서 생은 폐허 그 자체이거나 폐허를 건너가는 시간일 뿐입니다. 이윤학의 소멸과 폐허의 풍경들은 생의 실존적 조건에 대한 응시의 공간인 것입니다.

소멸과 폐허의 풍경을 즐겨 그린 이윤학 시인

물결들만 없었다면, 나는 그것이
한없이 깊은 거울인 줄 알았을 거네
세상에, 속까지 다 보여주는 거울이 있다고
믿었을 거네

거꾸로 박혀 있는 어두운 산들이
돌을 받아먹고 괴로워하는 저녁의 저수지

바닥까지 간 돌은 상처와 같아
곧 진흙 속으로 들어가 섞이게 되네
—이윤학,「저수지」부분

이윤학의 시집『먼지의 집』

이 시에서도 보듯이 시는 폐허와 상처의 자리를 은폐하지 않고 그 안에서 삶을 수락하는 시적 직관의 순간을 보여주며, 이것 역시 자본주의적 이미지에 대한 반성적 의미를 가지고 있습니다.

그밖에 도시적 삶을 건조한 투시적 언어로 묘사한 시인들이 있는데, 대표적으로 김기택과 오정국을 들 수 있습니다. 김기택은 『바늘구멍 속의 폭풍』에서 사물에 대한 섬세한 관찰력을 통해 그 안에 내재된 숨은 힘을 포착합니다. 그는 일상의 정적과 권태 안에서 보이지 않는 힘들이 존재하는 공간과 시간을 드러내고 있습니다. 이러한 상상력은 육체와 도시적 공간에 대한 해부학으로 발전하게 됩니다. 오정국은 『저녁이면 블랙홀 속으로』에서 도시라는 거대한 산업사회에서 탈출구를 찾지도 꿈꾸지도 못하는, 즉 현실과 이상 사이에서 흔들리는 인간의 모습을 그려내고 있습니다.

김기택의 시집 『바늘구멍 속의 폭풍』

3. 여성시의 발전

1990년대의 시에서 주목해야 할 만한 것으로 여성시가 두드러진 점입니다. 여성시가 없었던 것은 아니지만 1990년대의 여성시는 이전 시기에서 놓치고 있던 여성에 대한 문제들을 시로 구체화시키고 있다는 것입니다. 여성시인들은 지금까지 남성중심사회에서 주변으로 밀려나 억압받던 여성적 주체들을 시 속으로 끌어들이기 시작합니다. 그럼으로써 고정된 여성의 이미지를 깨뜨리며 새롭게 여성을 인식하는 시 세계를 보여줍니다. 그동안 금기시 되어오던 여성의 육체적 욕망을 표출하며 실존적인 삶 속에서 여성의 몸을 당당하게 주장합니다.

그 중에서도 김혜순·김정란·박서원 등은 보다 해체주의적인 시의 특징을 보여주며 보다 강한 자의식을 드러내고 있습니다. 김혜순은 『불쌍한 사랑기계』에서 남성의 지배원리에 의해 타자로 남아있는 여성의 모순에 대한 인식은 죽음 배설 등의 부정적 이미지에 의존하여 나타내고 있습니다. 세계를 유기체적으로 인식하며 실재적 현실과 허구적이며 상상적인 현실을 여러 겹으로 겹쳐서 보여주는 실험적인 시 쓰기는 강렬한 지향의 욕망을 드러낸다고 할 수 있습니다. 주체 해체적인 경향이 강하게 드러나는 김정란은 『매혹, 혹은 겹침』에서 형식을 파괴하며 자유롭게 쉴새없이 내뱉는 듯한 시어로 시를 파편화하고 있습니다. 이러한 방법은 남성적 담론을 해체시키는 시적 주체의 목소리를 보여주는 것이라 할 수 있습니다. 그리고 박서원은 『난간 위의 고양이』 『이 완벽한 세계』 등에서 정신착란적인 언어들을 분출하고 있습니다. 그의 시는 정교하게 다듬어진 논리 위에 서 있지 않습니다. 다루는 언어들은 무정형이고, 비논리적이고, 또한 도착적입니다.

사람들이 돌과 화살로 내 영화를 망치지 않게
감독해줘
아빠, 여긴 떠날 수 없는 낙엽의 늪지대야
잠시라도 봄날 뜨락의 병아리떼 몰고 와
내 가녀린 몸뚱어리로 엄마 되게 해줘
토담에 먼지 진흙 내려 쌓은 늙은 과부 외씨버선
만들지 말고
당신이 최초로 모종한 엄마 꽃밭에
엉겅퀴라도 좋으니 그 손길로 나를 심어줘
심해엔 가라앉은 섬이 가로막고 있어
아빠. 삼나무 같은 당신 손으로 나를 흐르게 해줘
아빠.

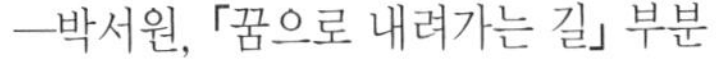
—박서원, 「꿈으로 내려가는 길」 부분

박서원의 시집 『난간 위의 고양이』

이처럼 시는 무질서하고 혼란스럽습니다. 이 시에서도 느껴지듯이 이런 혼란 속에서도 가엾은 딸들이 외치고 있습니다. 그 외침들은 무의식에 깊이 각인된 내면의 상처로부터 발원된 것이라 할 수 있습니다. 박서원의 시에서 꿈과 무의식은 시를 쓰게 하는 하나의 중요한 자원이자, 자신의 내면을 드러내는 방법인 것입니다.

이 시기에 여성시인들은 끊임없이 여성의 정체성을 되물었는데, 이러한 시인들로 최영미와 신현림을 들 수 있습니다. 최영미는 도발적인 언어로 1980년대의 시대적 아픔 위에 개인적 상처를 겹쳐놓고, 신현림은 시각적인 자료를 시적 언어로 끌어들이며 여성 정체성의 의미를 계속 되묻습니다. 최영미는 『서른, 잔치는 끝났다』라는 시집을 들고 나와 시가 죽어 있던 시대에 화려하게 불꽃을 일으킵니다. 무엇이 독자들로 하여금 그의 시를 사랑하게 만들었을까요?

상처받은 젊음을 주제로 한 시집을 낸 최영미

어렴풋이 나는 알고 있다
여기 홀로 누군가 마지막까지 남아
주인 대신 상을 치우고
그 모든 걸 기억해내며 뜨거운 눈물을 흘리리란 걸
그가 부르다 만 노래를 마저 고쳐 부르리란 걸
어쩌면 나는 알고 있다
누군가 그 대신 상을 차리고, 새벽이 오기 전에
다시 사람들을 불러모으리란 걸
환하게 불 밝히고 무대를 다시 꾸미리라
그러나 대체 무슨 상관이란 말인가

—최영미, 「서른, 잔치는 끝났다」 부분

그의 시는 상처받은 젊음을 주제로 하고 있으며, 그 상처는 '시대'로부터 온 것이 아니라 '실연'으로부터 온 것이라 할 수 있습니다. 매우 사적인 것을 시적 대상으로 삼고 있으면서도 결코 쉬운 시가 아닙니다. 왜냐하면 1980년대의 시대적 아픔 위에 개인의 상처를 겹쳐 놓았기 때문에 개인적인 이야기가 아니라 우리 모두의 아픔이며, 모두의 이야기가 될 수 있어 함께 공감할 수 있었다고 보여집니다. 당시 최영미의 시집은 그 반응이 극과 극이어서 찬사와 비판을 동시에 받아야 했습니다.

그런가 하면 이선영·나희덕·이진명 등의 시들은 여성의 내면에 깊게 패인 존재론적 상처를 감싸안는 여성 특유의 내밀한 서정성을 가지고 있습니다. 특히 나희덕은 첫 시집 『뿌리에게』에 이어 『그곳이 멀지 않다』『어두워진다는 것』 등의 시집을 통해 정갈한 서정성이 풍요로운 여성적 이미지와 어떻게 만나는지를 여실하게 보여주고 있습니다.

따뜻하고 포근한 세계를 지향하는 나희덕 시인

여성의 정체성을 탐구하는 과정에서 과격한 언어들로 신선한 충격을 던져준 시인이 신현림입니다. 그는 시집 『지루한 세상에 불타는 구두를 던져라』와 『세기말 블루스』를 통해 세기말의 외로움을 표현하고 있는데, 시집에 텅 빈 거리에 놓인 빈 의자 사진, 주차장 입구 사진, 벽에 쓴 낙서 사진 등을 병치함으로써 외로움을 말하지 않고 보여주고 있습니다. 즉 시인은 스스로 병든 현대문명의 습격 속에 자신의 내면을 속절없이 드러내고 있는 것입니다.

여성성을 자유분방하게 추구하는 신현림 시인

그밖에 최승자는 근원적인 부분에서 성의 모순을 인식하고 있으며, 황인숙은 여성의 해방을 경쾌한 상상력으로 노래하고 있습니다. 이렇게 1990년대 여성시는 고정된 여성의 정체성을 깨뜨리며, 남성 중심의 담론에서 타자로 남아 있던 여성이 주체로 복원하면서 남성적 억압의 실체를 보여주었습니다. 그리고 그들은 억압된 여성 외에 수많은 타자들을 끌어안음으로써 사회·역사적인 관계를 형성해갔는데 자신들만의 문법과 자신들만의 독특한 언어로 새로운 문학담론을 창조했다고 할 수 있습니다.

경쾌한 상상력을 지닌 황인숙 시인

4. 파괴되는 자연을 되돌아보는 생태시

1990년대 시문학에 있어서는 생태학적 상상력에 토대를 둔 창작과 비평의 성과가 상당히 축적되어 있었다는 것입니다. '생명사상' (김지하), '녹색문학' (이남호), '문화 생태학' (김성곤), '에코토피아 시학'(최동호) 등 생태시와 관련된 담론들뿐만 아니라 다양한 시적 형상화가 이루어지고 있었습니다. 생태시는 근대문명의 야만에 대한 근원적 비판이자, 그것에 대한 위반과 전복의 상상력에 뿌리를 둔 것으로 근대적 자본주의를 넘어선 또 다른 삶의 대안과 전망이었던 것입니다.

자연친화적인 생태학적 상상력을 보여주는 정현종 시인

김지하는 그의 첫 시집 『황토』 이후 최근까지 '생명사상'을 심화·확장시켜 왔습니다. 그가 말하는 것은 생명공동체의 세계관에 입각한 자신과 세계의 재발견을 통해 오늘날의 낡은 근대적 패러다임을 넘어설 수 있는 신생의 출구를 모색할 수 있다는 것입니다. 이와는 조금 다르게 정현종은 자연친화적인 생태학적 상상력을 우리의 일상 속에서 감지해 냅니다.

정현종의 시집 『한 꽃송이』

헤게모니는 꽃이
잡아야 하는 거 아니에요?
헤게모니는 저 바람과 햇빛이
흐르는 물이
잡아야 하는 거 아니에요?
(중략)
헤게모니는 무엇보다도
우리들의 편한 숨결이 잡아야 하는 거 아니에요?
무엇보다도 숨을 좀 편히 쉬어야 하는 거 아니에요?
검은 피, 초라한 영혼들이여
무엇보다도 헤게모니는
저 덧없음이 잡아야 되는 거 아니에요?

—정현종, 「헤게모니」 부분

우리들 삶의 헤게모니는 "검은 피, 초라한 영혼들"로 표현된 문명적인 것들이 소유하는 것이 아니라, 꽃·바람·햇빛·흐르는 물 등 때묻지 않은 자연의 존재들이 소유해야 한다는 것입니다. 정현종의 이러한 생태학적 상상력들은 『한 꽃송이』 『세상의 나무들』 『갈증이며 샘물인』 등 1990년대 출간된 시집들에 나타나고 있습니다.

생태시에서 또 하나의 주목해야 할 것이 생명의 가치가 파괴되고 있는 현실에 대한 내용들이 시로 형상화되고 있다는 점입니다. 최승호는 근대화가 빚어낸 엽기적인 현실을 적나라하게 드러냅니다.

생명 파괴의 현장을 고발하는 최승호 시인

무뇌아를 낳고 보니 산모는
몸 안에 공장지대가 들어선 느낌이다.
젖을 짜면 흘러내리는 허연 폐수
아이 배꼽에 매달린 비닐끈들.
저 굴뚝과 나는 간통한 게 분명해!
자궁 속에 고무인형 키워온 듯
무뇌아를 낳고 산모는
머릿속에 뇌가 있는지 의심스러워
정수리 털들을 하루종일 뽑아댄다.
—최승호, 「공장지대」 전문

최승호의 시집 『세속도시의 즐거움』

무뇌아를 잉태하여 낳은 산모의 육체와 행위를 형상화함으로써 산모와 무뇌아의 고통이 그들만의 것이 아니라 근대화에 발목잡힌 우리들 모두가 안고 있는 상처임을 보여주고 있습니다. 최승호의 반문명적 비판과 이것을 넘어서고자 하는 생태학적 상상력은 1990년대에 발간된 그의 시집 『세속도시의 즐거움』 『회저의 밤』 『반딧불 보호구역』 『눈사람』 등에서 더 깊어지고 있다고 보여집니다.

1990년대에 생태시에서 주목해야 할 또 한 사람은 이문재입니다. 그는 『산책시편』 『마음의 오지』 등에서 독특한 생태학적 상상력을 발휘하고 있습니다. 그것은 근대의 중심부 주변에 배치된 풍경들을 사유하는 것입니다, 말하자면 근대의 빠른 속도와 등거리를 유지한 채 시적 화자는 산책을 합니다. 이것은 근대문명의 질주에 대한 시적 모반이라고 할 수 있습니다. 이처럼 1990년대 주목된 대부분 생태시들은 근대적 자본주의의 반생명 구조와 행태를 비판적으로 성찰하는 데 있어서 엄숙하다고 할 수 있습니다. 1990년대의 생태시들은 다양하게 그 성과를 보였지만 지속적으로 그 맥을 이어가지는 못했습니다.

5. 미래를 준비하는 젊은 시인들

2000년대의 시의 흐름들을 말한다는 것은 현재 계속 진행에 있기 때문에 그 기준을 잡기가 힘들며, 각각의 개성이 강한 시대이다 보니 전체적인 하나의 흐름으로 묶기가 어렵습니다. 그렇지만 이전 시대와는 다른 점이 분명히 있습니다. 어떠한 특징들이 있는지 젊은 시인들의 시를 통해 살펴보도록 하겠습니다.

최근 젊은 시인들은 중언부언하면서 분명치 않은 발화의 방식을 시에서 택하고 있습니다. 이들의 말을 지금까지의 시의 형식에 넣기에는 그들의 말들이 너무 많은 것 같습니다. 그래서 산문시 형식을 취하는 경우가 많으며 이미지도 풍요롭습니다. 그들은 기존의 시에서 중시하던 음악적 요소를 그들의 시에서는 중요하다고 생각지 않는 것처럼 보입니다. 마지막으로 미의 범주에 있어서도 추(醜)와 불협화음을 처음부터 자신들의 범주 안에 놓고 출발하고 있습니다. 2000년대의 시인들은 1980년대의 시인들처럼 역사와 시대에 대한 채무의식이 없고, 1990년대 시인들이 가졌던 서정들이 없습니다. 하지만 그들의 시는 재미있으며 유쾌하다고 할 수 있습니다.

모호하고 불투명한 서정성을 보여준 이장욱 시인

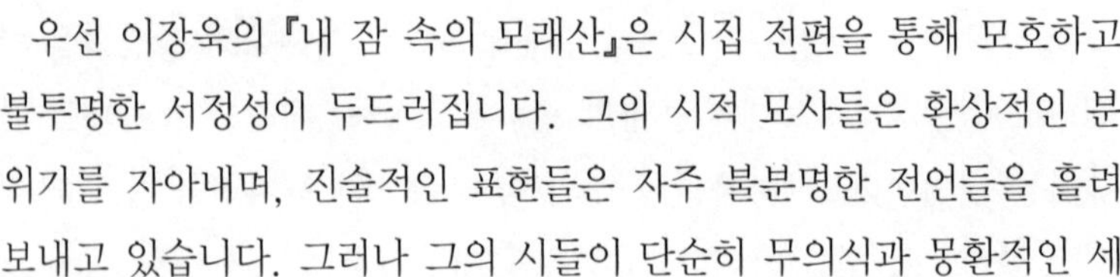

우선 이장욱의 『내 잠 속의 모래산』은 시집 전편을 통해 모호하고 불투명한 서정성이 두드러집니다. 그의 시적 묘사들은 환상적인 분위기를 자아내며, 진술적인 표현들은 자주 불분명한 전언들을 흘려보내고 있습니다. 그러나 그의 시들이 단순히 무의식과 몽환적인 세계를 담고 있다고 말할 수는 없습니다. 이장욱 시의 시적 자아는 세계에 대한 분명한 자의식을 가진 사람입니다. 그의 시 속에 드러난 풍경들은 단순히 인간의 의식이 투영된 것이라기보다는, 인간 자의식의 자립성과 사물의 의식의 자립성이 만나는 지점을 보여준다고 할 수 있습니다.

밤새도록 점멸하는 가로등 곁,
고도 6.5미터의 허공에서 잠시 生長을 멈추고
갸우뚱히 생각에 잠긴 나무.

제 몸을 천천히 기어오르는 벌레의 없는 눈과
없는 눈의 맹목이 바라보는 어두운 하늘에 대하여,
하늘 너머의 어둠 속에서 지금
더 먼 은하를 향해 질주하는 빛들에 대하여,

빛과, 당신과, 가로등 아래 빵 굽는 마을의
불꺼진 진열장에 대하여,
그러므로 안 보이는 중심을 향해 집요하게 흙을 파고드는
제 몸의 지하에 대하여.

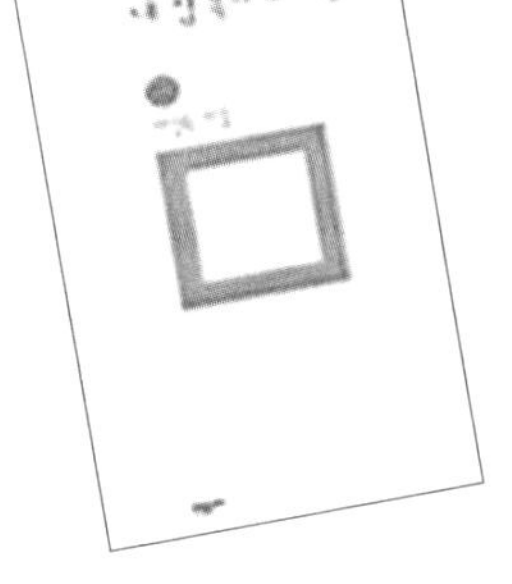

이장욱의 시집 「내 잠 속의 모래산」

텃새 한 마리가 상한선을 긋고 지나간 새벽 거리에서
너무 오래 생각하는 나무.

—이장욱, 「편집증에 대해 너무 오래 생각하는 나무」 부분

'너무 오래 생각하는 나무' 의 이미지는 이런 시선을 상징적으로 보여줍니다. 그의 풍경들이 생생하고 구체적인 느낌을 주기보다는 희미하고 틈새가 많은 성긴 이미지들을 드러내고 있습니다. 이것은 이장욱의 시적 작업이 전통적인 서정시적 공간에서의 묘사와 진술을 하고 있지 않기 때문입니다. 이런 시선에 의해 그의 시에서 풍경은 단순히 '인간의 풍경／자연의 풍경' 의 이분법과 서열체계를 넘어서

고 있습니다. 이런 맥락에서 이장욱은 서정시의 사물에 대한 시선 자체를 문제삼는 낯선 시 문법을 탐구하고 있다고 할 수 있습니다.

황병승의 『여장남자 시코쿠』는 이해하기 쉽지 않습니다. 왜냐하면 시의 의미를 파악하려 하면 그의 시는 꿈을 이야기한 시가 많아서 무슨 말이지 잘 파악되지를 않는 경우가 많기 때문입니다. 무의식의 흐름대로 그냥 따라가면서 시를 읽어 내려가다 보면 조금 그 의미를 알 수 있습니다.

횡설수설과 중구난방의 시세계를 구축한 황병승 시인

결국 모든 것은 진력이 나게 마련이다 크로켓이든 카드놀이든

앨리스 부인은 창 밖으로 펼쳐진 눈세계를 바라보다, 소설책을 내려놓았다
십 년 만의 외출, 그녀는 스케이트를 어깨에 메고
생쥐들과 함께 눈물 호수 쪽으로 걸었다

혹한이 휩쓸고 간 숲 속의 고요한 아침

태엽장치 돼지들의 함성도 오리앵무새의 구슬픈 노랫소리도 들려오지 않았다

(텅 빈 허공에 대고 입술을 맞춰보는 시간)
이것 봐, 올겨울엔 아무도 스케이트를 타지 않았어
눈물 호수 앞에서 앨리스 부인이 소리쳤다,
칼자국 하나 없는 이 빙판 좀 봐!

그녀는 생쥐들과 함께 빙판을 내달렸다.

언제나 그렇듯, 왼편은 원숭이 오른편은 토끼
이쪽은 춤추고 저쪽은 눈물바다지
어느 쪽으로 가도 상관없어 어차피 양쪽 다 미친 것들이니까
구름을 흔드는 웃음소리,
하늘에 걸린 체셔 고양이의 얼굴

스케이트 날이 지나간 자리마다 검은 물이 엷게 배어나왔고
나쁜 냄새가 났다.
—황병승, 「Cheshire Cat's Psycho Boots_7th sauce—여왕의 오럴섹스 취미」 부분

14) 아이러니(irony)
낱말이 문장에서 표면의 뜻과 반대로 표현되는 용법이다. 어원은 그리스어의 에이로네이아(eironeia:위장)이다. 일반적으로 표면으로 칭찬과 동의를 가장하면서 오히려 비난이나 부정의 뜻을 신랄하게 나타내려고 하는 것을 예로 들 수 있다.

크로켓이나 카드놀이에 진력이 난 앨리스 부인처럼 황병승 역시 서정시를 둘러싼 장르 관습에 진력이 난 것처럼 보입니다. 그는 칼자국 하나 없는 빙판에서 스케이트를 타듯 자유롭게 어디든 갈 수 있는 것이 시라고 생각하며, 자신의 방식대로 시를 만들어가고 있습니다. 그렇다면 황병승 시의 미덕은 무엇일까 고민해보면 천연덕스럽게 웃으며 자기 모멸의 언어를 내뱉는 바로 그 아이러니[62]에 있는 것이 아닐까 하는 생각이 듭니다.

김민정의 『날으는 고슴도치 아가씨』는 감추고 숨기는 것이 미덕이었던 시어의 함축성에 과감히 도전장을 던집니다. 그녀의 시는 노골적으로 까발려 보여주는 노출의 전략을 사용하며, 가족과 성이라는 이름으로 '지금, 여기'에 남아 있는 금기를 위반하고 해체하기 위해 그녀의 시는 서정시를 둘러싸고 있던 언어의 감옥을 부수어 버립니다. 가볍게 웃어젖히며 그녀의 시는 모든 종류의 도덕적 금기와 진지함을 조롱의 대상으로 삼고 있으나 그 웃음은 통쾌하기보다는 히스테릭해 보입니다. 웃음의 배후에는 '지금, 여기'에 대한 불안함이 깔려 있으며, 아무것도 책임지고 싶어하지 않는 그녀의 시는 불안의 징후를 은폐하며 끝없이 달아나려고 합니다.

김민정의 시집 『날으는 고슴도치 아가씨』

신인으로서는 드물게 독자적인 세계를 구축한 김근의 『뱀소년의 외출』은 신화적 상상력을 바탕으로 한 시집이라 할 수 있습니다. 그러면서도 그로테스크한 분위기, 환상적 이미지들로 문명의 속도와 죽음, 가족사에 얽혀 있는 부정의식을 아이러니컬하게도 유쾌하게 그려내고 있습니다.

이밖에 유형진의 『피터래빗 저격사건』, 이재훈의 『내 최초의 말이 사는 부족에 관한 보고서』, 정재학의 『어머니가 촛불로 밥을 지으십니다』, 김이듬의 『별모양의 얼룩』, 김언의 『거인』, 조동범의 『심야 배스킨라빈스 살인사건』 등 다양한 젊은 시인들의 시집들이 있습니다. 앞으로도 새로운 시인들이 계속 나타날 것이고 젊은 작가들의 이런 고민들이 미래의 시에 대한 한 방향이 될 것이라고 여겨집니다.

3장

대중문학

Ⅰ. 대중문학이란 무엇인가?

Ⅱ. 대중문학과 신문소설의 관계

Ⅲ. 대중문학 논쟁

Ⅳ. 대중문학의 미래

Ⅰ. 대중문학이란 무엇인가?

'대중문학이란 무엇인가?' 하고 질문을 던졌지만 명쾌한 해답을 찾기가 수월치 않습니다. 그간 한국 문학계에서 산발적으로나마 진행된 대중문학 논의는 적절한 결론을 도출하지 못한 채 흐지부지 끝나기 일쑤였습니다. 그럼에도 다시 이 문제를 거론하는 것은, 대중사회에서 그들이 향유하는 문학의 본질을 점검하는 일은 유의미하다고 생각되기 때문입니다.

대중문학을 논하기 위해 우선 필요한 것은 '대중'이란 것의 개념 설정입니다. 일반적으로 대중은 계급·지위·직업·학력 등을 초월한 불특정다수의 집합체로 정의됩니다. 그리고 그 구성원들은 간접적 관계의 익명성을 특징으로 합니다. 쉽게 말해, 지난 2006년 월드컵 때 한국팀 응원을 위해 광화문에 모인, 이름도 얼굴도 나이도 모르는 수많은 사람들의 집단을 대중으로 생각하면 큰 무리가 없을 듯싶습니다.

지금은 일반화되었지만 대중이란 용어를 우리가 오래 전부터 사용한 것은 아닙니다. 유구한 역사를 돌아보아도 대중에 해당되는 우리의 용어는 '백성'이었습니다. 그러면 대중이란 단어는 어떻게 생성된 것일까요? 이것을 파악하기 위해서는 우리보다 시민사회가 앞서 형성된 사례를 살피는 것이 유익합니다. 서양의 경우, 대중은 영국과 프랑스의 시민혁명[1] 이후 최초로 등장하게 됩니다. 급속한 도시화·산업화를 거치며 이들은 기존의 공중[2] 결합체를 대신하는 대중사회를 구축했습니다.

1) 시민혁명
시민혁명이란 혁명의 주체인 부르주아, 즉 시민계급이 구체제인 봉건제를 무너뜨리고 자본주의제를 확립케 한 혁명이다. 1642~49년의 영국 청교도혁명, 1688년의 영국 명예혁명, 1789년 프랑스대혁명이 대표적인 혁명이다.

2) 공중(公衆, public)
특이한 쟁점이나 사건에 자신들의 관심을 표명하고 정책 결정시 고려의 대상이 되는 다수의 사람들이다. 그러나 현대는 공중의 시대가 맞지 않아 대중의 시대로 이행되었다.

한국에서 대중사회의 모습은 1970년대 이후에 등장합니다. 1966년부터 본격적으로 시작된 경제개발은 농업 중심의 우리 사회를 급속히 변모시켰고 그 결과로 미미하나마 대중사회의 면모를 띠기 시작했습니다. 급격한 사회 변동, 소득 격차의 축소, 생활 양식의 균등화, 고등교육의 보급, 매스미디어의 발달과 다양화 등은 대중의 지위 향상에 커다란 기여를 했습니다. 이제 한국사회의 대중은 점차 과거의 공중이나 엘리트에 상대적으로 열등하다는 인식에서 탈피하여 사회의 중추를 이루는 집단으로 성장합니다. 이들은 현대사회에서 신장된 능력과 개별성으로 사회 전 분야에서 위력을 발휘하고 있습니다.

김별아의 베스트셀러 소설 『미실』

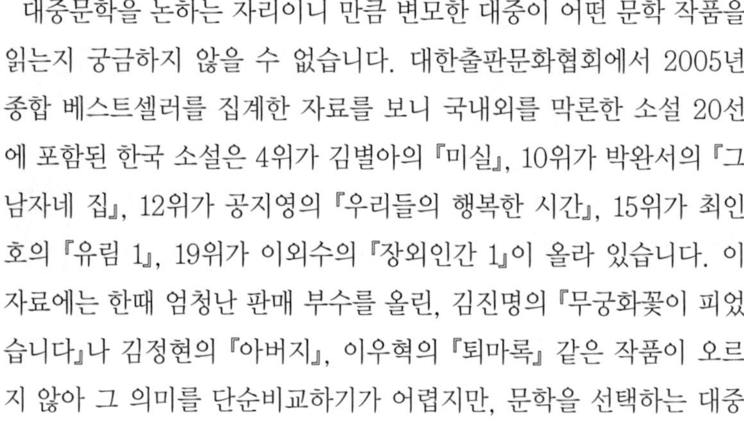

대중문학을 논하는 자리이니 만큼 변모한 대중이 어떤 문학 작품을 읽는지 궁금하지 않을 수 없습니다. 대한출판문화협회에서 2005년 종합 베스트셀러를 집계한 자료를 보니 국내외를 막론한 소설 20선에 포함된 한국 소설은 4위가 김별아의 『미실』, 10위가 박완서의 『그 남자네 집』, 12위가 공지영의 『우리들의 행복한 시간』, 15위가 최인호의 『유림 1』, 19위가 이외수의 『장외인간 1』이 올라 있습니다. 이 자료에는 한때 엄청난 판매 부수를 올린, 김진명의 『무궁화꽃이 피었습니다』나 김정현의 『아버지』, 이우혁의 『퇴마록』 같은 작품이 오르지 않아 그 의미를 단순비교하기가 어렵지만, 문학을 선택하는 대중

의 안목이 예사롭지 않음을 보여주기에 충분합니다.

김진명의 『무궁화꽃이 피었습니다』

김정현의 『아버지』

순위에 오른 작품들이 수험생의 논술 대비용이 아니라는 점은 자명합니다. 그렇다면 이 책들을 구입한 독자들은 직장인·대학생·주부 등과 같은 일반 대중일 확률이 높다고 판단됩니다. 그들의 구매 동기를 짐작하면, 일단 작가의 지명도가 크게 작용하지 않았나 생각됩니다.

『무소의 뿔처럼 혼자서 가라』『봉순이 언니』『고등어』 등의 작품으로 성가를 높인 공지영이나, 『나목』에서부터 발표하는 작품마다 수많은 독자층을 확보한 박완서, 1970년대 『별들의 고향』을 필두로 문명을 떨친 최인호, 역시 만만치 않은 독자층을 가지고 있는 이외수, 그리고 제1회 세계일보 문학상 수상자 김별아는 대중의 선택으로 베스트셀러 순위에 이름을 올릴 수 있었습니다. 그것이 전부는 아닐 것입니다. 과거에 읽었던 작가의 작품이 좋아 새 작품을 구입했을 수도 있습니다. 입소문으로 책을 골랐을 수도 있겠고 광고의 영향을 받았을 수도 있습니다. 하지만 수많은 문학작품이 명멸하는 출판 시장에서 일 년 내내 지속된 독자의 사랑은 작품성 없이 불가능했으리라는 짐작도 가능합니다.

다수의 베스트셀러 소설책을 쓴 공지영

아무튼 의미심장한 사실은 이 작가들의 작품이 대중의 선택을 받았다는 것입니다. 따라서 대중이 선택한 작품을 대중소설이라 부르고 그 작품의 창작자들을 대중작가라고 부르는 것에 작가들이 꺼림칙해할 이유는 없습니다. 베스트셀러를 거쳐 스테디셀러가 된 『태백산맥』의 작가 조정래에게, 출간하는 작품의 상당수가 베스트셀러가 된 이문열에게 대중작가라는 호칭을 부여하는 것이 왜 이상한가요? 작가에게 부와 명예를 가져다준 그런 칭호는 어떤 면에서 자랑스러울 수도 있지 않겠습니까?

공지영의 『고등어』

그런데 문제는 그리 간단하지가 않습니다. 아직도 많은 문필가에게 '대중' 이란 용어는 그다지 환영받지 못하는 것이 현실입니다. 다수의 작가, 문학 연구가, 일반인들은 문학을 고급(순수)문학과 저급(대중)문학으로 분류하고 있습니다. 이런 사고에는 고급문학의 향유자는 엘리트이고 저급문학을 즐기는 사람은 대중이라는 이분법적 사고가 전제되어 있습니다. 그리고 그 저간에 엘리트는 순수한 존재이고 대중은 속물적 존재라는 판단이 잠재되어 있습니다.

작품성과 대중성을 다 갖춘 소설을 많이 쓴 박완서

그간의 대중문학과 관련된 갑론을박은 그 사실을 명확히 보여주고 있습니다. 대중문학 비판자들은 대체로 다음의 논거로 공세를 펼칩니다. 대중문학은 독자의 저급한 통속성[3)]과 오락성에 영합하는 문학이라는 것, 자본과 결탁한 상품[4)]에 불과하다는 것, 독자에게 왜곡된 환상을 심어 부조리한 현실에서 도피하게 한다는 것, 고급한 작품에 대한 해석 능력의 부족으로 대중은 대중문학을 읽을 따름이라는 것 등입니다.

신문 연재 이후 『별들의 고향』을 낸 최인호

이 주장은 대중문학 옹호자들이 귀담아들어야 할 내용임에 틀림없습니다. 대중의 호응을 받은 작품 가운데에는 비현실적인 상황이 많이 나타나기 때문에 황당무계하다는 비난을 받기도 합니다. 마치 고전소설의 영웅담처럼 전지전능한 주인공이 등장해 고난을 극복하기도 하는 것입니다. 그러니 그들은 죽어야 할 상황에서도 죽지 않고 17:1의 싸움에서도 살아남는 기적을 연출합니다. 김홍신의 『인간시장』에 등장하는 장총찬이 그런 예가 아닐까요? 또한 독자의 심금을 울리겠다는 의도로 이용되는 과도한 감상의 늪, 최인호의 『별들의 고향』에 나오는 경아나 조해일의 『겨울여자』에 등장하는 이화의 구구절절한 사연이 그렇지 않나요? 작품을 거론하기는 뭐합니다만, 독자의 흥미를 끌기 위해 말초적 본능만 자극하는 장면을 내적 필연성 없이 삽입하기도 예사입니다. 신문연재소설에서 독자의 호기심만 잔뜩 부추겨놓고 다음 회를 기다리게 해 입맛만 다시게 하는 수법은 뭔가 좀스러운 꼼수로만 보입니다. 아울러 상업적 목적이 노골적으로 보이는 작품들도 흔한 것이 사실입니다.

순수문학에서 대중문학으로 자리를 옮긴 이외수

최인호의 『별들의 고향』

이문열의 『사람의 아들』

3) 통속성
일반적으로는 대중의 세속적 취향을 추종해 고상한 예술적 성향이 결여된 성질을 의미한다. 그러나 통속성이 문학 용어로 사용될 때는 이 의미와 더불어 구성이나 문체 등이 틀에 박혀 전혀 새롭지 못할 때를 말한다.

이런 비판에 대중문학 옹호론자도 당하고만 있지는 않는데 그들은 ①대중문학은 당대 독자들의 관심사 및 취향을 신속하게 반영한, ②교훈이나 감동을 목적으로 문학작품을 읽을 수도 있지만 단순한 여가 활용의 차원에서 읽을 수도 있다, ③순수문학을 우위에 두는 입장은 대중의 역량을 평가절하하고 있기 때문이다…… 뭐 이런 논리로 응전을 합니다. 이들의 주장 역시 나름대로 타당성을 지닌다고 여겨집니다.

4) 문학작품의 상품화

문학작품이 하나의 상품일 수 있다는 것은 문학계도 자본주의의 논리에 의해 작동되고 있음을 단적으로 보여주는 예일 것이다. 따라서 이제 문학작품도 교환가치의 대상에 다름 아닌데, 이는 경제적 능력이 있는 대중의 구매력을 전제로 한다.

대중문학은 대중과의 호흡을 늘 염두에 있기 때문에 세간의 관심사에 신속한 반응을 합니다. 이는 당대 사회의 현실에 발빠르게 대처할 수 있는 장점을 지닙니다. 또 모든 문학이 엄숙하고 진지하기만 하다면 독자는 그 무게를 견뎌내지 못할 것입니다. 문학의 기능에는 교훈설 외에 쾌락설도 존재합니다. 물론 이때의 쾌락은 작품을 통한 감정의 정화나 재미를 의미하겠지요. 한가한 시간에 영화 한 편을 보듯 가벼운 마음으로 문학작품을 읽는 것이나, 전철에서 무료한 시간을 메우는 방편으로 쉽고 편안한 작품을 읽는 것이 비난받을 일은 아닙니다. 현대사회에서 대중의 위상이 높아진 정황은 앞에서 살핀 그대로입니다.

정통문학 진영의 작가로서 베스트셀러가 된 『태백산맥』을 낸 조정래

이런 논의를 종합하면 대중문학은 일단 대중이 많이 읽는 문학임을 알 수 있습니다. 작품의 수준은 대중이 가볍게 '즐길 수 있는' 정도이고 그들이 '즐길 수 있게' 하기 위해 작품에 나름의 방법이 동원된다는 것으로 정리할 수 있습니다.

조정래의 『태백산맥』

김홍신의 『인간시장』

Ⅱ. 대중문학과 신문연재소설의 관계

신문연재소설도 적지 않게 쓴 황석영

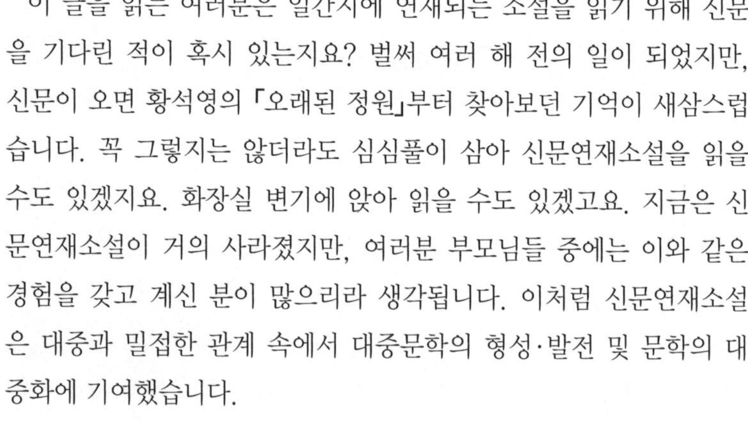

이 글을 읽는 여러분은 일간지에 연재되는 소설을 읽기 위해 신문을 기다린 적이 혹시 있는지요? 벌써 여러 해 전의 일이 되었지만, 신문이 오면 황석영의 「오래된 정원」부터 찾아보던 기억이 새삼스럽습니다. 꼭 그렇지는 않더라도 심심풀이 삼아 신문연재소설을 읽을 수도 있겠지요. 화장실 변기에 앉아 읽을 수도 있겠고요. 지금은 신문연재소설이 거의 사라졌지만, 여러분 부모님들 중에는 이와 같은 경험을 갖고 계신 분이 많으리라 생각됩니다. 이처럼 신문연재소설은 대중과 밀접한 관계 속에서 대중문학의 형성·발전 및 문학의 대중화에 기여했습니다.

단행본으로 출간된 황석영의 「오래된 정원」

신문소설과 대중의 밀착 관계를 거슬러 올라가면 그 기원이 신문학 초창기부터라는 사실을 알게 됩니다. 1917년 〈매일신보〉에 연재된 이광수의 「무정」은 당대의 근대적 이념과 재미라는 사뭇 이질적일 수 있는 요소를 적절히 배합해 아낌없는 사랑을 받은 작품입니다.

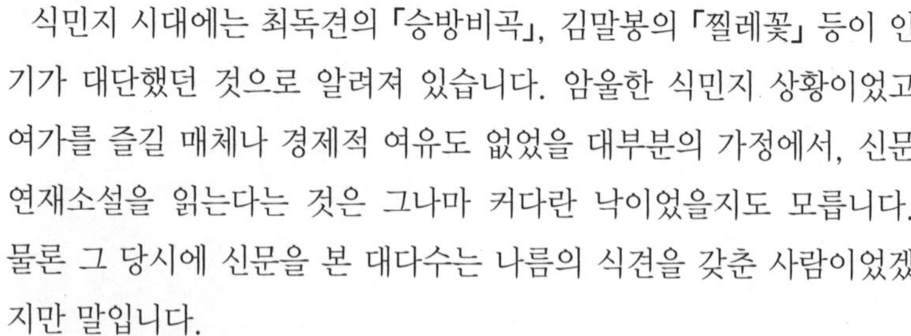

식민지 시대에는 최독견의 「승방비곡」, 김말봉의 「찔레꽃」 등이 인기가 대단했던 것으로 알려져 있습니다. 암울한 식민지 상황이었고 여가를 즐길 매체나 경제적 여유도 없었을 대부분의 가정에서, 신문연재소설을 읽는다는 것은 그나마 커다란 낙이었을지도 모릅니다. 물론 그 당시에 신문을 본 대다수는 나름의 식견을 갖춘 사람이었겠지만 말입니다.

해방 이후에는 김내성의 「청춘극장」, 정비석의 「자유부인」, 손창섭의 「부부」, 이호철의 「서울은 만원이다」 등의 작품이 좋은 반응을 얻었습니다. 특히 「자유부인」은 대학교수 부인이 춤바람이 나서 젊은 대학생과 향락을 즐긴다는 줄거리인데 이 작품에 대해 황산덕 서울대 교수가 "신성한 대학교수를 모욕하지 말라"고 일갈했다는 어이없는 에피소드도 전해집니다. 또한 정신적 불구자와 육체적 불구자를 등장시켜 전후의 우중충한 분위기를 묘사한 「비 오는 날」의 작가 손창섭은 성문제로 야기되는 부부간의 갈등을 「부부」에서 그려냈습니다. 분단문학의 큰 작가인 이호철은 「서울은 만원이다」에서 당시의 타락한 세태를 풍자했습니다.

손창섭의 소설집 「비 오는 날」

대중사회가 형성된 70~80년대에는 신문연재소설에 대한 관심이 더욱 증대되었습니다. 근대화가 진행 중인 이 시기는 대중에게 이전보다 시간적·경제적 여유가 커졌기 때문입니다. 대중소설이나 신문연재소설을 논할 때 빠지지 않고 거론되는 작품이 바로 최인호의 「별들의 고향」입니다. 조해일의 「겨울여자」와 박범신의 「불의 나라」도 대중의 사랑을 듬뿍 받은 소설입니다. 이 작품들은 신문에 연재될 때는 물론이고, 연재가 끝난 후에 출간해 베스트셀러가 될 만큼 큰 성공을 거두었습니다.

세태풍자 소설로 나아간 이호철

이쯤에서 신문연재소설의 성공 이유가 궁금해집니다. 과연 신문소설의 어떤 측면이 대중의 관심을 끌었던 것일까요? 신문은 그 속성상 각계각층의 불특정 독자들을 대상으로 하기 때문에 신문연재소설은 문학에 조예가 없는 사람들도 부담 없이 읽을 수 있도록 씌어집니다. 신문연재소설이 과도하게 엄숙하고 진지하다면 독자를 잃어버리기 십상입니다. 그래서 작가들은 대중의 흥미를 지속시키기 위해 극적 구성이나 독자의 연민에 호소하는 나름의 방법을 동원했습니다. 「장길

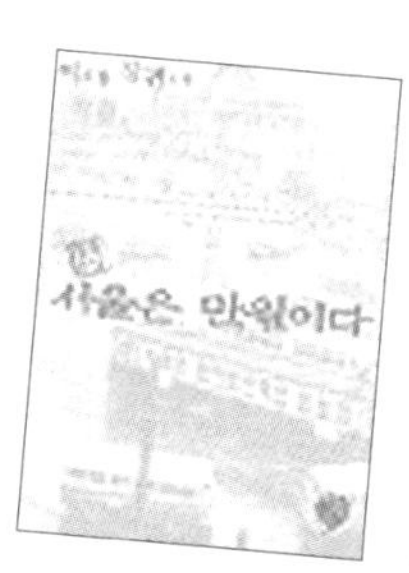

이호철의 「서울은 만원이다」

박범신의 「불의 나라」

대중문학과 정통문학 양자를 다 추구한 박범신

역사소설의 새로운 지평을 연 황석영의 『장길산』

산」이나 「객주」 같은 역사소설도 있습니다만 대부분의 신문연재소설은 당대의 사회적 이슈를 거름으로 삼아 작품화하기에 대중들과 동시대성을 공유하기가 용이합니다. 독자는 마치 소설의 인물이 자신과 당대의 삶을 함께 살아간다고 느끼게 되는 것이지요.

최인호의 「별들의 고향」에서 술집 호스티스인 경아는 소외계층을 대변하는 인물이기도 합니다. 물론 1970년대에 경제적 소외계층을 다룬 작품은 한국 소설사에 풍성합니다. 언뜻 떠오르는 작품으로 황석영의 「삼포 가는 길」, 윤흥길의 「아홉 켤레의 구두로 남은 사내」, 조세희의 「난장이가 쏘아올린 작은 공」 등이 있네요. 경아를 비롯한 이들은 현실에서 가난하고 소외당한 사람들입니다. 이들 작품이 당대의 독자들에게 사랑받았다는 것은 소설의 인물들이 곧 당시의 많은 대중의 삶과 다르지 않았다는 점을 의미합니다. 실제 개발독재가 자행된 제3공화국 시절에 소수의 자본가나 고위관료 등을 제외한 대중의 삶은 힘들었습니다. 이런 현실적 상황에 신문연재소설은 흥미를 유발하는 통속적 요소를 첨가해 대중의 사랑을 듬뿍 받았습니다.

서울신문에 연재되었던 김주영의 대하소설 『객주』

신문연재소설은 익숙한 구성을 사용하여 독자와의 거리를 좁힙니다. 김내성의 「청춘극장」은 남녀간의 삼각관계를 다루어 연애소설의 관습적 틀에서 한치도 벗어나지 않았습니다. 또한 신문연재소설은 독자에게 현실에 대해 대리만족을 줍니다. 촌놈의 상경기라 할 수 있는 박범신 작 「불의 나라」의 백찬규는 고향을 떠나 서울에서 어떻게든 적응하려는 많은 탈향민(脫鄕民)의 욕망을 대변하고 있습니다.

황석영의 『삼포 가는 길』

윤흥길의 『아홉 켤레의 구두로 남은 사내』

조세희의 『난장이가 쏘아올린 작은 공』

신문소설의 성공 요인이 대중문학 비판론자의 비판 근거가 된다는 점은 참으로 역설적입니다. 물론 지나친 통속성과 상업성은 별도의 문제가 되겠지만, 대중과 호흡하며 문학 독자층을 확산시킨 신문소설의 공로도 무시만 해서는 안 되겠습니다.

Ⅲ. 대중문학에 대한 논쟁

대중문학에 대한 논의가 논쟁의 형태를 띠기 시작한 때는 1970년대부터입니다. 이 시기에는 출판시장에서 전에 볼 수 없었던, 문학작품의 베스트셀러화라는 새로운 현상이 발생합니다. 연재 후에, 혹은 전작장편소설로 책으로 묶여진 최인호의 『별들의 고향』, 조해일의 『겨울여자』, 한수산의 『부초』, 박범신의 『죽음보다 깊은 잠』 등이 당시에 기록적인 판매고를 올린 책입니다.

한수산의 『부초』

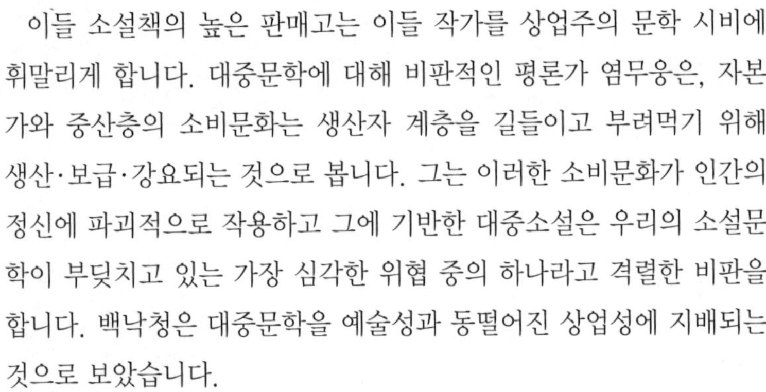
이들 소설책의 높은 판매고는 이들 작가를 상업주의 문학 시비에 휘말리게 합니다. 대중문학에 대해 비판적인 평론가 염무웅은, 자본가와 중산층의 소비문화는 생산자 계층을 길들이고 부려먹기 위해 생산·보급·강요되는 것으로 봅니다. 그는 이러한 소비문화가 인간의 정신에 파괴적으로 작용하고 그에 기반한 대중소설은 우리의 소설문학이 부딪치고 있는 가장 심각한 위협 중의 하나라고 격렬한 비판을 합니다. 백낙청은 대중문학을 예술성과 동떨어진 상업성에 지배되는 것으로 보았습니다.

박범신의 『죽음보다 깊은 잠』

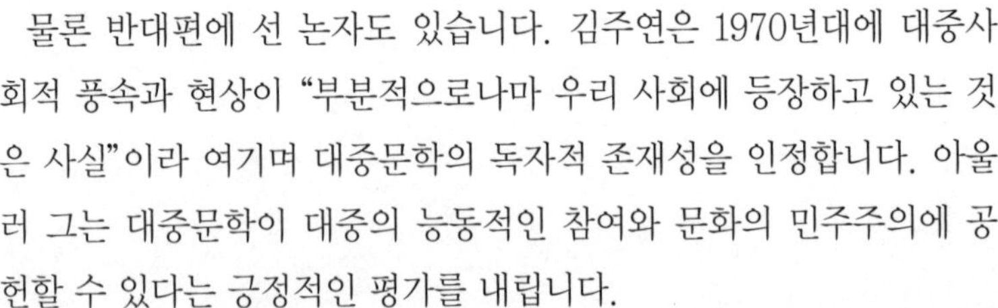
물론 반대편에 선 논자도 있습니다. 김주연은 1970년대에 대중사회적 풍속과 현상이 "부분적으로나마 우리 사회에 등장하고 있는 것은 사실"이라 여기며 대중문학의 독자적 존재성을 인정합니다. 아울러 그는 대중문학이 대중의 능동적인 참여와 문화의 민주주의에 공헌할 수 있다는 긍정적인 평가를 내립니다.

이런 논란은 1970년대를 넘긴 시점에서 조남현에 의해 다음과 같이 정리됩니다. 그는 위의 작품들을 중간소설[5]로 규정하면서, 소설을 본격(순수)-중간-통속으로 삼분합니다. 그는 중간소설이 많은 독자들을 소설 쪽으로 끌어들였다는 의미 부여와 함께, 이들의 소설을 기화로 상품성과 예술성이 높은 작품이 생산될 수 있었다고 말합니다. 실제 뛰어난 작품성으로 높은 판매고를 올린 소설책으로 이청준의 『당신들의 천국』, 황석영의 『객지』, 조세희의 『난장이가 쏘아올린 작은 공』, 이문열의 『사람의 아들』 등이 있습니다.

당시에 상업주의의 혐의를 받은 작가들이라 해서 그들의 문학적 역량을 무시하는 일은 온당치 않습니다. 이들은 '등단'이라는 제도적 장치를 거친, 문학적 능력을 이미 검증받은 작가들입니다. 최인호는 한국 소설사에 길이 남을 명작인 「술꾼」「타인의 방」「미개인」 등을 남겼고, 한수산은 특유의 감성적이고 우수에 찬 문체로 「안개사정거리」「거리의 악사」「이 세상의 모든 아침」 등을 발표하더니 1990년에 「타인의 얼굴」을 발표해 현대문학상을 수상했습니다. 대중소설을 적지 않게 썼던 박범신도 「흰소가 끄는 수레」「더러운 책상」 등의 문제작을 발표하면서 새롭게 문학성을 인정받고 있습니다.

이에 비해 1990년대 이후로는 작가의 등단·비등단 여부가 그리 중요하지 않은 시대가 되었습니다. 이제 누구나 글을 써서 책을 낼 수 있게 된 시대가 된 것이지요.

대중문학에 관한 논쟁은 1993년에 또 한번 전개됩니다. 1990년대 초의 출판시장은 1970년대와 사뭇 다른 양상을 보입니다. 이제는 순수문학이 누리던 영예와 영향력은 줄어들었고 그 결과 판매 부수가 예전에 비해 많이 감소합니다. 이 틈을 이은성의 『소설 동의보감』, 이재운의 『소설 토정비결』, 김한길의 『여자의 남자』 등이 파고듭니다. 여기서도 대중문학에 대한 찬·반 논자들이 치열한 공세를 주고받는데 대략적으로 요약하면 다음과 같습니다.

5) 중간소설(中間小說) 소설의 예술성을 기준으로 할 때 순문학과 통속소설의 중간에 위치하는 소설을 가리킨다. 일본 소설가 하야시 후사오가 처음 사용한 용어로, 일본의 전후에 순문학 작가가 저널리즘의 요청에 따라 반(半) 통속적인 작품을 많이 쓰게 되면서 붙여진 편의적 용어이다.

작품성으로 높은 판매고를 올린 이청준의 『당신들의 천국』

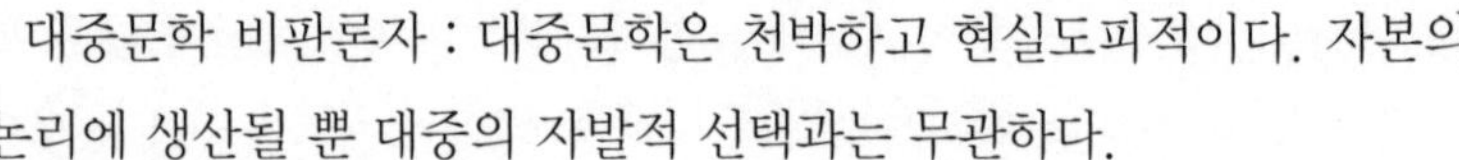

대중문학 비판론자 : 대중문학은 천박하고 현실도피적이다. 자본의 논리에 생산될 뿐 대중의 자발적 선택과는 무관하다.

대중문학 옹호론자 : 수준 있는 대중은 대중문학을 자발적으로 선택한다. 그들은 주체적이고 능동적인 작품 소비자들이다.

최인호의 소설집 『타인의 방』

옹호론자들이 대중의 높아진 위상을 좀더 강조하고 있을 뿐, 1970년대의 논쟁과 별반 다를 것이 없습니다.

가장 최근의 논쟁은 2001년에 있었는데, 조선일보 측은 '본격(순수)문학／대중문학의 21세기적 구도를 가늠하고 우리 사회의 문학적 판도를 읽는 기회로 삼고자' 한다는 기획 의도로 본격-대중문학 논쟁을 게재했습니다. 이전과 달리 비평가를 포함해 양측의 작가들이 직접 공방전을 벌여 이채로웠으나 예전에 비해 중도적 입장이 많았다는 것을 제외하고는 그리 새로울 것은 없습니다. 또 여러 필자가 참여한 관계로 간혹 논점마저 흐려지기도 했습니다. 그 내용을 요약하면,

감성적인 문체를 보여준 작가 한수산

대중문학 옹호론자 : 대중·본격문학의 경계가 모호하다. 작품을 선별하는 대중의 주체성을 인정하자.

대중문학 비판론자: 대중문학은 천민적 자본주의에 기생한다.

중도적 입장 : 중요한 것은 다툼이 아니라 작가의 예술적 열정과 투혼이다. 새로운 문학(성)을 창조하려는 노력이 필요한 시기이므로 양측은 적대적 관계를 청산하고 독자를 문학으로 끌어들이는 노력이 필요하다.

이은성의 『소설 동의보감』

이재운의 『소설 토정비결』

이상으로 간략하게 1970~2000년대에 이르기까지의 대중문학 논쟁을 살펴보았습니다. 이 논쟁을 피에르 브루디외(Pierre Bourdieu)[6]의 이론에 맞춰 설명하면 의미가 확연해질 듯합니다. 브루디외는 문화생산의 장을 '대량생산의 하위장'과 '제한생산의 하위장'으로 나누는데, 전자는 베스트셀러 등 상품경제의 원리에 작가가 지배되고 후자는 일반대중의 요구에는 일절 응하지 않고 작가 자신의 품위를 지켜나간다고 봅니다. 이렇게 상이한 위치의 작가들은 문학예술품에 대한 상반된 정의로 서로를 제압하려는 권력투쟁에 가담하게 됩니다.

브루디외의 이론대로 우리의 대중문학 논쟁은 이런 틀 안에서 진행되었다고 보입니다. 즉, 대중사회에서 양측의 진영이 문학의 주도권을 쥐려는 싸움 말입니다. 과거 대중의 위세가 약했을 때는 이런 논쟁 자체가 필요하지 않았을 것입니다. 그러나 대중의 권력이 확산되고 순수문학 쪽이 상대적으로 위축되자 대중이라는 영역을 확보하기 위해 문학장에서 치열한 각축전을 벌이게 됩니다. 각 진영은 저마다 대중을 자신의 장으로 끌어들이기 위해 싸우는 것이지요. 1990년대 이후 특히 심화된 이런 양상은, 어찌 보면 더 이상 대중에게 수수방관해서는 안 되겠다는 순수문학 쪽의 위기감의 발로는 아니었을까요?

6) 피에르 브루디외
1930년 프랑스 당겡에서 출생, 파리의 명문 루이 르 그랑 고등학교와 파리 고등사범학교를 나온 후 교사자격시험에 통과한 석학이다. 그 후 본격적인 저술활동을 전개한 부르디외는 사회학을 "비가시적인 관계를 구조와 기능의 현상 차원에서 생각하고 기술하는 학문"이라고 정의하였다. 그는 구조와 행위의 관계를 장(champ)과 아비튀스(habitus)라는 독특한 개념으로 설명하는 후기구조주의자이기도 하다. 여기서 장(場)은 행위 관계의 객관적 망(網)이고 아비튀스는 인식과 판단의 무의식적 성향 체계를 나타내는 라틴어에서 온 말로, '습관'과 비슷한 의미이다.

Ⅳ. 대중문학의 미래

예전에 열화당에서 출간된 『나는 왜 문학을 하는가』 우리 시대 문학가 일흔한 명이 말하는…』이란 긴 제목의 책을 읽었던 기억이 납니다. 그 책에는 젊은 소설가 김연수에서부터 한국 문단의 거목 이청준에 이르기까지 세대를 초월한 작가들의 문학하는 이유가 진솔하게 씌어져 있습니다. 저마다의 다양한 고백에 고개가 절로 수그러졌습니다만, 윤흥길의 대답 중에 나오는 구절이 인상적이었던 터라 옮겨봅니다.

상업성을 지닌 문학작품을 쓴 적이 없는 작가 윤흥길

오래 전에 똑같은 질문을 받은 적이 있다.

"당신은 왜 문학을 하는가?"

1980년대 초에 프랑스의 《리베라시옹》이 창간 기념 특집으로 부록을 꾸미면서 각국의 사백여 문인들에게 던진 앙케트의 내용이다. 나중에 지상에 발표된 앙케트 결과는 다소 의외였다. 방귀깨나 뀌고 산다는, 존경받을 만한, 당대의 저명 문인들이 문학을 하는 이유가 예상했던 만큼 고상하거나 깊이 있는 내용이 아니었기 때문이다. 애인에게 잘 보이고 싶어서, 유명해지고 싶어서, 돈을 벌기 위해서 등등 상당수 문인들이 아주 현실적인 이유 때문에 문학을 한다고 답하고 있었다.

명망 있는 외국 작가들의 대답에 윤흥길은 "겨우 그 정도 알량한 이유로 문학에 임하면서 그것도 무슨 자랑이라고 떳떳이 밝히는가 싶어 처음에는 당혹스럽기도 했지만, 따지고 보면 맞는 말이기도 했다. 어쩌면 그쪽이 외려 더 솔직한 고백일지도 모른다."며 자신은 자기 존재를 세상에 증명하고 싶어 문학을 시작했다고 말합니다. 여러분은 어느 쪽에 더 공감이 가는지요?

대중문학에 관한 논의는 근원적으로 '작가'와 '작품', '대중'의 문제입니다. 자신의 존재 증명이라는 지극히 내밀한 개인의 통로를 확보하기 위해 윤흥길은 글을 씁니다. 이에 비해 '현실적인 이유'[7]의 작가들은 보다 공적인 만남을 표방합니다. 이 두 그룹이 작품을 들고 길을 나섭니다. 그 길에서 많은 사람을 만날 수 있으면 행복할 것입니다. 끝까지 홀로 가야 하는 불행한 사태가 발생할 수도 있습니다. 윤흥길의 경우는 아무도 못 만난다고 해서 화를 내지 않겠지요. 어차피 시작부터 자기만의 길을 상정하고 있었으니까요. '현실적인 이유'의 작가들은 약간 실망할지 모릅니다. 그런데 어느 지점에서 누군가가 작가들에게 손짓할 수도 있습니다. 대중이라 불리는 그들이 누구를 부를지는 오직 그들의 뜻에 달려 있습니다. 대중사회에서 작품을 선택할 주체는 오로지 대중이니까요. 그들이 누구를 선택하든 불만을 토로해서는 안 됩니다. 호명 여부에 따라 양 진영의 작가들끼리 다투어서도 곤란합니다.

더 큰 문제가 작가들 앞에 놓여 있기 때문입니다. 대중들이 그들 앞에 아예 나타날 낌새조차 안 비치는 상황, '문학의 죽음'이 현실이 되는 상황. 그들은 이미 문학 이외의 다양한 것에 눈을 돌리고 있습니다. 영상, 컴퓨터 게임, 레저, 스포츠……. 문학 외에도 대중의 관심을 끌 만한 것들이 21세기에 널려 있지 않습니까? 그러니 이제 두 작가는 대중과의 새로운 소통을 모색해야 합니다.

방법은 두 가지입니다. 윤흥길의 길과 '현실적인 이유'의 작가들이 택한 다른 길. 그들 저마다의 선택에 나름의 이유가 있다는 것은 앞에서 살펴본 그대로입니다. 단 여기에는 다음의 전제가 반드시 필요

7) '현실적인 이유'
이들의 이유가 현실적이라 해서 이들을 삼류 저질 작가로 생각하면 곤란하다. 앞에서 밝힌 대로 이들이—누구인지 구체적으로 밝히지 않아 정확한 이름을 알 수 없지만—문학성을 인정받은 세계의 저명한 작가들이라는 것을 염두에 두고 읽어나가야 한다.

합니다. 어느 길로 가든 작품의 질적 향상을 위한 각고의 노력 말입니다. 그래서 그들은 전문독자(mania reader)나 대중독자(popular reader)들과 허물없이 동행할 수 있어야 합니다. 다만, 그들 중 누군가가 천박한 상업주의의 광풍에 편승할 생각이라면, 비평가 김주연의 일갈처럼 그 작가는 알아서 펜을 놓아야 할 것입니다. 아니, 그렇지 않더라도 대중은 이해타산에 너무 밝은 그를 문학의 세계에서 추방할 것입니다.

4장

수필

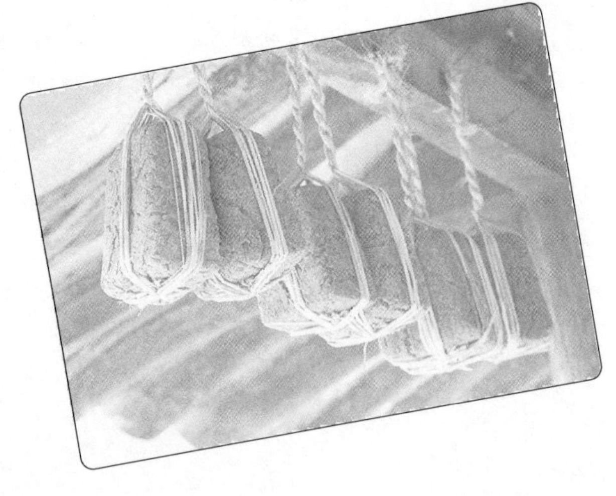

Ⅰ. 수필문학의 전개

수필을 한자로 쓰면 따를 수(隨), 붓 필(筆)입니다. 붓 가는 대로 쓰는 글이란 뜻이지요. 다시 말해 별다른 제약이 없이 자유롭게 쓰는 글, 혹은 자기 자신의 생각을 아주 쉽게 표현하는 문학이라고 할 수 있을 것입니다. 수필의 소재는 자신의 생활 주변에서 가져온 것이 많고, 일정한 주제를 평이하게 쓴 문학적인 글이라고 할 수 있습니다. ①누구나 작자로 나설 수 있는 문학, ②자기 고백적인 문학, ③체험의 문학이란 점은 보통 사람도 수필 작가로 나설 수 있게 하므로 수필 인구의 저변은 대단히 넓습니다.

《창작수필》

현재 우리 나라에는 아주 많은 수필 인구가 있습니다만 수필이 문학으로 크게 인정을 받지는 못하고 있는 것 같습니다. 하지만 시나 아동문학 쪽보다 수필 부문에 사람들이 많이 몰리고 있습니다. 수필 인구가 많은 것은 현재 국내에 《계간 수필》《수필과 비평》《수필문학》《수필춘추》《월간 에세이》《창작수필》《한국수필》《현대수필》 같은 문예지가 나오고 있는 것을 봐도 알 수 있습니다. 수필은 분량도 많지 않고 특출한 글재주가 필요한 것도 아니니까 많은 사람이 수필을 쓰고 있고, 또 즐겨 읽기도 하는가 봅니다.

《수필과 비평》

《월간 에세이》

《현대수필》

Ⅱ. 서양과 우리나라의 수필문학

『수상록』의 저자 몽테뉴

서양에서는 수필을 언제 누가 쓰기 시작한 것일까요? 16세기 말 프랑스 미셸 드 몽테뉴가 처음으로 수필이라는 장르를 만들어냈습니다. 몽테뉴는 만년에 고향에 은거하면서 다양한 경험을 통해 얻은 사색의 조각들을 진솔하게 기술하여 『수상록』이란 책으로 묶어냈습니다. 이것이 서양에서 수필의 효시입니다. 그는 에세(essai ; 시도, 시험이라는 뜻)라는 용어를 만들어 써 자신이 이 장르를 창안해냈음을 강조했습니다. 그래서 수필의 서양어는 '에세이'가 된 것입니다만 사실 몽테뉴처럼 쓰는 수필은 비교적 가벼워 '미셀러니'라고 하고, 우리말로는 경수필(輕隨筆)이라고 합니다.

이인로의 『파한집』

수십 년 뒤 영국의 프랜시스 베이컨은 프랑스의 몽테뉴와는 달리 심각하고 무거운 주제를 위엄 있고 장중한 문체로 써 역시 『수상록』이란 책을 냅니다. 그의 수필은 사회의 제반 문제에 대한 깊이 있는 사색을 전개했으며, 철학적 깊이까지 갖추어 내용이 꽤 무거웠기 때문에 중수필(重隨筆)이라 하고, 바로 이것을 가리켜 '에세이'라고 합니다. 그러니까 우리가 이런저런 문예지에서 볼 수 있는 수필은 '에세이'가 아니라 '미셀러니'인 것입니다.

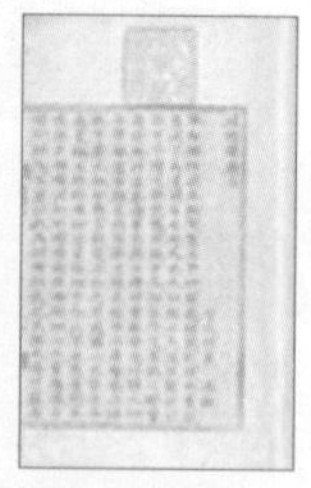
최자의 『보한집』

그렇다면 동양권에서는 수필문학이 언제쯤 등장할까요? 중국 송나라 때의 학자 홍매(洪邁)가 쓴 『용재수필』에서 시작하므로 12세기 때부터 시작되었다고 할 수 있습니다. 서양보다 훨씬 빠르지요? 중국의 이 책자는 당연히 우리나라(고려)에도 전해졌습니다. 이인로의 『파한집』과 최자의 『보한집』은 우리 수필문학의 원조로 삼을 수 있습니다. 고려시대에 수필은 대단히 성행했는데, 책의 제목에 잡기·야록·야담·총화·패설·야화·만필 같은 것이 붙어 있으면 곧 수필집이었습니다. 이재현은 『역옹패설』에서 "낙숫물을 벼룻물로 삼아 한가한 마음으로 붓 가는 대로 하여, 울적한 회포를 풀거나 닥치는 대로 적은 것"이라고 수필을 정의했습니다. 우리 수필의 역사는 이렇게 깊습니다.

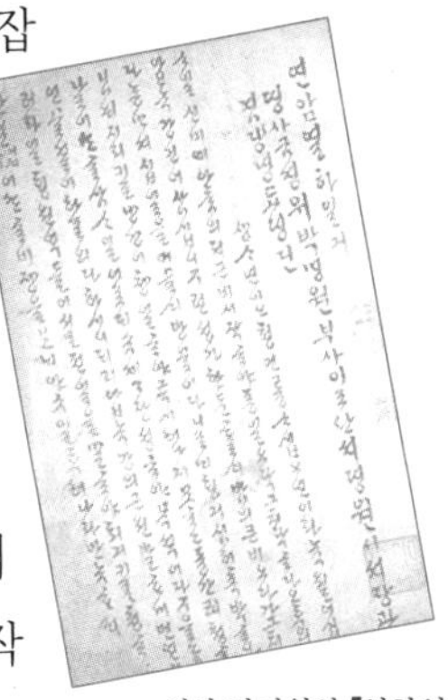
연암 박지원의 『열하일기』

조선조에 들어와서도 뛰어난 수필이 많이 나옵니다. 박지원의 『열하일기』, 김만중의 『서포만필』, 이익의 『성호사설』은 문학작품으로서 전혀 손색이 없습니다. 특히 혜경궁 홍씨의 『한중록』은 사도세자의 억울한 죽음과 정조의 왕위계승, 파란만장한 궁중생활의 애환 등을 여성적인 섬세한 필체로 술회한 수작입니다. 함흥판관 신대손의 부인 의령 남씨가 쓴 『의유당관북유람일기』 중의 「동명일기」는 동해의 일출 광경을 유려한 문체로 쓴 명문입니다. (작자가 함흥판관 이희찬의 부인 연안 김씨라는 설도 있습니다.) 한글로 쓴 유씨 부인의 「조침문」과 작자 미상의 「규중칠우쟁론기」는 의인체 수필의 전형을 보여준 작품으로 조선조 여성의 생활상이 잘 드러나 있습니다.

혜경궁 홍씨의 『한중록』

서양 수필의 고전에는 어떤 것이 있을까요? 영국 수필의 대가는 단연 찰스 램입니다. 1820년에 나온 그의 『엘리아 수필집』은 예술 전반에 대한 애정과 해박한 지식으로 인간에 대한 동정심과 인간성에 대한 신뢰, 영원에 대한 동경심을 표현한 서양 수필문학의 고전입니다. 영국 수필의 전통은 새뮤얼 존슨, 올리버 골드스미스로 이어집니다.

찰스 램의 『엘리아 수필집』

프랑스의 수필은 생트 뵈버의 『월요 한담』, 루소의 『에밀』이 명작으로 꼽히며, 고답파의 창시자 고티에와 소설가이기도 한 아나톨 프랑스가 수필문학의 충실한 계승자입니다. 미국의 수필은 숲 속의 생활을 예찬한 헨리 데이빗 소로의 『월든』이 첫손에 꼽히는 명작입니다.

Ⅲ. 한국 현대수필의 태동과 발전

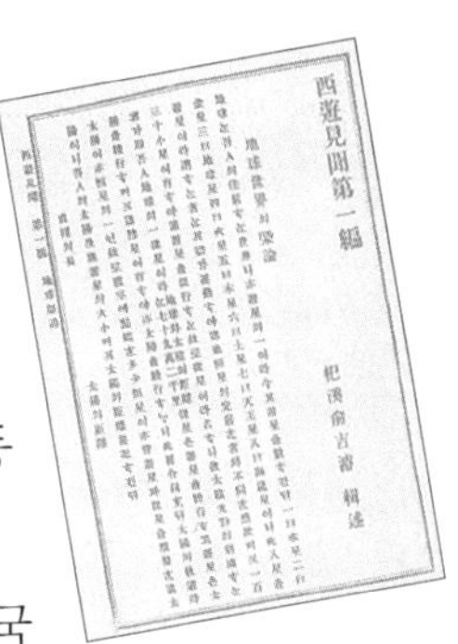
유길준의 『서유견문』

우리나라 현대수필은 1895년에 나온 유길준의 『서유견문』에서 시작됩니다. 일본 도쿄의 교순사에서 펴낸 이 책은 미국과 유럽 각국을 여행하는 동안 서양의 역사·지리·산업·정치·풍속 등을 보고 듣고서 기록한 것입니다. 국한문혼용체로 근대 언문일치 문장운동의 선구적 역할을 한 소중한 기행수필입니다.

1910~20년대에는 수필문학 전문 작가층이 형성되기 전이라 한국 여성운동의 선구자이며 서양화가인 나혜석의 「이상적 부인」, 시인 최남선의 「평양행」, 소설가 염상섭의 「국화와 앵화」 같은 수필이 등장합니다.

최초로 서양화 전시회를 연 나해석

1930년대에 오면 외국문학 전공자들에 의해 수필문학이 하나의 장르로서 우리 문단에 자리를 잡게 됩니다. 《박문》이라는 수필문학 전문지가 생겨나고 양대 문예지 《인문평론》과 《문장》에서 수필 고정란을 마련해 우리나라 수필문학의 성행을 유도합니다. 《조광》과 《동광》에도 수필을 많이 실어주어 수필문학의 성행을 유도합니다. 김기림·김진섭·김광섭 등이 이론적인 토대를 다진 이후, 시조시인 이병기, 시인 이은상·이

1939년 10월 창간된 월간문예지 《인문평론》

1935년 11월에 창간된 월간 종합잡지 《조광》

김진섭의 「인생예찬」

이양하의 「신록예찬」

상, 소설가 계용묵·이효석, 번역문학가 피천득·민태원①·김소운②, 영문학자 이양하③, 국어학자 이희승④ 같은 분이 자신의 주장르 작품을 쓰고 연구를 하면서 틈틈이 수필도 써 수필집을 냈습니다. 이 가운데 김진섭⑤의 「인생예찬」, 민태원의 「청춘예찬」, 이양하의 「신록예찬」, 이희승의 「청추수제(淸秋數題)」, 이상의 「권태」 등은 본격적인 수필이라고 할 수 있습니다. 이들 수필은 우리식 문장 미학의 완성, 인생론적인 깊이 담보, 선비정신의 구현 등을 특징으로 하고 있습니다.

일제말의 침체기와 광복 이후의 문단 분열, 6·25 발발에 따른 수필문학의 공백지대를 거쳐 1960년대에 전혜린⑥ 같은 스타를 배출한 이후 1970년대에 이르러 수필문학은 전성기를 누리게 됩니다. 전혜린의 수필집 『이 모든 괴로움을 또 다시』와 『그리고 아무 말도 하지 않았다』는 작가의 자살 이후 2000년대까지도 꾸준히 나가는 스테디셀러가 되었습니다. 수필문학이 전성기를 누리게 된 이유는 첫째, 《수필문학》(1972) 같은 수필 전문잡지의 등장 덕분이고, 둘째 안병욱·김형석·김태길같은 철학자가 비교적 쉬우면서도 감동을 주는 수필을 썼기 때문입니다. 이 세 사람의 수필집은 베스트셀러가 됩니다.

수필문학의 전성시대를 이끈 전혜린

이 시기의 수필에서는 급격히 발전하기 시작한 경제성장과 그로 인한 물질문명의 확산으로 제재가 더욱 다양해지고, 급기야는 말초적이고 감각적인 성향을 지닌 수필이 대거 등장하기 시작합니다. 그러나 그러한 시대적 추세에도 불구하고 앞서 살펴본 해방 전, 후 대표 수필가들은 삶에 대해 관조적이면서 철학적이고 순수서정적인 작품을 계속해서 진지하게 발표하고 있고, 이 시기 수필을 대표할 수

《수필문학》

있는 법정이나 윤오영⑦, 김소운 등은 역시 여전히 맑고 순수한 문학정신을 보여주고 있습니다.

전통적인 사상과현재적 삶을 조화시킨 수필을 쓴 윤오영

윤오영 수필의 특징은 우리의 전통적 사상과 정서를 근간으로 해서 우리의 현재 삶을 되돌아보게 하고 있다는 점입니다. 그는 단아한 품격을 지닌 선비정신을 바탕으로 하여 그의 곧은 주관과 논리를 펼쳐나가고 있습니다.

김소운은 어린 시절 고국을 떠나 이국 땅에서 성장한 삶의 이력으로 인해서 누구보다도 우리 전통적 삶과 향토적 서정에 남다른 애착을 보여준 수필가입니다. 「가난한 날의 행복」은 세 편의 가난한 부부의 일화를 통해 행복은 물질에서 얻어지는 것이 아니라 부부간의 소박한 사랑으로 이루어지는 것임을 감동적으로 역설하고 있습니다. 그리고 이 글은 수필 속에 소설적 줄거리를 끼어 넣는 독특한 방식으로 씌어지고 있어 더욱 개성적인 매력을 느끼게 하고 있습니다.

일본에서 더욱 유명한 수필가 김소운

1980년대에 들어서는 김동길·서정범 같은 학자, 유안진·신달자 같은 시인이 낸 수필집이 대단한 인기를 누립니다. 승려인 법정의 『무소유』는 수십 년 동안의 베스트셀러입니다. 법정은 이 책에서 사람들이 소유욕을 버릴 뿐 아니라 나날이 새로워지고 끊임없이 변화하라고 주문하고 있습니다. 그의 말대로 한 곳에 머무는 것은 정체되고 낙후되는 것이며, 오직 변화하는 것만이 새로운 가치를 지닐 수 있기 때문입니다. 그리고 진정 새로운 변화를 이루기 위해서는 무엇보다도 지금 소유하고 있는 것 모두를 과감히 버리고 그 집착에서 벗어나야 한다고 강조하고 있습니다. 버리고 떠나는 것만이 진정한 새로운 만남의 계기가 됨을 역설하고 있습니다.

이들의 이런 맑고 순수한 문학정신이 대중과 영합하려는 상업적인 수필의 등장으로 많이 흔들리게 되는 것이 또한 1980년대입니다.

쓰는 책마다 베스트셀러가 되는 법정 스님

오늘날에는 특수한 직업을 가진 전문인이 수필의 영역에서 활동하는 것을 볼 수 있는데, 이시형·이나미·김정일 같은 정신과 의사가 대표적입니다. 유홍준의 『나의 문화유산 답사기』, 홍세화의 『나는 파리의 택시운전사』, 신영복의 『감옥으로부터의 사색』 등도 수필문학의 범주에 넣을 수 있다고 생각합니다. 시운동 동인으로서 작품활동을 시작한 안재환은 류시화라는 필명으로 인도 선사들의 법어집과 여행기를 책으로 내 베스트셀러를 연이어 터뜨립니다. 『삶이 나에게 가르쳐준 것들』을 비롯한 그의 산문집은 수십 쇄를 찍을 정도로 인기를 누립니다.

법정의 『무소유』

수필문학의 성행은 문제점도 적지 않게 노출시키고 있습니다. 너나없이 쉽게 수필 전문 문예지로 등단하고 수필집을 내다보니 수필문학의 수준이 전반적으로 낮아지고 있습니다. 서양식으로 말해 신변잡기에 가까운 미셀러니가 양산되고 문학적 완성도가 높은 에세이는 상대적으로 많이 나오지 않고 있습니다. 문학공부를 정상적으로 하지 않은 사람의 경우 여과되지 않은 표현, 미숙한 문장, 엉성한 구성, 엉뚱한 주제가 문제가 되는데, 수필문학에 대한 문단과 학계의 논의가 좀더 활발해져야 할 것입니다.

5장

희곡

Ⅰ. 근대화 속에서 싹을 틔운 희곡

Ⅱ. 신파극을 벗어나 자유주의를 찾아서

Ⅲ. 리얼리즘 희곡의 실험과 정착

Ⅳ. 혼란과 충돌 속에서 피어난 희곡

Ⅴ. 공연예술 시대의 출발

Ⅵ. 다양한 희곡과 새로운 시도

Ⅶ. 전통을 수용한 현대극

Ⅷ. 실험주의 연극의 출발

Ⅸ. 중심에서 벗어나 새로운 곳으로

Ⅰ. 근대화 속에서 싹을 틔운 희곡

우리나라에서 근대적 형태의 희곡문학이 시작된 시기는 1910년대부터라고 할 수 있습니다. 왜냐하면 공교롭게도 신문학의 탄생과 그 때를 같이 하기 때문입니다. 최남선이 「해에게서 소년에게」라는 신체시를 썼던 1908년에 이인직이 신소설 「은세계」[1]를 각색하여 '신소설 연극'이라 일컬어진 「은세계」[2]를 원각사에서 공연했고, 또한 1911년 임성구가 창단한 극단 혁신단이 「불로천벌(不老天罰)」을 공연했습니다. 그로부터 약 10년간 이 땅의 연극은 이른바 신파극의 발아기이자 개화기라고 할 수 있습니다.

2) 『은세계』
1908년 11월 동문사에서 간행된 『은세계』 책 표지에 '신연극'이라고 표시된 것으로 보아 처음부터 신연극 각본으로 쓰고자 집필된 듯하다. 실제로 같은 해 11월 작자에 의해 원각사에서 상연되었고, 다시 14년 2월 혁신단에서 상연한 바 있다. 정치적으로 부패한 봉건 지배층의 가렴주구(苛斂誅求)와 이에 항거하는 민중의 반항의식 및 고루한 봉건체제를 개혁하기 위한 개화사상을 고취한 내용으로, 신소설 중에서도 주제의식이 가장 뚜렷이 나타난 정치소설이다.

1) 『은세계』의 줄거리

강릉 경금 동리에 사는 농민 최병도는 개화당 김옥균의 감화를 받아 구국의 일념으로 재산 모으기에 힘쓴다. 그러나 돈으로 벼슬을 산 강원관찰사에게 죄없이 잡혀가서 항거하다 죽고, 그 부인은 정신이상이 된다. 최병도의 딸 옥순과 유복자 옥남은 선친의 친구이며 재산관리인인 김정수와 함께 도미 유학을 하여 갖은 고생 끝에 공부를 마치고 10여년 만에 귀국, 어머니와 재회한다. 이때 거의 폐인이 되었던 어머니는 정신을 되찾게 되고 이튿날 이들 세 가족이 부친의 명복을 빌러 절에 갔다가, 정부의 개혁에 반대하여 일어난 의병들에게 붙잡혀 간다.

이인직의 신소설 「은세계」

이 시기에 일본에서 신파극이라는 새로운 근대극 양식이 들어와 기존의 전통극이 중앙무대를 잃고 변두리로 밀리면서 급속히 퇴조하기 시작하고, 신파극[3]은 우리나라 대중의 가장 중요한 오락물의 하나로 정착하면서 근대적 형태의 희곡문학을 싹트게 하는 역할을 합니다. 신파극이 일본에서 발생해서 이 땅에 유입되다 보니 그 내용까지도

이인직·김상천·박정동 등이 운영한 극장 원각사(1908. 7~1914. 3)

그대로 전해질 수밖에 없었습니다. 즉 일본에서 대중소설로서 인기를 끌었던 대부분의 작품이 신파 무대에서 인기를 모았고, 그것이 다시 우리나라에 번안됨으로써 역시 인기를 얻게 되었습니다. 특히 이 시기 대부분의 신파극은 감상의 눈물을 흘리게 했고, 삶보다는 죽음을, 저항보다는 참고 복종하는 것을 찬미하는 내용이 주를 이루었습니다. 이러한 식민지적 분위기와 신파극의 유행에 따라 조일재와 이상협 같은 신파극 작가들이 등장합니다. 이상협의 「눈물」이라든가 조일재·이상협 합작의 「청춘」 등의 작품은 일본 작품들과 구도덕을 은연중 찬양하고 의리와 인정을 중요시했습니다. 아무튼 신파극 작가들은 보수적이고 전통적인 윤리의식으로부터 한 발짝도 벗어나지 못하고 있었습니다.

3) 신파극

일본에서 수용된 용어. 일본에서 신파극이 등장하면서 일본 극계에서는 전통극의 일종이었던 가부끼를 구파라고 하고, 그에 비해 새로운 연극이라는 뜻에서 신파극을 신파라고 불렀다. 일본의 신파극은 신문에 연재되어 독자들의 좋은 반응을 불러일으켰던 신소설 작품을 각색하여 무대에 올린 것이 대부분이었다. 또한 일본의 신소설은 정치적 대결과 밀접한 관계를 맺고 있었고, 점점 신소설은 군사소설·탐정소설·염정소설·가정소설 등의 오락성이 짙은 통속소설로 변해갔다. 우리나라의 신파극의 전개 과정은 일본과 비슷한 경로를 보이고 있다. 1910년에 나타난 신파극은 일제히 민중계몽의 기치를 내세웠는데 러일전쟁을 겪으면서 일본과 같이 군사소설·탐정소설·염정소설·가정소설 순으로 변모해갔다.

그나마 신파극 시대의 희곡문학 수준을 좀더 진전시킨 작가는 소설가 이광수였습니다. 그는 소설 「무정」을 쓸 무렵 희곡 2편을 발표했는데, 그 작품이 「규한(奎翰)」과 「순교자(殉教者)」입니다. 「규한」은 개화기 젊은이들의 도덕관을 흔들어 놓았던 자유연애사상을 표현한 것이고, 「순교자」는 천주교도들의 순교문제를 다룬 것으로, 당시의 종교문제와 전통적인 인습의 문제를 교묘하게 결합하여 드러낸 작품입니다. 이렇게 이광수는 자신의 윤리의식과 인생관을 작품을 통해 보여줌으로써 새로운 변화의 바람을 불어넣었다고 보여집니다. 그리고 동시대의 극작가 유지영의 경우는 또 다른 면모를 보여줍니다. 그는 1919년 「연(戀)의 죄」라는 장막희곡을 발표하는데, 이 작품에서 작자는 사랑을 위해서는 죄도 지을 수 있다고 말하고 있습니다. 아직 신파극적인 인물 설정과 사건 전개에서 낭만적 분위기가 풍기기는 하지만 서구문예의 영향을 받아 조금씩 달라지고 있다는 것을 보여줍니다.

1910년대는 전통적인 구파와 일본적인 신파가 대중적인 오락으로 유행하면서 문학으로서의 희곡이 성숙되지 못했다고 말할 수 있습니다. 또한 작가들도 시대의식을 희곡 속에 제대로 투영하지 못했을 뿐 아니라 신파의 큰 흐름에서 벗어나지 못했습니다. 이것은 희곡이 시대의 기록자로서 기능을 거의 하지 못했으며, 그 주제에 있어서도 진부함을 탈피하지 못했기 때문입니다. 그러나 1919년 3·1운동이 일어나면서부터 연극계 전체에도 지각변동이 일었고 그에 따라 희곡도 하나의 장르로서 조금씩 빛을 발하기 시작합니다. 3·1운동 이후 동인지 중심으로 문단 활동이 시작되면서 희곡을 쓰는 작가들도 등장했으며, 시인이나 소설가 또는 연극 애호가들 중에서도 희곡을 쓰는 경향이 나타나기 시작합니다. 언론인 최승만이 「황혼(黃昏)」을, 화가 김유방이 「삼천오백양(三千五百兩)」을, 시인 조명희가 「김영일(金英一)의 사(死)」를 발표했는데 이것은 시대 풍조를 반영한 것이라고 할 수 있습니다. 이런 유형의 희곡작가들이 등장하게 된 배경도 사실은 대중적 자각과 연극의 사회적 기능이 증대되는 조짐을 보였기 때문입니다.

「김영일의 사」 「파사(婆娑)」 등의 희곡을 남긴 조명희

실제로 3·1운동이 일어나면서부터 연극계에도 적잖은 변화가 일어나기 시작합니다. 신파극 퇴조와 함께 그 주도자들의 자기 반성을 한 것, 서구 근대화의 소개와 수용, 서구 연극을 답습한 근대극의 실험 등이 변화의 양상이었습니다. 이 시기에 발표된 조명희의 「김영일의

사」를 비롯한 작품들의 특징은 신파극의 영향을 받지 않고 철저한 리얼리즘 기법을 실험했습니다. 그만큼 3·1운동은 전근대에서 근대 희곡으로 넘어갈 수 있도록 한 큰 충격파였습니다.

Ⅱ. 신파극을 벗어나 자유주의를 찾아서

1920년대는 근대적 자각과 자아의식을 토대로 하여 반봉건주의를 제창함으로써 인간의 자유와 평등을 의식적으로 작품 속에 심으려고 노력했던 시기입니다. 1920년대 들어오면서부터 종래 신파극의 바탕이 되었던 계몽주의와 전근대적인 비극에서 벗어나 이른바 서구 근대문학이 추구하는 인간의 자각과 개인의 권리를 주장하는 작품들이 고개를 들기 시작합니다. 여권 신장, 자유연애와 결혼, 사회의 어두운 면 묘사와 폭로 등 서양의 근대극이 즐겨 다루었던 소재가 주를 이루게 됩니다. 물론 그 형식과 내용의 완성도에 있어서는 아직도 미숙함을 벗어나지 못했지만 1910년대에 비해 그 주제의식이 적극적이며 사회성까지 띠고 있었습니다. 하지만 아직도 희곡이나 연극이 일본을 통한 서구 근대극의 그늘 아래서 벗어나지는 못하고 있었습니다.

1922년 민중극단을 창단한 윤백남

이 시기에 활발하게 창작활동을 한 극작가와 그의 작품들을 통해 1920년대를 살펴보겠습니다. 우선 윤백남을 들 수 있습니다. 그는 1918년에 「국경」이라는 희곡을 발표했으며, 1920년 5월 16일 〈동아일보〉에 「연극과 사회」라는 평론을 발표함으로써 나름대로의 연극론을 주장하기도 합니다. 또한 그의 대표작 「운명(運命)」은 1921년에 공연되었고, 3년 후인 1924년에 신구서림에서 희곡집으로 출판되었습니다. 그밖에도 「등대직이」 「환희」 「제야의 종소리」 「사랑의 싹」 등 수많은 번역극과 번안글을 발표하였으며, 1931년 유치진·서항석과 함께 극예술연구회[4]의 창립 동인으로 활동하였습니다.

유치진(뒤줄 오른쪽)과 극예술연구회 회원들

4) 극예술연구회

1931년에 결성된 극예술연구회의 창립 취지는 극예술에 대한 일반의 이해를 넓히고 진정한 의미의 신극을 수립하는 데 있었다. 처음에는 여름 연극강좌를 개최하여 이 방면의 계몽에 노력했으며, 뒤에 실험무대를 조직하여 실제로 공연활동을 전개했다. 고골리의 「검찰관」과 입센의 「인형의 집」 등 세계명작이 이때 상연되었고, 5~6년 동안 20여 회 공연하여 서구 사실주의의 도입을 통해 신극운동에 기여했다. 또한 기관지 《극예술》을 발간했다.

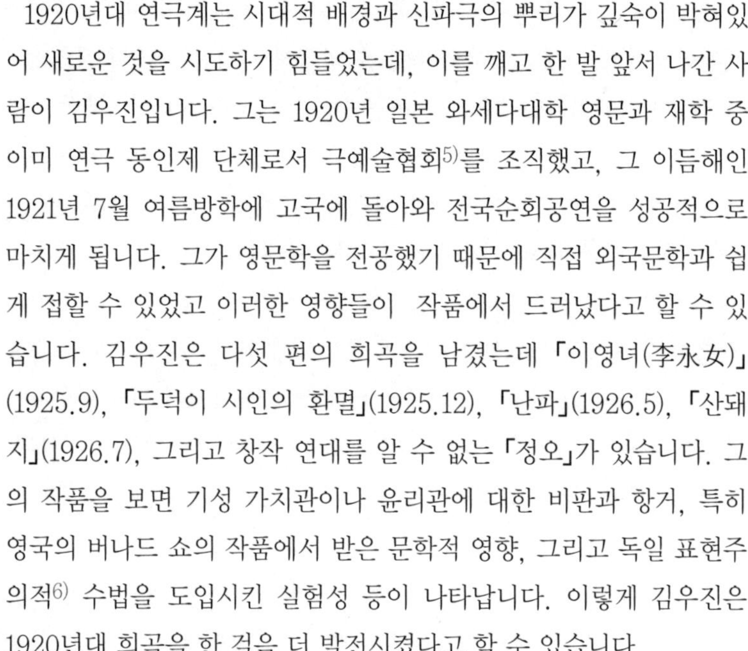

1920년대 연극계는 시대적 배경과 신파극의 뿌리가 깊숙이 박혀있어 새로운 것을 시도하기 힘들었는데, 이를 깨고 한 발 앞서 나간 사람이 김우진입니다. 그는 1920년 일본 와세다대학 영문과 재학 중 이미 연극 동인제 단체로서 극예술협회[5]를 조직했고, 그 이듬해인 1921년 7월 여름방학에 고국에 돌아와 전국순회공연을 성공적으로 마치게 됩니다. 그가 영문학을 전공했기 때문에 직접 외국문학과 쉽게 접할 수 있었고 이러한 영향들이 작품에서 드러났다고 할 수 있습니다. 김우진은 다섯 편의 희곡을 남겼는데 「이영녀(李永女)」(1925.9), 「두덕이 시인의 환멸」(1925.12), 「난파」(1926.5), 「산돼지」(1926.7), 그리고 창작 연대를 알 수 없는 「정오」가 있습니다. 그의 작품을 보면 기성 가치관이나 윤리관에 대한 비판과 항거, 특히 영국의 버나드 쇼의 작품에서 받은 문학적 영향, 그리고 독일 표현주의적[6] 수법을 도입시킨 실험성 등이 나타납니다. 이렇게 김우진은 1920년대 희곡을 한 걸음 더 발전시켰다고 할 수 있습니다.

1920년대 연극계의 기린아 김우진

5) 극예술협회

극협(劇協)이라고도 한다. 1920년 일본의 동경 유학생이었던 김우진이 유학생들을 규합하여 리얼리즘극 도입을 제창하면서 발족시켰다. 지성인이 대거 참여한 최초의 신극운동 단체로 서양의 고전극과 근대연극 작품 등을 연구했으며, 순회극단을 조직하여 신파극 일변도였던 당시의 극계에 새로운 연극운동을 주창하였다. 순회극단에서 선보였던 사실주의적인 희곡과 연출기법, 무대장치 등은 침체해 있던 한국 연극계에 신선한 자극을 불러일으켰다. 1920년대 초 서구 근대극을 전파하는 맹아가 되었으며, 아마추어 연극 붐을 일으키기도 했다. 당시 상연한 연극은 「김영일의 사」「최후의 악수」「찬란한 문」 등이며, 연극 막간에 홍난파의 연주와 윤심덕의 독창을 곁들이기도 했다.

6) 표현주의 극

20세기 초 독일을 중심으로 전개된 문예사조인 표현주의가 연극에 반영되어 나타난 것으로, 자연주의 극과 마찬가지로 사실주의 극에서 파생되었으며 인간의 내면과 무의식의 세계를 주관적으로 묘사한다. 특징은 우선 개인의 가장 주관적인 내부세계의 묘사에 충실하기 때문에 자연히 자서전적인 요소를 극중에 강하게 도입한다는 것이다. 그리고 등장인물은 작가 자신의 분신이거나 주인공의 의식 속에 잠재해 있는 한 특성을 나타내기 때문에 개성적인 살아 있는 인물이 되지 못하고 유형화되거나 풍자화된 인물로서 사회의 한 집단을 대표한다. 유형화된 인물들이 사용하는 언어는 몽환적인 분위기 속에서 사고의 지속성이 없는 복잡한 심리적 갈등을 표현하기 때문에 논리를 필요로 하는 일상언어와는 달리 잘라낸 듯이 단편적이다. 이 단절된 언어 표현을 보강하기 위해서 인간의 근본 정서에 더 호소력이 있는 음향 효과가 많이 사용되어 언어 이전의 심리 상태가 효과적으로 전달될 수 있다. 또한 표현주의 작가들은 극에 있어서 다양함과 통일성을 동시에 부여해주는 독백을 사용하여 등장인물의 내부세계의 사상과 감정을 관객에게 전달한다. 주제는 파괴적이고 부패한 현실에서 도피하여 개인의 내부세계로 가라앉아 잠기려는 유아론적 경향을 보여준다. 이 극은 메시지 중심이기 때문에 구성이 삽화적이고 다수가 수색, 또는 순례의 형식을 취한다. 진실이 사물의 내면적 환영 속에 있다고 하여 사물의 외양이 자주 왜곡된다. 사람의 동작은 자주 기계화되어 나타나고 대사는 전보문처럼 짧거나 반대로 아주 긴 문장으로 구성된다.

이렇게 다양한 희곡들이 발표되었다면 1920년대를 이끈 대표적인 극단은 무엇이 있었을까요. 바로 토월회입니다. 토월회(土月會)는 '이상은 하늘에 있고, 발은 땅을 디딘다' 는 뜻을 가지고 처음에는 순수한 문학동호회 성격으로 발족되었습니다. 그러다 1923년 7월 4일 조선극장에서 창립 공연을 가짐으로써 연극 단체로 전환하게 되었습니다. 레퍼토리는 유진 필롯의 「기갈(飢渴)」, 안톤 체호프의 「곰」, 버나드 쇼의 「그 남자가 그 여자의 남편에게 어떻게 거짓말을 하였나」 등 번역 단막극과 박승희의 창작극 「길식(吉植)」(1막)이었습니다. 그 뒤 톨스토이의 「부활」(4막), 마이어 푀르스터의 「알트 하이델베르크」(5막), 스트린드 베리의 「채귀(債鬼)」 등 번역극을 계속 상연함으로써 다채로운 신극 운동을 전개, 한국 극예술의 새로운 경지를 개척했습니다.

토월회의 창립 동인들

토월회는 문학적 가치가 있는 희곡작품을 사실주의 수법으로 공연함으로써 근대극을 정착시키는 데 주도적 역할을 했지만 지나치게 서양 작품에 치중했다는 평가를 받았습니다. 이 토월회의 중심에 있었던 것이 박승희였습니다. 그는 창작·번역·번안 등 가리지 않고 쓰는 것이 토월회를 살리는 길이라고 믿고서 많은 작품을 썼는데 대표작으로 「고향」 「이 대감 망할 대감」 「아리랑고개」 「혈육」 등이 있습니다. 결국 신파극과 싸우려다가 종국에는 신파극단으로 전락하게 되면서 토월회의 운명은 다했다고 볼 수 있습니다. 그렇지만 박승희의 작품과 토월회는 연극이 나아가야 할 방향을 모색하는 좋은 기회였습니다.

Ⅲ. 리얼리즘 희곡의 실험과 정착

희곡은 무대에 올려질 때 비로소 완성되는 문학의 형식이라고 할 수 있습니다. 따라서 극장의 활성 여부가 크게 좌우됩니다. 1930년대는 극단들의 활발한 공연을 통해 희곡이 생산되고 그 희곡들이 질적으로 향상된 시기였습니다.

동양극장[7]이라는 최초의 전문 공연장을 가짐으로써 상업극의 번성을 가져왔으며 이 계열의 극작가들로서 임서방·이운방·왕평·이서구·임선규·김건·최독견·김춘광 등이 있습니다. 그 가운데 임선규의 「사랑에 속고 돈에 울고」라든가 이서구의 「어머니의 힘」 등은 신파 시대의 한 유행으로 기생들의 가엾은 사랑과 결혼의 불행 등을 표현한 작품이라 할 수 있는데, 그 시대의 대중들은 그러한 이야기를 통해 자신들의 응어리를 풀어보고자 했던 것입니다.

현대극으로 재연된 「사랑에 속고 돈에 울고」

7) 동양극장

객석 600여석으로 1935년 10월에 준공되었다. 평양 출생의 유지 홍순언과 배구자악극단을 이끌던 배구자가 당시 19만 5000원을 들여 지은 국내 유일의 연극 전문극장이었다. 이 극장은 회전무대와 호리존트를 갖추고 1935년 11월 1일, 개관 공연의 막을 열면서 화려하게 등장했다. 이 극장의 출현으로 당시 연극 상설극장의 건립을 염원하던 많은 연극인들의 숙원이 풀리게 되었다. 연극을 자체적으로 소화하기 위하여 일반연극의 청춘좌, 사극 중심의 동극좌(東劇座), 희극 중심의 희극좌 등 전속 극단을 두고, 연중 무휴로 연극을 공연하였다. 동양극장은 연극 연구소를 설치하여 신인을 양성, 많은 인재들을 연극계와 영화계로 내보냈다. 극단 단원의 보수도 이제까지의 일급 또는 무급제도를 없애고 월급제도를 실시하는 등 획기적인 운영 방식을 채택하여 연극인의 사기를 높여주었다. 따라서 동양극장에는 많은 연극인이 모여들어 1930년대와 1940년대에는 대중연극의 메카로 군림했는데 1950년대 이후 한때 영화관으로도 쓰이다가 1976년 2월에 폐관, 1995년에 철거되었다.

국내 최초의 전문 공연장인 동양극장

일제의 식민지 통치 아래서 빈궁과 불안에 시달리던 대중들은 잠시나마 정신적 도피처를 구하고자 했던 것이고 그 도피처 구실을 해준 것이 바로 신파극이었습니다. 물론 1930년대부터 해방에 이르기까지 계속해서 신파극만이 대중을 위로했던 것은 아닙니다. 김춘광의 「검사와 여선생」같이 자수성가한 인물을 통해 청소년의 교육을 말하기도 했고, 서항석의 「마을의 비가」에서처럼 고부간의 관계를 긍정적으로 묘사해줌으로써 계몽성을 띠기도 했습니다. 그러나 감상과 눈물이 무대를 지배했던 것은 사실입니다. 이러한 신파극은 1940년대에 들어서 일본국군주의가 강압적으로 시행한 소위 국민연극 시대에 친일 어용의 앞장을 서기에 이릅니다.

식민지 치하의 피폐상을 폭로한 유치진

그 다음으로 3·1운동 이후 실험적 차원에 머물러 있던 서구 리얼리즘극[8]이 극예술연구회의 본격적 근대극운동 전개에 따라 자리를 잡게 됩니다. 이때 유치진·한세덕·김영수·이광래·김진수 등이 등장합니다. 대표적인 작가인 유치진은 1932년 「토막」으로 데뷔하여 「버드나무선 동리의 풍경」 「빈민가」 「소」 등을 연달아 발표, 식민지 체제에서의 피폐상을 폭로했습니다. 그가 묘사하려던 것은 그 시대의 가난한 삶이었으며 그런 삶 뒤에 숨어있는 사회의 구조적 모순까지도 고발하고자 했습니다. 그리고 함세덕은 스승인 유치진처럼 어촌을 무대로 식민지하의 민족적 질곡을 묘사하다가 갑자기 친일극으로, 그리고 해방과 함께 사회주의 리얼리즘으로 변신을 거듭하게 됩니다. 그는 1936년 「산허구리」로 데뷔해서 「동승(童僧)」 「해연(海燕)」 「추석(秋夕)」 「감자와 쪽제비와 여교원(女敎員)」을 쓸 때까지만 해도 리얼리즘과 로맨티시즘을 넘나들면서 자신만의 독특한 서정 세계를 펼쳤습니다. 그러나 곧 친일 어용극을 썼고, 해방과 함께 좌경했습니다.

「함세덕 문학전집」

8) 리얼리즘 극(사실주의 극)

1850년경 프랑스에서부터 시작되었다. 희곡작가는 실재하는 세계의 진실한 묘사를 위해 노력할 것, 가능한 한 직접적인 관찰과 경험을 토대로 작품을 쓸 것, 최대한 객관적으로 묘사할 것이 요구되었다. 사실주의 극은 사회 및 현실문제에 많은 관심을 기울였으며 특히 빈민계층의 열악한 삶의 양상에 주목하였다. 우리나라에 사실주의 극이 최초로 수용된 것은 1922년에 창단된 토월회(土月會)를 통해서였다. 이 새로운 사조는 신극(新劇)이라 불리었고 1931년에 조직된 극예술연구회에 의해 본격적으로 뿌리내리게 되었다. '극연'은 해외의 유명 사실주의 극들을 번역하여 공연하는 한편 우리 현실에 바탕을 둔 창작극들을 생산했다. 8·15광복 이전 사실주의극의 대표작으로는 유치진의 「소」(1935)와 함세덕의 「동승(童僧)」(1939)을 꼽을 수 있다. 사실주의 극은 1970년대까지 우리나라 희곡의 주류를 이루었다.

세 번째로 이러한 연극의 활성화에 자극을 받아 소설가들이 희곡에 관심을 갖고 작품을 많이 쓰게 되는 것은 1930년대의 특이한 현상이라고 할 수 있습니다. 이러한 작가로 채만식·이무영·김송·유진오 등이 있습니다. 특히 소설가로서 자리를 잡고 있던 채만식의 경우 1927년 「가죽버선」을 시작으로 30여 편의 희곡을 썼는데, 그는 연극계와 관련을 맺지 않은데다가 무대 형상화가 적합하지 않은 작품들을 썼기 때문에 한 편도 공연되지 못했습니다. 그렇지만 양적으로 많은 희곡을 남겨 희곡사를 풍부하게 만들었으며, 주제도 식민지 교육의 모순과 고리대금업 등 자신의 소설 주제와 그 맥을 같이 하고 있습니다.

네 번째로는 일제에 의해 KAPF가 탄압을 받으면서 프롤레타리아 극작가들이 상업성을 띠는 대중적 희곡을 많이 썼는데, 송영·박영호·김태진·김승구 등이 이 계열의 극작가입니다. 그들은 시대의 아픔을 작품의 주제로 삼았고, 언제나 사회주의적인 이념을 작품에 투영하려고 애썼습니다.

1923년 단편소설 「느러가는 무리」로 데뷔한 송영은 「백양화(白洋靴)」 「모기가 없어진 까닭」 「산상민(山上民)」 등의 희곡을 연달아 발표했으며 1930년대에 들어서도 많은 희곡을 썼습니다. 그의 작품들은 주로 궁핍한 현실을 폭로하거나 풍자하는 것이었습니다.

위에 언급된 극작가들 외에도 남우훈·이석훈·남궁만·이서향·신불출·박서민 등 무명작가들이 적지 않았습니다. 1930년대 희곡의 주류는 사실주의 실험과 정착이라 할 수 있겠는데, 이들은 희곡을 통해 모순의 현실을 부단히 지적하려 노력했습니다. 그 예로 남우훈의 「그들의 하루」와 「그들은 어찌하나」, 남궁만의 「靑春」, 박서민의 「봄의 서곡」 등을 들 수 있습니다. 이렇게 1930년대는 많은 극작가들이 탄생한 시기였으며, 근대 희곡의 기초를 다진 시기였다는 점에서 중요한 의미를 가집니다.

Ⅳ. 혼란과 충돌 속에서 피어난 희곡

1945년 8월 15일 해방은 우리 민족에게 하나의 감격이자 흥분 그 자체였다고 할 수 있습니다. 하지만 사회 전반의 현상은 한마디로 혼란과 충돌, 그리고 무질서가 뒤엉킨 상태였습니다. 해방된 조국에서 우리 문학이 직면한 문제는 식민지시대 친일문학의 잔재를 버리고 민족문학을 재정립하는 것이었습니다. 그러나 해방 직후 등장하게 된 이데올로기의 대립은 문학계에도 나타나 문학적 과제 해결보다는 소위 계급문학과 순수문학으로 양분되어 대결 양상을 보이게 됩니다. 문학의 예술성보다는 도구성을 중요시하는 계급문학 쪽은 재빠른 움직임을 보이며 1945년 8월 16일에 조선문학건설본부를 결성하게 됩니다. 하지만 이들의 이념적 모호성을 반대하는 문학가들은 조선프롤레타리아예술가동맹을 결성하며 그들과 적대적인 태도를 보이게 됩니다. 이 두 조직은 남로당의 개입으로 1946년 12월 13일에 조선문학동맹이란 조직으로 통합되고, 이후 조선문학가동맹으로 개칭됩니다.

좌익계열의 이러한 활발한 조직화에 맞서 우익 계열에서도 1946년 3월 13일에 전조선문필가협회를 결성하게 됩니다. 그러나 정확히 말하자면 이 단체는 전문적인 문학단체가 아니고 문필가단체였으며, 전문적인 우익 문학단체는 1946년 4월에 결성된 조선청년문학가협회라 할 수 있습니다.

희곡문학계에서도 이러한 대립적 경향은 마찬가지로 나타나게 됩니다. 1945년 8월 18일에 조선문화건설중앙협의회가 결성되고 때를 맞추어 연극건설본부가 들어서게 됩니다. 위원장에 송영, 서기장에 안영일을 앉히고, 김태진·이서향·함세덕·박영호·김승구·나웅·신고송·강호·김욱 등이 중심세력으로 나서게 됩니다. 그러나 공산진영에 가담하기를 거부했던 유치진·이서구 등이 배척당하며 연극계는 자연스럽게 좌익과 우익으로 갈라서게 되었고, 좌익 진영에서도 극렬분자에 속했던 나웅·강호·신고송·김승구·김욱 등은 여기서 탈퇴하여 프롤레타리아연극동맹을 결성하게 됩니다. 이렇게 연극계는 세 갈래로 분열됩니다.

극단 자유극장·낙랑극회·조선예술극장·혁명극장·서울예술극장·인민극장·동지 등이 좌익 진영의 연극을 상연하였고, 이광래가 중심이었던 민족예술무대와 동경학생예술좌의 동지들이 모인 극단 '전선' 정도가 우익 진영을 대표한다고 볼 수 있습니다.

해방 직후, 일제치하에서 친일을 했던 작가들은 자신의 죄과를 씻어내기 위해 재빠른 변신을 취했고, 반일을 했던 작가들은 민족적 울분을 토해내기 시작합니다. 그러나 당시의 작품은 사실주의적이라기보다 감상주의적이고 민족주의적인 작품이 많았습니다. 아직 해방의 기쁨과 감격 그 자체에서 헤어나지 못했을 뿐 아니라 역사적 현실에 입각한 진정한 민족적 역사의식을 자각한 작품들을 볼 수 없었습니다. 다만 그러한 혼란 속에서 문예파 산하의 문학가동맹·연극동맹이 주도권 쟁탈을 위하여 혈안이 되었으며, 신탁통치문제와 좌우 양 진영의 대립 등 정치적 문제가 휘몰아치면서 연극계도 두 세력의 대립으로 치닫게 됩니다.

해방 이후의 연극계의 판도가 바뀜에 따라 극작가의 활동도 그 모습이 달라졌습니다. 그 가운데 직업적인 극작가로 유치진·김영수·김춘광·조건 등이 활발하게 움직임을 보였고, 뒤늦게 이북에서 내려온 오영진이 신예 극작가로서 두각을 나타내기 시작합니다.

유치진은 해방 후 줄곧 침묵을 지켜오다가 다시 '극예술협회'를 부활시키면서 활동하기 시작합니다. 그는 해방 전 극단 '현대극장'을 주도하면서 「대추나무」 「북진대」 「흑룡강」 등 일본의 황국주의와 제국주의 침략전을 긍정적으로 받아들인 친일작품을 발표했습니다. 이러한 죄책감에 침묵을 지킬 수밖에 없었던 그가 일제치하에서 저지른 과오를 씻고 또 한번 작가로서의 변신을 꾀하게 됩니다. 유치진은 「조국」 「은하수」 「별」 「대춘향전」 등 일련의 역사극을 발표하면서 대중들에게 민족주의를 강조하기에 이릅니다.

이 시기에 주목할 만한 극작가가 오영진입니다. 그의 대표작으로는 「배뱅이굿」 「한네의 승천」 「풍운」 등이 있으며, 특히 「맹진사댁 경사」는 1943년 8월 《국민문학》에 일본어로 발표했던 시나리오였지만 희극정신의 투명성과 우리의 민속적인 정취나 한국적 해학성을 성공적으로 구축한 작품이라고 할 수 있습니다. 아무튼 그는 우리 희곡문학에 결핍되어 있는 풍자와 해학을 독자적인 방법으로 정착시키는 데 큰 공헌을 한 작가로 평가받고 있습니다.

한국적 해학성을 구축한 오영진

해방 후 이 시기의 희곡문학은 한 가지 점을 우리에게 상기시켜 주는데, 그것은 바로 희곡이 관객을 만나는 문학이라는 것입니다. 해방 후 희곡문학은 동시대의 관객과 함께 호흡한 극작가가 별로 없어서 큰 아쉬움을 남깁니다.

Ⅴ. 공연예술 시대의 출발

1950년대 연극의 시작은 중앙국립극장의 개관과 함께 시작되었습니다. 개관 기념 공연으로 유치진의 「원술랑」이 화려하게 선을 보였고, 사람들은 앞으로 공연예술계의 시대가 될 것이라고 했습니다. 국립극장은 전속배우를 두지 않고 '신협(新協)'과 '극협(劇協)'을 두어 선의의 경쟁을 도모하고자 했습니다. 연극뿐만 아니라 교향악·창극단·가극단·합창단·무용단들도 공연 계약을 맺어 명실공히 문화 전반을 주도하고자 했습니다. 그러나 이러한 의욕들은 6·25전쟁으로 얼마 가지 못하고 말았습니다. 전쟁 중에도 신협은 꾸준히 활동했는데 1953년 대구에서 국립극장이 재건되고 서항석이 극장장으로 취임하여 윤백남의 「야화」로 개관 공연을 가졌습니다. 그러나 이때쯤에 많은 극단들이 이미 서울로 올라와서 공연을 하고 있었습니다. 특히 극단 '신협'도 서울에서 공연을 했으며 유치진이 주도했습니다. 전쟁의 종결 이후 연극계는 침체 분위기였는데, 그 원인의 하나가 국립극장과 '신협'의 대립이었습니다. 국립극장의 전속극단으로 출발했던 '신협'이 대구에 국립극장이 재건되면서 당시 재계약을 맺지 못하며 사이가 안 좋았는데, 1957년 '왜 싸워?' 사건[9]으로 국립극장과 신협의 마찰로 극계는 양분되고 말았습니다.

1950년에 개관된 국립극장

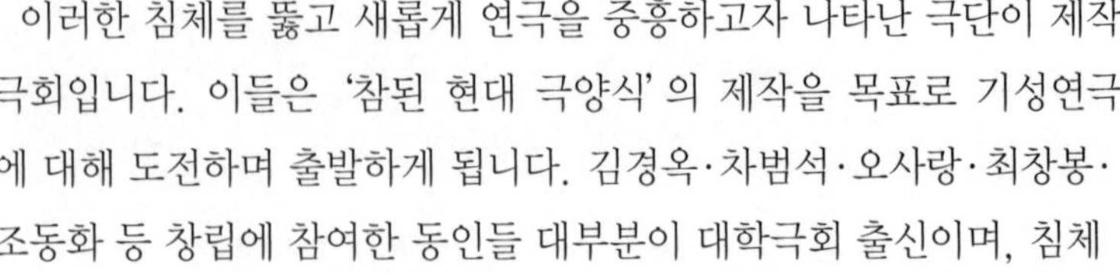
이러한 침체를 뚫고 새롭게 연극을 중흥하고자 나타난 극단이 제작극회입니다. 이들은 '참된 현대 극양식'의 제작을 목표로 기성연극에 대해 도전하며 출발하게 됩니다. 김경옥·차범석·오사랑·최창봉·조동화 등 창립에 참여한 동인들 대부분이 대학극회 출신이며, 침체

9) 희곡 「왜 싸워」

1957년 당시 한국연극학회 회장이던 유치진이 전국 남녀 대학생 연극 경연 대회에 상연하고자 제출했던 작품이다. 학생극 진흥을 위해 좋은 창작극을 선보이겠다는 의지를 가지고 《자유문학》지에 1차 발표를 하고, 동시에 대학생들에게 작품을 주어서 무대에 올리도록 준비를 진행하고 있었다. 그런데 당시 《자유문학》을 주관하고 있던 김광섭이 「왜 싸워」는 친일작품 「대추나무」의 개작이므로 경연대회에 상연되어서는 안 된다는 문제 제기를 하고 나선 것이다. 이러한 시시비비가 발단이 되어 국립극장과 신협이 크게 다투게 된다.

된 극계에 새로운 바람을 불러일으킵니다.

한편 이들 외에도 국립극장 희곡현상, 신춘문예, 《현대문학》 등을 통해 하유상·이용찬·임희재를 위시하여 오학영·김상민 등의 극작가들이 등단했으며, 1958년에는 ITI(국제극예술협회)의 한국 본부가 창립되어 국제적인 연극 교류의 길을 열게 되었습니다.

1950년대 희곡에 있어서의 가장 큰 수확이라고 하면 신인들의 등장이라 할 수 있는데 그 중에서 가장 대표적인 작가가 차범석입니다. 그의 대표작으로는 6·25를 다룬 작품인 「나는 살아야 한다」, 새로운 과학문명과 서구화에 의한 구세대의 몰락을 예견한 「불모지」와 「계산기」, 애욕의 갈등을 통해 윤리적 부패와 위선을 그린 「공상도시」와 「귀향」, 인간에 대한 짙은 애정에서 비롯한 휴머니즘을 그린 「성난 기계」 등이 있습니다. 위의 작품은 모두 6·25전쟁 그 자체나 이데올로기 문제보다는 그것이 우리 삶에 남긴 상처에 대처하는 모습을 보여주고 있습니다. 이와 달리 하유상은 6·25 문제보다는 신·구세대 간의 갈등이나 결혼관으로 비롯되는 갈등을 표현하고 있는데, 그의 대표작 「딸들 자유연애 구가하다」에 이 주제가 잘 나타납니다.

2006년에 작고한 차범석

이 시기의 또 하나의 특징은 여성 작가의 등장입니다. 이들은 여성 특유의 시각으로 주로 여성을 등장시켜 사랑이라는 주제에 대해 말하고 있는데, 김자림의 「돌개바람」, 박현숙의 「사랑을 찾아서」 등이 있습니다.

1950년대의 희곡은 해방 전에 등단했던 기성작가들이 극계를 주도했으며 또 이들로부터 영향을 받은 젊은 신인들이 등단하면서 함께 나아가는 시기였습니다. 그러나 한편으로 해방과 전란의 사회적 혼란으로 새로운 문학적 수련을 쌓을 여유가 없었습니다. 한마디로 말해 1950년대의 희곡은 근대극의 성숙기로 사실주의 극의 실험장이며 축적기였습니다.

Ⅵ. 다양한 희곡과 새로운 시도

전쟁의 후유증이 채 가시기도 전에 맞이한 1960년대는 여전히 작가들에게 힘겹기만 했습니다. 게다가 4·19혁명과 5·16쿠데타와 같은 정치적 상황들이 작가들을 현실 속으로 뛰어들게 만들었습니다. 우선 이 시기는 시·소설에 못지 않게 희곡이 외형적으로는 비교적 풍성했다고 할 수 있습니다. 1950년대 말 제작극회를 시작으로 한 실험극 운동이 연극계를 자극하여 1960년대에 들어서 동인제 극단 시대가 열린 덕분이었습니다. 실험극장·민중극장·동인극장 등이 등장했고, 1962년 드라마센터의 개관과 함께 잠시나마 연극 중흥운동이 일어난 것도 문학 지망생들로 하여금 희곡을 쓰도록 유혹했다고 볼 수 있습니다. 또한 잇따라 나타난 극단 산하·자유극장·광장·가교·여인극장 등 10여 개 극단이 창작극 공연에 관심을 보인 것도 극작가들의 의욕을 북돋웠다고 할 수 있습니다. 그래서 각종 문예지에도 희곡이 자주 게재되었으며 명동 국립극장 무대에도 창작극이 자주 올라갔습니다.

국내 최초로 현대식 객석을 갖춘 드라마센터

1960년대에는 지속적으로 작품활동을 해온 차범석·하유상·이근삼·오영진이 중심적 역할을 했고, 신인으로 오태석·노경식·이재현·신명순·윤대성·박조열 등이 실험성 짙은 작품을 들고 기성 희곡계에 가세함으로써 중견과 신진의 두 흐름을 형성하게 됩니다. 그 중에서도 차범석은 근대 희곡사에서 한 획을 그은 「산불」이라는 작품을 남겼습니다. 이 작품이 주목을 끄는 것은 리얼리즘 기법을 형태상 성숙시켰다는 점과 이데올로기 갈등과 동족상잔의 전쟁을 객관적인 입장

차범석의 희곡집 『산불』

에서 다루려 노력한 점 때문입니다.

이근삼도 1960년대 연극계에 새바람을 일으키면서 등장합니다. 그 이유는 문학성보다는 극장성을 강조하였고, 비극이나 멜로드라마가 유행이던 당시에 희극 정신을 되살리면서도 기존의 희극 방법을 깬 소극 형식을 취했기 때문입니다. 그의 희곡은 형식의 분방성에 있어서나 풍자·비판의 대담성, 종횡무진으로 내뱉는 독설 등이 신선한 충격을 주었습니다. 그의 작품으로는 「원고지」 「거룩한 의식」 「위대한 실종」 「광인들의 축제」 등이 있습니다.

관객을 많이 웃겨준 이근삼

실험성이 강한 젊은 신진작가로는 윤대성·오태석 등을 얘기할 수 있는데, 그 중에서도 윤대성의 「망나니」라는 작품은 실험극의 선구자 역할을 했다고 할 수 있습니다. 그는 무속을 현대극에 끌어들이기도 하고, 서사기법을 활용하기도 하는 등 잘못된 역사와 현실을 비판하기 위한 여러 가지 실험을 합니다.

그리고 무서운 신인으로 주목받게 되는 오태석은 「웨딩드레스」로 연극계로 데뷔한 이후 「육교 위의 유모차」 「여왕과 기증」 「유다여, 닭이 울기 전에」 「교행」 등 매년 장·단막극 등을 두세 편씩 발표하면서 완성한 활동을 벌이게 됩니다. 오태석의 작품들은 전위성과 난해성, 그리고 신선한 감각이 돋보입니다. 그의 작품은 플롯이 해체되어 있고 대사도 즉흥적이어서 주제도 모호할 때가 많습니다. 이처럼 그는 현대 부조리 계열의 작가들처럼 충동적이고 무의식 세계를 헤매는 작가라고 할 수 있습니다.

이근삼 작 「원고지」

1960년대 희곡 문학은 40년 동안 추구해온 사실주의가 비로소 정착기를 맞는 시기였으며, 다른 한편으로는 사실주의 극을 극복하는 서사극이라든가 부조리극[10] 등 새로운 양식

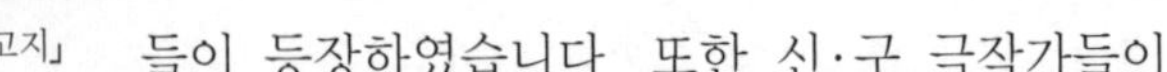
들이 등장하였습니다. 또한 신·구 극작가들이

뚜렷하게 세대교체를 하는 시기도 바로 이때였다고 할 수 있습니다.

10) 부조리극

1950년대 프랑스를 중심으로 일어난 전위극(前衛劇) 및 그 영향을 강하게 받은 연극이다. 1940년대 사르트르와 카뮈도 세계의 부조리와 그에 대항하는 자유로운 행위자로서의 인간을 묘사했지만 그것을 더욱 발전시켜 전쟁 전의 초현실주의 수법을 통해 부조리를 재현하여 그 구체적인 이미지를 주려고 하였다. 부조리의 감정은 1·2차 세계대전을 겪었던 20세기 인간의 고뇌에서 태어났다. 2차 세계대전 직후 연극은 상징주의와 표현주의의 영향으로 수정사실주의 연극(modified realism)이 주류를 이루는 가운데 1950년대 프랑스를 중심으로 전위극이 등장했는데 이오네스코의 「대머리 여가수」(1950), 샤무엘 베케트의 「고도를 기다리며」(1953)가 대표작이다.

Ⅶ. 전통을 수용한 현대극

1970년대는 제3공화국으로 넘어서면서 정치적으로 별다른 변화가 없었으며 여전히 일인독재체제가 유지되고 있었습니다. 연극이나 모든 문화 활동은 법의 철저한 통제 아래 행해졌으며 이러한 상황에서 외적으로는 연극계가 위축된 것처럼 보였습니다. 대본의 사전 검열 · 공연의 사전 승인 등 연극은 공연법의 제약이 엄격히 행해지게 됩니다. 그러나 연극인들은 이러한 위축되고 정체된 분위기 속에서도 자신들의 의지를 표현하기 위해 민속극의 재현과 전통적 연극을 서구식 현대극에 접목시키려는 노력을 합니다. 또한 희곡이 다양한 활동 지면을 갖게 되는 시기였다고 할 수 있습니다. 신춘문예를 제외하고는 희곡 발표 지면이 《현대문학》과 《월간문학》뿐이었는데 《연극평론》(1970), 《현대연극》(1971), 《드라마》(1972), 《현대 드라마》(1973)가 창간되어 활기를 띠는 듯했으나 이 계간지들은 곧 운영난으로 폐간되고, 한국연극협회가 펴낸 《한국연극》(1975)이 창간되면서 게재 지면을 넓혀갔습니다. 그리고 1973년 공연법이 개정된 이후 소극장이 많이 늘어나고 이와 함께 극단의 수효도 계속 증가하게 됩니다.

이 시기에 활동한 작가들을 살펴보도록 하겠습니다. 우선 오영진은 「허생전」 「동천홍」 「무희」 등의 작품을 발표했으며, 이근삼은 「유랑극단」 「학당골」 「왜 그러세요」 「아벨만의 재판」 「마네킹의 축제」 등을 발표했습니다. 그는 짜임새 있고 풍자와 고발정신이 가득한 단막극을 중심으로 현실비판적인 문제를 집

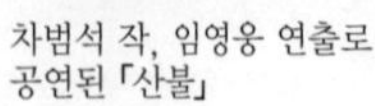
차범석 작, 임영웅 연출로 공연된 「산불」

요하게 다루었습니다. 그리고 차범석은 1962년 「산불」이 국립극단에서, 「갈매기 떼」가 극단 신협에서 재기 공연에 성공하면서 극작가로서의 자리를 굳히며 쉴새없이 극작 활동을 전개하게 됩니다. 1970년대에는 「환상여행」 「새야 새야 파랑새야」 「묘지의 태양」 「오판」 등 다양한 작품을 발표합니다.

1960년대에 이미 두각을 나타낸 오태석은 70년대에 들어와 현대인의 의식구조를 해부하고, 1960년대에 범람하기 시작한 부조리연극의 요소들을 가미시켜 나름대로의 실험을 하게 됩니다. 그는 연출로도 뛰어난 솜씨를 보이며 1970년대 후반부터는 대다수의 작품에서 스스로 연출하여 주목을 끕니다. 「이식수술」 「초분」 「약장수」 「춘풍의 처」 「물보라」 「산수유」 등 많은 작품을 발표했습니다. 특히 「춘풍의 처」[11]는 고전소설 「이춘풍전」의 내용을 바탕으로 하면서도 그 줄거리를 그대로 따르지 않고 「봉산탈춤」의 미얄 과장의 내용과 형식으로 재구성한 작품으로, 비극을 웃음으로 감싸는 우리의 서민적 정서를 잘 재현했습니다. 오태석은 1970년대 후반 작품으로 갈수록 전에 보여주던 춤과 노래와 사설이 혼합된 놀이 형태에서 벗어나 언어의 필연성을 부연시키게 됩니다. 「물보라」 「산수유」 등에서 이러한 실험을 시도합니다. 이렇게 1970년대의 희곡은 우리의 역사적 사실을 재평가 내지 정리함으로써 그 속에서 현재와 미래를 내다보고자 하는 노력을 기울였다고 할 수 있습니다. 이러한 기반들은 1980년대 희곡이 출발하는 밑거름이 됩니다.

극작과 연출 모두에서 두각을 나타낸 오태석

「춘풍의 처」

11) 「춘풍의 처」 줄거리

평양에 장사하러 갔다가 기생 추월에게 빠져 돌아오지 않는 춘풍을, 그의 처가 찾아 나선다. 도중에 수중(水中) 세계에서 노모를 살리기 위해 더덕을 구하러 지상에 나온 이지와 덕중을 만난다. 이들은 은(銀)을 밀반출한 부자(父子)를 서울로 압송하는 중인데 그 상금으로 더덕 구입비를 마련하려고 한다. 부자(父子)를 놓아주고 서로 신세 한탄을 하는데 춘풍이 나타나고 춘풍에게 맞아 그 처는 졸도한다. 춘풍의 처가 죽은 줄 알고 출상을 하려는데 옥리들이 춘풍을 평양으로 잡아간다. 독경하러 왔던 봉사가 춘풍 처의 돈을 빼앗아 가고, 춘풍 처는 미물들의 도움을 받기로 하고 덕중 조카의 자식을 낳아준다. 평양 감사가 된 춘풍 처는 재판 중에 추월을 만나 싸우다 쓰러진다. 춘풍은 추월이가 죽은 줄 알고 곡을 하는 중에 처가 일어난다. 춘풍의 처는 춘풍과 한바탕 어울려 놀고 난 뒤 기함하여 정말 죽는다. 굿이 치러진 뒤 이지와 덕중만 남는다.

Ⅷ. 실험주의 연극의 출발

1980년대는 '1980년 5월 광주'라는 엄청난 비극과 함께 시작되었다고 해도 과언은 아닐 것입니다. 그 엄청난 소용돌이 속에서 작가들이 깨어 나오기까지는 비교적 오랜 세월이 걸렸습니다. 게다가 무대 공연을 전제로 하는 희곡의 경우 스스로 알아서 검열 조건에 맞춰야만 하는 상황이었습니다. 예를 들어 1980년에 쓰여진 오태석의 「1980년 5월」 같은 작품은 보기 드물게 제목에 분명한 '시대 상황'을 담고 있으면서도 그 시대 자체가 아니라 그 밑에서 웅크리고 있는 무기력한 지식인들을 스쳐 지나가듯 보여줄 뿐입니다.

80년대에는 많은 역사극이 나오는데 그 이유는 역사가 오늘을 살아가는 우리의 삶과 어떠한 연관을 맺을 수 있느냐 하는 문제와 직결되기 때문입니다. 1982년 창작된 김상렬의 「언챙이 곡마단」과 이현화의 「불가불가」는 역사를 취급하는 새로운 방법론을 제시한 작품이라는 데서 주목할 필요가 있습니다.

이현화 작 「산씻김」

이 중에서 이현화는 기존의 연극이 지니고 있던 통념을 깨기 시작합니다. 즉 무대는 어디까지나 무대이고 관객은 관객일 뿐이라는 관습을 정면으로 뒤집어엎습니다. 「카덴자」 「산씻김」 등과 같은 작품에서 잔혹극적 또는 제의적인 기법을 이용하여 관객 스스로가 무대 위에 배우와 같은 공포감을 직접 체험하도록 상황을 이끌어갑니다. 더 나아가서는 연극을 만드는 배우의 수동성 혹은 일상성까지를 뒤집어엎고자 하는데 이러한 시도를 바로 「불가불가」에서 보여줍니다. 이외에도 역사의식의 문제와 관련해서 1988년 극단 아리랑의 「갑오세 가보세」와 광주에 있는 '토박이 극단'의 「금희의 오월」이 좋은 반응을 보였는데, 특히 「갑오세 가보세」는 동학을 취급하여 그것의 혁명적 의미를 당시의 민주화 운동과 연결지어 보려고 했던 것입니다. 이러한 시도는 연극에서 우러나오는 신명성을 삶의 현장에 직접적으로 접맥시키려고 했다고 볼 수 있습니다.

1980년대의 희곡은 그 시대의 연극 환경과 상당 부분 관련이 있습니다. 80년대의 연극 환경은 정치·풍자극의 성행과 민속극의 성행, 소극장 공연의 활성화, 연극 양식의 다양화 속에서의 뮤지컬의 발전 등으로 요약할 수 있습니다. 이러한 경향 속에서 특히 1970년대와 다른 점을 지적한다면 다양한 연극 창조를 위한 실험적 노력이 활발했다는 사실을 들 수 있습니다. 이는 소극장의 활성화와 밀접하게 관련이 있으며, 구체적으로는 희곡에 의거한 연극보다는 공연성 자체에 치중되는 연극이 성행하게 됩니다.

대규모의 자본을 들이지 않고 작품을 만들어야 하므로 다양한 창작 기술을 모색하게 되고, 리얼리즘 무대를 피한 다양한 양식의 작품들이 만들어질 수밖에 없었습니다. 이러한 환경 속에서 윤조병은 「농토」 「모닥불 아침이슬」 「풍금소리」 등의 작품을 통해 리얼리즘 무대를 고집했으며, 뮤지컬과 관련하여 윤대성은 「방황하는 별들」 「꿈꾸는 별들」 등 일련의 작품을 발표했습니다. 실험적 작품으로는 이윤택의 「오구, 죽음의 형식」이 있습니다. 그는 꾸준하게 극작과 연출을 함께 하면서 자신만의 독특한 작품세계를 확보해 나갑니다.

윤대성 작, 김우옥 연출로 공연된 「방황하는 별들」

1980년대는 1970년대가 거둔 리얼리즘의 성과를 비판적으로 이어받으면서 차츰 실험적 연극의 싹을 틔워 나가는 시기였습니다. 그러나 1980년대는 1970년대에 비해 극작가의 층이 얇았으며, 그들을 위한 지면도 거의 제공되지 않아 많은 기존 작가들도 창작을 포기할 수밖에 없는 상황이었습니다. 연극계 내부에서 진취적인 실험정신을 수용하고 이끌어갈 젊은 극작가가 양성되지 않은 것도 큰 문제점이었습니다.

IX. 중심에서 벗어나 새로운 곳으로

1990년대의 연극에서는 주제나 인물 등에 있어서 변화를 가져오기 시작합니다. 그 내용을 살펴보면 계급적인 갈등보다는 가치 중립적이고 보편적인, 혹은 소수자에 해당하는 유형을 등장인물로 활용하고 있는 것을 볼 수 있습니다. 이것은 1990년대 연극 속 등장인물들이 여성·중산층·노인·아웃사이더 등 보다 포괄적이면서 중성적인 세계관을 대표한다고 볼 수 있습니다. 따라서 여성 연극·중산층 연극·청소년 연극·달동네 연극· 노인 연극 등의 양식 개념이 유행하게 됩니다. 즉, 기존의 중심에 서 있던 서구 중심·남성 중심·이성 중심에서 탈출하여 새로운 방향으로 전환하고 있다고 할 수 있습니다.

이런 맥락에서 볼 때 1990년대 연극의 가장 두드러진 특징이라 할 수 있는 것이 많은 여성 극작가와 연출가들이 대거 등장했다는 것입니다. 정복근·윤정선·엄인희·오은희·김윤미·장성희·정우숙 등이 다양한 창작 · 연출 활동을 하는데, 어쩌면 이들의 등장은 당연한 결과일지도 모릅니다. 우리 사회는 여전히 여성 문제를 안고 있고, 관객층의 다수가 여성인 점을 볼 때 오히려 자연스러운 결과라 할 수 있습니다. 정복근은 「웬일이세요, 당신」 「덕혜옹주」 「나 김수임」을 통해 역사 속의 왜곡된 여성상을 표현해냈고, 김윤미는 「메디아 판타지」 「결혼한 여자와 결혼 안 한 여자」 등의 작품을 통해 여성의 심리를 표현해냈습니다. 「위기의 여자」 「리타 길들이기」 「굿나잇 마더」 「탑걸스」 등의 번역극으로부터 출발한 여성주의 연극은 「우리가 가장 나종 지니인 것」(박완서 작, 강영걸 연출), 「11월 왈츠」(이충걸 작,

마샤 노먼 작
「굿나잇 마더」

장두이 연출), 「늙은 창녀의 노래」(송기원 작, 김태수 연출) 등 관록 있는 여배우에 의존한 여성 모노드라마의 출현으로 이어집니다. 여성 연극은 남성중심적 세계관에 대해 이의를 제기하면서 여성의 자아 정체성을 탐색해가게 됩니다.

김의경 작 「길 떠나는 가족」

이밖에 삶의 활력을 상실한 노년의 쓸쓸한 풍경을 다룬 작품, 사회적 약자들의 삶을 가감 없이 그대로 전달하고자 한 서민극, 현대를 살아가는 예술가들의 소외와 불안을 독특한 형식에 담아 그려낸 작품들도 있습니다. 예를 들면 이근삼의 「막차 탄 동기동창」 「이성계의 부동산」은 노인 특유의 지혜와 여유로 풀어낸 작품이고, 김태수의 「해가 지면 달이 뜨고」, 박근형의 「대대손손」 등은 가난한 일상을 리얼리즘 수법으로 풀어낸 것이라 할 수 있습니다. 그리고 김의경 작 「길 떠나는 가족」은 천재화가 이중섭의 비극적 일생을, 조광화 작 「아! 이상!」은 천재 이상의 기행적 삶을 그의 친구인 구본웅을 통해 그려내고 있습니다.

그래도 1990년대의 가장 큰 특징이라 하면 리얼리즘 극의 퇴조와 동시에 첨단 영상매체가 등장함으로써 새로운 연출 기법이 도입되기 시작한 점을 들 수 있습니다. 이러한 변화를 기법상으로 몇 가지 정리하면 브레히트의 서사연극[12]과 아르토의 잔혹극[13] 등으로 대표되는 현대극의 경향, 전통연희의 놀이적 기법 차용, 멀티미디어 시대에 걸맞는 미디어의 적극적인 수용 등으로 정리할 수 있습니다.

12) 서사연극(Episches Theater)

1920년대에 종래의 감정이입에 바탕을 둔 극적 연극으로서는 다룰 수 없는 정치적인 주제를 다루기 위하여, E. 피스카토르의 서사적 요소에 대한 주목에 자극을 받은 브레히트가 자기 연극을 특징짓기 위하여 사용한 말이다. 사건이 지금 당장 현실적으로 행하여지고 있는 것처럼 착각케 하는 '극적' 연극은 관객을 정서적으로 무대로 빨아올린다. 사건의 윤곽만을 그려주고 특정한 강조를 통해 재현하는 서사극은 관객으로 하여금 무대로부터 비판적인 거리를 지니게 한다. 그리고 내용에 대해서 숙고하고 인식하는 계기를 준다. 서사화의 수단으로서 자막·환등·노래·말씨 등이 쓰이며, 극의 흐름을 중단하거나 해설할 때 사용된다. 서사극의 각 장은 독립되어 있고, 사건은 비약적으로 진행된다. 그래서 예를 들면 앞 장면에서 시작한 사건은 그 과정을 일일이 더듬지 않고 다음 장면에서는 벌써 결말로서 다음 사건의 발단을 만드는 식의 구성으로 되어 있다.

13) 잔혹극

앙토넹 아르토가 심오하고 과격하며 에로틱한 충동을 해방시켜 줄 수 있을 것으로 제시한 마술과 제의 및 제사에 기초를 둔 연극 개념이다. 모든 인간의 저변에 존재한다고 하는 잔혹성과 사악하고 과격한 선정성을 과장시켜 보여주고자 한다. 이를 위해 아르토는 극장의 공간 활용과 관객과 배우의 융화, 조명, 색상, 동작, 언어 활용 등의 면에서 급진적인 변화가 있어야 한다고 보았다.

특히 신세대 연극인들이 적극적으로 차용한 것은 놀이적 요소라고 할 수 있습니다. 왜냐하면 그들에게는 이념에 대한 강박증이 없었기 때문입니다. 재치있는 말장난과 만화적 상상력이 어우러진 장진의 「택시 드라이버」, 풍자와 개그·역할 바꾸기·변신놀이가 돋보이는 박광정의 「마술가게」, 극중극과 버라이어티쇼 기법을 활용한 김명화의 「새들은 횡단보도를 건너지 않는다」 등은 놀이의 유희성을 적극적으로 활용한 작품들로 평가됩니다.

이외에 거론될 만한 젊은 작가로 이만희를 들 수 있는데, 그는 「그것은 목탁구멍 속의 작은 어둠이었습니다」로 데뷔하여 「불 좀 꺼주세요」(1992)라는 작품으로 한국 연극사상 최다 관객을 동원하게 됩니다. 첫사랑을 못 잊어하는 중년 남녀가 사회적인 규범을 벗어 던지고 진실하고 본능에 충실한 사랑을 그린 연극입니다. 내용상으로 보면 그리 새로울 것이 없는 것처럼 보이지만 외면과 내면을 대비시켜 보여주는 분신 기법, 중년층에 호소할 수 있는 보편적인 정서를 형상화함으로써 인상적인 무대를 완성해냈습니다.

이만희 작
「불 좀 꺼주세요」 포스터

또한 가벼운 주제와 현란한 볼거리를 제공하는 뮤지컬도 호황을 누리게 됩니다. 그중에서 김정숙 작 「블루 사이공」과 독일 원작을 각색한 김민기의 「지하철 1호선」 등이 대표적이라 할 수 있습니다.

2000년대를 넘어서면서 연극계는 복고의 열풍이 불고 있다고 할 수 있습니다. 그 대표적인 작품으로 1999년부터 2004년에 이르기까지 여러 차례 공연을 거듭하고 있는 박근형 작, 연출의 「청춘예찬」(극단 골목길)을 들 수 있습니다. 이 작품은 젊은 세대가 기성의 미학과 다름을 증명하는 하나의 신호탄이라고 할 수 있습니다. 「청춘예찬」은 등장인물들이 내뱉는 대사와 상황의 불일치, 겉과 속의 불일치가 효과적으로 연극적인 재미를 주고 있습니다.

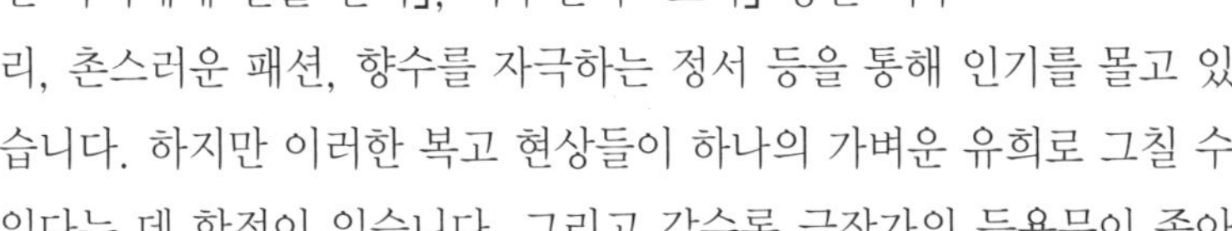

김민기 각색 「지하철 1호선」

이외에도 이선희의 「보고 싶습니다」, 손기호의 「눈먼 아비에게 길을 묻다」, 박수진의 「초야」 등은 사투리, 촌스러운 패션, 향수를 자극하는 정서 등을 통해 인기를 몰고 있습니다. 하지만 이러한 복고 현상들이 하나의 가벼운 유희로 그칠 수 있다는 데 함정이 있습니다. 그리고 갈수록 극작가의 등용문이 좁아지고 있는 점 또한 연극계의 위기라고 할 수 있습니다. 연출가들 역시 관객과 평론가들에게 검증받지 못한 작품을 과감하게 무대로 올리기를 꺼려하며, 외국 희곡을 올리는 경향도 이러한 이유라 할 수 있습니다. 분명 20세기 연극과는 다른 새로운 연극들이 계속 시도되고 있는 것은 사실이라 할 수 있습니다. 그러나 지금 현재 희곡의 역할이 무엇인지 한번 고민해봐야 할 것입니다.

박근형 작, 연출 「청춘예찬」

6장

비평

소설처럼 읽는 이야기 문학상식

Ⅰ. 문학비평의 시작

신문학 초기인 1900년대의 비평은 문학비평이라기보다는 1910년대 이후의 본격적 문학비평을 태동시키기 위한 준비 과정이라고 할 수 있습니다. 비평의 형태로는 크게 서발비평·실천비평·이론비평으로 나눌 수 있습니다.

서발비평은 서문 혹은 발문 등의 짧은 문학비평 형태를 말합니다. 1890년부터 발표된 역사·전기·신소설·시작품 등의 서·발문(序·跋文)이 당시 비평문의 한 형태라고 할 수 있습니다. 당시 비평 장르가 분화되지 않은 상태에서 이들 비평들을 통칭하여 서발비평이라고 부릅니다.

전문 비평문예지
《비평문학》

서발비평은 역사·전기문학·신소설·시 등에 대한 서발로 나눠집니다. 역사·전기문학의 서발은 외세 배격과 자유와 자립에 대한 강조 등이, 신소설의 서발은 작품 소개, 집필 배경 등이 주된 내용입니다. 시와 시가에 대한 서발은 단평 형식이며, 계몽사상과 애국심 고취 등을 주제로 했습니다.

시에 대한 실천비평은 시조·가사·민요·창가 등에서 나타납니다. 소설에 대한 비평은 비평 장르의 초기 양상을 드러냅니다. 소설에 대한 실천비평으로는 「근래 나타난 책을 평론」, 「독월남 망국사」 등이 있는데, 주로 서평 형태의 글이었습니다. 연극에 관한 비평도 있었는데 관객과 연희단체, 극장, 작가 등 작품 외적인 것에 관한 비평과 작품에 관한 비평이었습니다.

이론비평은 이광수의 「문학의 가치」나 최재학의 「실지 응용 작문

신문학 초기부터 비평 작업에 나선 이광수

법」 등이 대표적입니다. 시론으로는 윤상현의 「천이당시화」, 소설론으로는 신채호의 「소설가의 추세」 등이 있었습니다.

Ⅱ. 1910년대 작가들의 비평의식

1910년대는 문학비평의 초기라 할 수 있습니다. 외국의 이론이 수입되고 외국에서 공부한 유학생들을 중심으로 초보적인 비평이론과 실제비평 등이 나타납니다. 그 중에서도 작가들의 비평작업을 들 수 있습니다. 특히 이광수·김동인·염상섭 등의 비평활동이 활발했습니다. 〈대한매일신보〉 1916년 11월 10일부터 23일까지 연재된 「문학이란 何오」에서 이광수는 "서양의 literature 개념에서 정(情)의 분자를 포함한 문장으로 규정하면서 문학을 특정 양식으로 사람의 사상과 감정을 발표하는 것으로, 사람으로 하여금 쾌감과 미감을 나타내게 하는 것이며, 사람의 정(情)을 만족시키는 것"이라고 말하고 있습니다. 이광수의 문학관은 문학의 교훈적 의미나 도덕적 보조가 아니라 문학 자체의 독립성과 자율성을 갖는 것이라고 주장합니다. 그러나 이광수 자신도 신문명 건설을 위해서 문학이 사회적 효용성을 가져야 한다는 것을 주장합니다.

예술의 자율성을 강조한 김동인

김동인은 순예술로서 소설의 가치를 주장함으로써 예술적 자율성을 강조하고 있습니다. 또한 형식주의 비평의 단초를 보여주고 있습니다. 그는 "소설의 생명, 소설의 예술적 가치, 소설 내용의 미, 소설의 조화된 정도, 작자의 사상, 작자의 정신, 작자의 요구, 작자의 독창, 작중인물의 개성 발휘에 대한 묘사" 등의 형식적인 부분에 대해 세부적으로 나눠서 분석하고 있습니다. 그는 비평을 독자를 위한 해설의 일종이라고 말하며, 작가에서 분리한 작품 자체의 예술적 가치가 가장 중요한 것이라고 역설하고 있습니다.

이에 반하여 염상섭은 자신의 최초의 평론인 「정기두작(丁己斗作)」과 「이상적 결혼」에서 생활과 교섭하는 문학, 사회의 진상과 인생의 기미를 포착하는 문학이어야 한다고 주장합니다. 염상섭이 1920년대 이후 발표한 비평들에서 그의 리얼리즘적 문학관은 확실한 방향을 잡아가고 있습니다. 시대의식·사회의식·민족의식이 현실 위에 성립되는 생활이며, 문예는 이러한 생활의 기록이자 주장이기 때문에 여기에서 시대의식이나 사회의식, 민족의식을 제거한다면 문학적 가치가 없는 것이라고 주장하게 됩니다.

리얼리스트의 입장에서 문학론을 전개한 염상섭

Ⅲ. 비평 논쟁의 시대를 열다

1920년대에는 문단에서 본격적인 논쟁이 시작되었습니다. 황석우 대 현철, 박종화 대 김억 논쟁과 프로문학 내부 논쟁 등이 진행되었습니다. 1920년대 비평은 3·1운동 이후에 일어난 민중운동의 새로운 전개 과정을 일정하게 반영했습니다. 그러나 식민지 사회를 선진 자본주의 사회처럼 인식하는 오류가 발생했기 때문에 일본 계급문학론에 크게 의지하였고, 일종의 지식인 운동에 머물렀습니다. 이에 반해 국민문학론은 계급문학에 대항하면서 시조부흥론을 전개하였고 역사소설을 양산해냈습니다.

김억과 논쟁을 벌인 박종화

황석우 대 현철 논쟁은 현진건이 작품 「희생화」를 《개벽》지에 발표하자 황석우가 「희생화」가 소설이 아니라고 혹평을 한 데서 시작되었습니다. 그러자 현철은 「비평을 알고 써라」는 평론을 발표합니다. 이들의 비평은 당시 비평가가 따로 없었던 상황에서 비평의 개념 자체가 달랐기 때문에 발생했습니다. 이들의 논쟁에 이어 박종화 대 김억의 논쟁이 일어납니다. 박종화는 김억의 「대동강」 등의 시에 대해 무드가 없으며 고뇌의 심벌도 없다고 비판한 데서 시작되었습니다. 이들의 논쟁은 객관적 비평이란 무엇인가에 대한 논의와 비평이론의 교환, 외래어의 남용에 대한 지적 등에서 그 의의를 찾을 수 있습니다.

1920년 천도교에서 펴낸 월간잡지 《개벽》

1920년대 초부터 김기진·이기영·주요섭·최학송·이상화·박영희 등의 작품에 무산계급 사람들이 주인공으로 등장하는데, 이처럼 계급의식이 다소간이라도 담겨 있는 작품은 프로문학의 초기 단계로,

'신경향파 문학'으로 일컬어졌습니다.

다음으로 본격적인 프로문학 비평이 또한 1920년대 중반부터 나타났습니다. 김기진은 「클라르테 운동의 세계화」 등의 논문에서 프롤레타리아 계급의 자유를 위한 문학, 프롤레타리아 계급이 이해할 수 있는 문학, 프롤레타리아 해방을 위한 수단으로서의 문학, 주체적인 우리 문학의 건설을 주장합니다. 김기진의 프로문학에 대한 인식은 김기진이 속해 있던 '백조파'를 중심으로 프로문학 이론을 발전시켜 나가는 계기가 되었습니다. 그리고 이들은 급기야 조선프롤레타리아예술가동맹(KAPF)을 1925년에 결성합니다. 이 단체는 한국의 사회주의 혁명을 위해 조직한 대표적인 문예운동 단체입니다. 1922년 이호·이적효·김두수·최승일·박용대·김영팔·심대섭·송영·김홍파 등이 만든 '염군사'와 1923년 박영희·안석영·김형원·이익상·김기진·김복진·연학년 등이 만든 '파스큘라'(PASKYULA)가 합쳐진 이 단체의 주요 인물로는 김기진과 박영희를 비롯해 최서해 · 이기영 · 이익상 · 주요섭·이상화 등이었습니다. 이 단체는 1935년 5월에 박영희가 해산계를 냄으로써 공식적으로 해체되기까지 사회주의 예술 활동의 중심축을 담당했습니다.

아나키즘 논쟁은 김화산이 1927년 3월 《조선문단》에 발표한 「계급예술의 신전개」에서 프로문학을 비판하면서 촉발되었습니다. 이 글에서 김화산은 예술의 독립성을 주장합니다. 그래서 카프 내부에서는 카프 문학의식의 방향을 좀더 볼셰비키적으로 변화시킵니다. 이들의 논쟁은 프로문학이 예술적 독립성보다는 사회 개혁을 위한 목적 문학으로 나아가는 데 대한 비판과 그 비판에 대한 반작용으로 생겨난 것이었습니다. 뒤이은 김기진과 박영희의 논쟁에서도 이 내용은 연장이 됩니다. 김기진은 사회주의적 관념보다는 형상화의 질을 강조합니다. 김기진은 "소설이란 한 개의 건축이며, 기둥도 서까래도 없이 붉은 지붕만 입힌 건축은 건축이 아니"라며, 박영

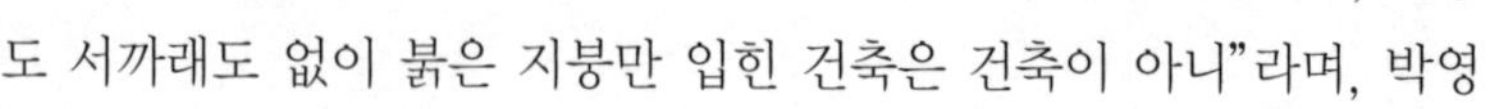

1924년 10월 방인근이 창간한 《조선문단》

희의 단편 「철야」와 「지옥순례」 등을 비판하게 됩니다. 김기진의 비판에 대해 박영희는 "프롤레타리아 작품은 독립된 건축물 완성이 목표가 아니라 근대 기계의 한 치륜(齒輪)"이라고 반박합니다. 이 논쟁은 김기진이 클라르테 운동을 하면서 자신이 주장했던 것과는 모순되는 것으로 카프 내부에서도 비판받게 됩니다. 당시 카프 문학 내부의 분위기는 박영희가 주장하듯이 계급해방을 위해 문학은 "서까래도 될 수 있고 기둥도 될 수 있으며 기왓장도 될 수 있다"는 쪽이었기 때문입니다. 이들 논쟁을 통해서 카프 내부에서 문학이라는 것은 정치적 목적의식을 위해 희생될 수 있는 것으로 규정되고 문학의 예술성과 독자성은 부정되었습니다.

소설건축설 논쟁을 전개한 팔봉 김기진

그리고 임화에 이르러 이러한 의식이 강화됩니다. 카프의 당시 투쟁 목표가 "반파쇼, 반제국주의 투쟁을 내용으로 하는 것, 조선 프롤레타리아트와 일본 프롤레타리아즈의 연대적 관계를 보여주는 작품" 등으로 훨씬 더 과격해집니다. 그러나 이렇게 강경했던 카프도 사회주의자의 체포에 나선 일본제국주의 앞에서는 무릎을 꿇고 맙니다. "얻은 것은 이데올로기요, 잃은 것은 예술"이라는 박영희의 유명한 선언에서 요약되듯이 정치적 사상만을 선전하는 문학에 대한 회의하게 되면서 예술을 잃었다고 선언하기에 이릅니다. 1930년대 비평은 이렇게 카프의 결성과 계급문학의 정치성에 대한 강화로 요약될 수 있습니다.

카프 진영의 맹장이었으나 후일 해산계를 제출하는 박영희

Ⅳ. 비평의 근대적 심화 과정

단편소설 「물!」을 써 논쟁에 휩싸인 김남천

물 논쟁은 1933년 6월 《대중》 제1권 3호에 발표된 김남천의 단편소설 「물!」에 대해 카프의 서기장 임화가 당파성이 결여된 작품이라고 비판한데서 시작되었습니다. 이 작품은 옥중생활의 체험을 쓴 것입니다. 좁은 공간에 죄수들이 한여름을 나면서 갈증에 시달리는 것을 작품화했는데, 생리적인 현상 앞에서는 관념뿐인 헤겔과 마르크스는 소용이 없다는 것을 말하고 있습니다. 이러한 내용에 대해 임화는 경험주의적이고 생물학적 심리학주의라고 비판합니다. 임화는 언제 어디서나 당파성이 원칙이 되어야 하기 때문에 문학도 정치운동이나 경제운동과 마찬가지로 단일한 원칙 하에 움직여야 한다고 말합니다. 이것이 소위 일원론입니다. 임화의 이러한 생각은 곧 카프의 생각이 되었습니다. 그러나 김남천은 임화의 의견에 대해 "작품의 비평기준은 개인의 실천에 근거해야 한다"고 주장합니다. 그러나 김남천의 실천 개념이 모호했기 때문에 임화 등에게서 비판을 받을 수밖에 없었습니다.

일원론적 관점에서 김남천의 소설과 신남철의 평론을 비판한 임화

임화는 일원론에 근거하여 「조선신문학사론서설」(1935)에서 신남철의 비평에 대해 재비판을 가합니다. 신남철의 비평에 대해 세계관과 예술관이 관련되어 있지 않고 사상과 예술성이 분리되어 있다고 말하면서 신이원론이라 비판하고 있습니다. 김남천의 경우 탈세계관을 이야기하면서 창작관과 세계관을 분리하고 있습니다. 임화의 일원론적 관점과 김남천 등의 신이원론적 관점은 문학성이냐 정치성이냐에서 진일보한 문학비평이었다고 평가됩니다.

Ⅴ. 해방문단의 비평

1945년의 광복으로부터 1950년 한국전쟁 발발까지의 우리 역사는 유래 없는 격변과 혼돈의 시기였고, 문학 역시 그 같은 역사적 상황으로부터 자유롭지 않았습니다. 1945년부터 1950년의 소위 해방문단은 문학사에서 시기적으로 분명하게 구분되는 시기입니다. KAPF를 중심으로 한 논쟁과 대립은 일제의 사상 검열로 인해 진전되지 않은 상황에서 또 다른 격변기를 맞게 된 것입니다. 이 시기는 크게 세 시기로 구분됩니다.

1. 해방 1기—좌익 전횡기(1945. 8~1947. 2)

해방 직후 좌익 문단은 '조선문학건설본부'와 '조선프롤레타리아문학동맹'을 만들었습니다. 후에 좌익 문단을 통합하여 '문학가동맹'을 만듭니다. 우익도 좌익의 독주 견제를 목적으로 '전국문필가협회'와 '청년문학가협회'를 만들었지만 좌익 계열의 단체에 대한 상대적 위축, 비교적 구심점이 부족해서 문단의 대세는 좌익 경향이었습니다. 해방 1기 평론의 주된 관심사는 해방 문단의 당면 문제를 정하는 것, 계급주의에 입각한 민족문학의 수립, 대중화 문제 등이었습니다. 좌익은 '전국문학자대회'를 개최하는 등 활발한 활동을 펼쳤는데 정치 상황의 급변으로 인해 문학 자체에 대한 논의보다 당 사업의 일환으로서 문학의 역할이란 무엇인지에 대한 논의가 있었습니다.

2. 해방 2기—좌우익 논쟁기(1947. 2~1948. 8)

한평생 논객의 자리를 지킨 김동리

남한만의 단독정부 수립이 기정사실화 되면서 대부분의 좌익 문인이 월북 내지는 전향하는 등 혼란스런 가운데 우익은 '전국문화단체총연합회'를 결성하여 문단이 양분되었고, 곧바로 좌우 논쟁의 정국으로 전환되었습니다. 주요 논쟁의 하나인 '순수 논쟁'은 김남천과 김동리 간의 1차 논쟁과 김동석과 조연현, 김동리 간의 2차 논쟁으로 나누어집니다.

김남천은 해방 뒤 일부 문인들이 구체적 역사 내용도 모른 채 문학과 정치의 관계를 외면하면서 순수문학을 들고 나온다고 비난하였고, 김동석은 문학에 있어서 일제에 반항하기 위한 순수는 존재 이유가 있었으나 해방된 오늘 순수란 있을 수 없다고 했습니다. 이에 대해 김동리는 (자신의) 순수문학이란 '민족단위의 휴머니즘'이라고 했습니다. 문학정신의 본령은 인간성 옹호에 있고 민족 단위의 휴머니즘이 곧 민족문학이기 때문에 민족문학은 순수문학이어야 한다는 것이며, 어떤 정책이나 목적에서 강요된 문화는 획일성과 공식성을 결코 벗어날 수 없다고 반박합니다.

이러한 개별적인 논쟁들은 곧 세계관과 문학의 방향에 관한 집단적 논쟁으로 발전하여 좌익의 강령인 봉건잔재의 청산, 일제잔재의 소탕, 국수주의의 배격 등 3개 사항에 대해 우익은 민족정신의 확립, 문학정신의 옹호, 자주독립의 실현을 제시하는 등 일부의 중도적 입장을 압도하는 논쟁적 대립이 심화되었습니다.

3. 해방 3기 : 우익 정착기(1948. 8~1950. 6)

단독정부 수립 이후 좌익의 월북과 전향으로 양 진영의 균형은 우익의 우세로 굳어졌습니다. 김동리의 민족문학론 재론과 이헌구의 반공문학 제창은 이 시기의 분위기를 말하는 것입니다. 우익은 '민족정신 앙양 전국문화인 궐기대회'를 개최하여 좌익에 대한 집단적 경고를 내렸고, 이로 인해 문단의 주도권이 '문학가동맹'에서 '전국문화단체총연합회'로 옮겨갔습니다. 비평 활동이 초보적인 모습으로 되돌아가면서 《문예》가 창간되고 '한국문학가협회'가 결성되는 등 한국문단은 새로운 출발을 준비합니다. 어느 때보다도 활발했던 세계관과 문학관에 대한 논쟁은 막을 내리고, 문학사는 이후 이데올로기 전파, 외국문학론 소개, 문학원론과 창작법 등에 대한 논의로 옮아가게 됩니다.

1949년 8월에 창간된
순수문예지 《문예》

Ⅵ. 프로문학비평의 소멸과 신비평의 등장

1950년대는 비평의 휴지기로 불려집니다. 1950년의 한국전쟁은 3년 후 종전까지 문학과 비평의 휴지기를 줬을 뿐 아니라 1950년대 내내 그 그림자를 길게 드리우고 있습니다. 전쟁 후에 나타난 것이 전후비평이라고 할 수 있습니다만 이때의 비평 이념은 휴머니즘과 실존주의사상과 형식주의이론, 전통론 등으로 요약될 수 있습니다. 특히 휴전협정 조인 이후 우리 문단은 하이데거·야스퍼스·사르트르·카뮈 등의 실존주의철학이 소개되면서 많은 작가들이 실존주의 성격이 농후한 작품을 썼습니다.

1950년대에는 이어령·송욱·김상선 등이 활동했습니다. 다음으로는 분석주의비평을 들 수 있습니다. 분석주의비평은 백철에 의해 소개되었으며, 엘리엇이나 클리언드 브룩스, 르네 웰렉 등의 비평적 저술이 소개되면서 분석주의비평의 장이 열립니다.

『문학평전』과 『시학평전』을 낸 송욱

이상섭이나 이명섭 등 영미문학 전공 학자들에 의해 외국의 비평 방법도 소개됩니다. 또한 유종호 등의 전통론도 1950년대 비평의 특징입니다. 갈라진 남과 북 사이에서 문학비평은 전통과 단절을 이야기하기 시작합니다. 민족분단을 현실로 받아들여야 하는 상황에서 외래문화에서 탈피하여 고유 전통의 확립을 주장합니다.

Ⅶ. 순수와 참여—비평의 이론적 대립

1960년의 4·19혁명, 1961년의 5·16군사쿠데타 등의 역사적 배경 속에서 참여문학론이 대두되었습니다. 참여문학론과 관련한 일련의 논쟁들은 1960년 1월 순수문예지인 《현대문학》이 처음 참여문학이라는 말을 사용하면서부터 시작되었습니다. 1960년 1월 순수문예지 《현대문학》에서 김양수는 '문학의 자율적 참여'를 말합니다. 그는 역사는 이상만을 좇아갈 수 없고 적극적인 상황 앞에서 적극적으로 의미를 추구하려는 자세가 필요하다고 하였습니다. 곧이어 1962년 11월, 실천비평과 강단비평의 대립기를 거쳐 1963년 8월, 순수와 참여의 본격적인 대립으로 전개됩니다.

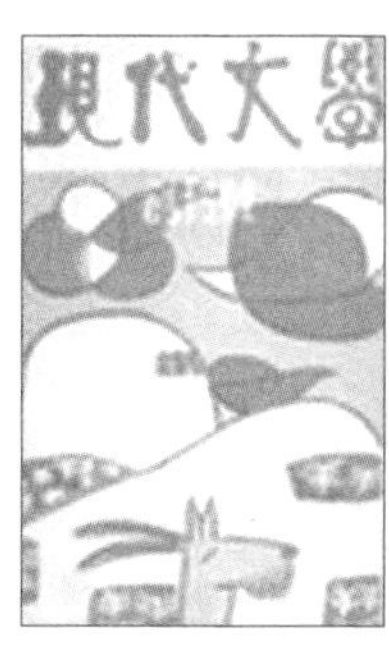

· 1955년 1월호로 창간된 월간 문학잡지 《현대문학》

순수와 참여 논쟁을 예고한 가장 중요한 사건은 최인훈의 『광장』에 대한 백철과 신동한의 논쟁입니다. 백철이 이 소설을 "남북통일론을 의식하고 쓴 것은 아니지만, 침체한 문학계에 하나의 돌을 던진 작품"으로 극찬하자 신동한은 이에 대해 반박을 합니다. 남북통일에 대한 문제의식, 주인공의 마지막 자살의 행동, 갈매기에 대한 낭만주의적 관점을 비판한 것입니다.

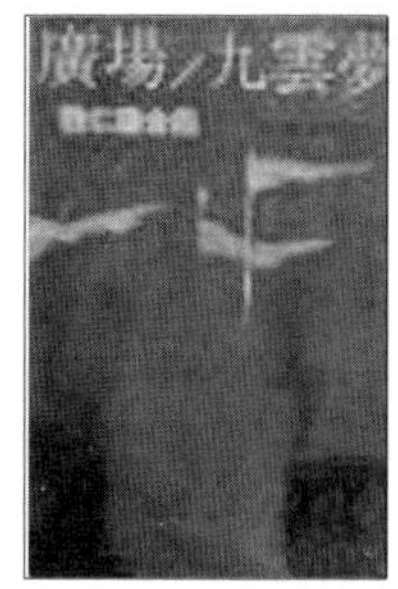

최인훈의 전집 중의 한 권

순수문학과 참여문학의 본격적인 논쟁은 김우종과 이형기 사이에서 일어났습니다. 김우종은 "민중과 함께하는 문학이 참문학"이라며 참여문학을 외쳤고, "소설 속의 비극적 주인공들이 어떻게 대중에게 보탬이 되겠냐"고 비판하였습니다. 이에 대해 이형기는 "문학은 목적을 달성하기 위한 방편이 아닌 인생의 허망함을 달래주는 것"이고 "문학은 불쏘시개밖에 되지 않는다"고 말합니다. 그러나 이러한 순수와 참

참여문학론을 전개한 김우종

여의 문학 논쟁은 원론적 뒷받침이 약한 심정적 발언이 많았으며, 한국 나름의 비평이론이나 외국문예사조는 논외로 치고 전개되었기 때문에 이론적으로 심화되기는 어려운 상황이었습니다. 이 과정에서 특기할 것은 《창작과 비평》의 창간이 참여문학론의 확산에 결정적 역할을 했다는 것입니다. 《창작과 비평》은 참여문학론을 서구 이론의 각도에서 천착하여 한국문학을 발전시키는 데 공헌했습니다.

Ⅷ. 문예지 문학비평의 시대가 열리다

1970년대 유신독재 시절, 경제의 급속한 성장과 정치적 억압이 함께 이루어진 이 시기에 문학을 중심으로 급격한 인식의 확대와 심화가 있었습니다. 정명환·송욱·천이두·유종호 등이 1970년대의 비평과 그 이전 비평의 고리 역할을 담당했습니다. 그들은 1970년대의 주역은 아니지만 나름의 발전과 변화를 보이면서 대가로서 꾸준히 활동을 했습니다.

1966년 창간된 계간잡지 《창작과 비평》

《창작과 비평》은 작가의 역사적 사회적 책임이라는 문제를 강하게 제기하였으며 '민중'의 개념을 문학으로 끌어옴으로써 새로운 세계를 열었습니다. 백낙청은 민족문학론이라는 뚜렷한 기치를 내세워 이념적 전위를 담당했습니다. 《창작과 비평》은 1966년에 창간되어 참여문학론의 확산에 결정적 역할을 했고, 이후 민족·민중문학론, 제3세계문학론 등 비교적 선명한 이데올로기를 표명한 계간지입니다. '민중'의 개념을 문학 안으로 가지고 왔으며, 분단 문제에 접근하는 과감성을 보여주는 등의 역할을 해왔습니다.

《창작과 비평》이 민족문학론을 위시한 일련의 이념적 탐구를 통해 우리 문학의 주체적 위상을 확립하고자 했다면, 《문학과 지성》은 서구의 문학적 이론을 개방적인 태도로 적극 수용하여 우리 문학 이론을 정교하게 했습니다. 또한 우수한 작가와 작품 선별하여 설득력 있게 해명하고 섬세하게 분석해냈습니다. 특히 김현의 비평은 직관력과 감수성 등의 실제비평에서 특별한 위치를 차지합니다.

1970년 가을호로 창간된 계간 문예지 《문학과 지성》

아울러 이 시기에 문학사 정리 작업이 이루어집니다. 김윤식의 작업은 철저한 실증적 조사와 초기 루카치의 소설론을 비롯한 서구의 문학이론을 바탕으로 비평적 직관력을 발휘하여 문학사 작업을 진행했습니다. 또한 한국 시문학사는 김용직이 뉴크리티시즘의 방법론으

비평의 현장에서 평생 살아온 김윤식

로 실증적 연구를 수행했습니다.

또한 순수·참여론을 동시에 극복할 수 있는 대안으로 민족문학론의 개념이 정립되었습니다. 백낙청은 「민족문학 개념의 정립을 위해」에서 우리의 민족문학론은 서구 열강이 갖지 못하는 특수한 배경 때문에 세계문학에서 선진문학으로 자리잡을 수 있는 가능성이 있으며, 그것이 바로 민족문학이라고 보았습니다. 즉, 우리 문학이 민족문학의 개념을 끌어와 세계문학의 선진적 과제를 실현하고 선진국 문학전통의 발전적 요소를 계속 이어나가야 할 것으로 보았습니다. 그는 또한 「민족문학의 현단계」에서 우리의 민족문학을 “현 단계 세계문학의 가장 선진적 흐름인 제3세계 민족문학의 일익을 담당”하는 것으로 규정했습니다. 이러한 그의 활동은 1990년대까지 그 비평사의 한 축을 담당했습니다.

민족문학론의 대부 백낙청

Ⅸ. 민족문학론과 민중문학론

1980년대의 비평적 이념과 방법론은 순수·참여 논쟁의 시기인 1960년대와 양대 계간지가 대립 양상을 보였던 1970년대 비평을 계승하여 다양하게 심화, 발전시켜 나갔습니다. 이전 시대들에 비해 양적으로나 질적으로 급성장한 '비평의 시대'이기도 합니다. 우선 비평가의 수가 현저하게 늘어나 비평가 집단이 커졌습니다. 신진비평가들이 대거 등장해서 새롭고 다양한 비평 논리를 펼침으로써 우리 평단에 일대 혁신을 불러일으킵니다. 또한 무크지의 대거 출현은 신군부가 양대 계간지를 강제 폐간시킨 이후에 초래된 비평 논쟁의 공백을 메우게 됩니다.

이러한 1980년대의 주요 비평가들로는 김재홍·권영민·김인환·조남현·정현기·최동호·이명재 등을 들 수 있겠는데, 이들은 모두 국문학 전공자로서 우리 문학에 대해 통시적 성찰을 하였고, 개별 장르에 대한 비평적 행위를 펼쳤다는 공통적 특징을 갖고 있습니다. 김재홍은 사회적 조건이나 역사적 상황에 대한 관심을 표명하면서 비평의 시야를 확대시켜 나갔습니다. 그는 참다운 시란 예술정신과 역사의식이 조화를 이루어야 한다고 보았습니다. 권영민의 비평적 업적은 우리의 문학작품 유산에 대한 자료 정리의 집대성에서 찾아볼 수 있습니다. 김인환은 우리의 시와 소설에 대한 이론 정립을 시도했는데, 그의 이론은 동양의 철학과 고전으로부터 유래된 문학적 유산을 바탕으로 한 것이었습니다. 조남현은 실증주의와 분석주의를 조화롭게 겸비해 근·현대의 소설작품을 예리하게 비판하고 분석했습니다. 최

칸트 철학을 계승한 독일관념론의 대성자 헤겔

『우리세대의 문학』 제4집

동호는 독일 철학자 헤겔을 바탕으로 정신주의적 관점에서 우리 시를 비평했습니다. 그는 우리 역사에서 이러한 정신의 실체를 불교·도교·유교·기독교 같은 종교사상에서 찾았습니다.

또한 이 시기에는 이동하·이남호·성민엽·정과리·진형준·홍정선 같은 신진 비평가들이 대거 출현하여 눈부신 활약상을 펼쳤습니다. 성민엽·정과리·진형준·홍정선은 양 계간지가 강제 폐간된 이후 『우리 시대의 문학』과 『우리 세대의 문학』이라는 무크지를 중심으로 활약하다가 후일 문학과지성사 그룹의 제2세대 비평가가 됩니다. 성민엽과 홍정선은 민중의식을 역사철학의 관점에서 실천할 것을, 정과리는 문학의 사회적 기능을 언어미학의 관점에서 다할 것을 주장했습니다. 진형준은 역사주의적 관점과 존재론적 관점을 통합하는 논리로 상상력이론을 제시했습니다.

이동하와 이남호는 《창작과 비평》과 《문학과 지성》의 영향권 밖에서 비평활동을 전개했는데, 이 때문에 문학비평이 점차 특정 문예지의 대변인 노릇을 하는 것으로 전락해간 1980~90년대에 '주례비평'이라는 비판을 받지 않은 모범사례로서의 의미를 지닙니다. 두 사람은 사회 · 역사주의적인 전통적인 문학관을 참신한 비평적 시각으로 계승하면서 고유의 비평적 영역을 구축해갔습니다. 현장비평이 편파적으로 행해진 시대에 이 두 사람은 활발한 비평활동을 전개하면서도 공정한 시각과 엄정한 논리로 폈다고 할 수 있습니다.

1980년대 비평사에 있어서 민족문학론의 전개 역시 주목해보아야 할 필요가 있습니다. 1970년대에 정립된 백낙청의 「민족문학론」을 뿌리로 하고 있는 1980년대의 민족문학론은 주로 노동자문학과 장르 해체 현상에 주목을 했습니다. 그러나 이들은 1980년대의 현실을 주시하면서, 백낙청 「민족문학론」의 효용성을 비판하고 새로운 민족문학론을 주창했습니다. 당시의 대표적인 민족문학론자로는 김명인·조정환·김도연 등을 들 수 있습니다.

김명인은 소시민적 지식인의 관점을 버리고 민중의 각 부문이 문화적 주체가 되는 새로운 관점의 민중문화론을 역설했습니다. 조정환은 백낙청의 우리 사회의 모순 체계에 대한 인식을 비판하면서 민주주의 민족문학론이라는 새로운 관점의 민중문학론을 제시했습니다. 김도연은 민중문학의 사회과학적 이론 정립보다는 민중문학권에서 생산된 새로운 문학 양식의 실체를 종합적으로 정리하고 그 의미를 설명했습니다.

민족문학론은 1980년대의 사회·정치 현실을 온몸으로 맞서고, 80년대에 들어와 새롭게 등장한 노동자문학을 이론적으로 체계화시키기 위한 고뇌 위에서 출발하고 있습니다. 1980년 5월 민주항쟁, 1986년 6월 항쟁, 1987년 2·12총선 등의 상황과 민주화 운동 속에서 새롭게 등장한 노동자 문학과 장르 해체 현상 등에 주목하면서 비평 논리를 전개했습니다. 이들은 1980년대에 들어와 새롭게 등장한 노동자 문학을 체계화하고 있지만 민중의식에 지나치게 몰두함으로써 비평의 유연성을 상실하고 경직됨으로써 KAPF의 한계를 답습하는 경향이 있었습니다. 결론적으로 말해서 1980년대 비평은 60~70년대의 비평을 계승하여 심화, 발전시켜 나갔습니다. 그러나 비평문학이 급진적인 사회과학에 의존하고 있었다는 점이 비판될 수 있습니다.

X. 거대이념의 틀에서 탈피하라

1990년대 문학비평의 키워드는 다양성입니다. 문학비평의 키워드였던 민족과 계급의 개념 이외의 영역에서 다양한 목소리들이 터져나왔습니다. 1980년대의 지식인의 정신적 가치와 문학적 가치를 근본적으로 뛰어넘어야 했습니다. 사회적으로도 1991년 구소련의 해체와 사회주의 국가 체제의 급속한 자본주의화 움직임은 90년대 이전까지의 가치를 전면적으로 재검토하게 하는 계기가 되었습니다. 또한 국내적으로도 군부독재의 종식은 정치적 민주주의를 가져다주었고 이러한 사회적 변화가 개인의 삶에 대한 성찰로 이어졌습니다. 이전의 문학비평에서 주목받지 못한 것들이 다양하게 나타나 목소리를 찾아가는 시기였습니다. 1990년대 비평의 업적은 1980년대의 거대서사, 중심서사에 억압된 모든 것들의 반란이라고 할 수 있습니다. 문학의 고유한 가치에 대한 탐구의 시작점이라고 불려질 만큼 다양한 형태의 문학비평들이 쏟아져 나왔습니다. 그리고 그 다양성은 디지털과 사이버 문화에 대한 것과 여성주의에 대한 것으로 요약될 수 있습니다. 1990년대 여성주의 비평은 여성의 정치 참여 확대와 가부장적 가족제도 개혁 등을 중심 이데올로기로 하여 문학 속에서 남성적 혹은 가부장적 이데올로기에 대한 비판적 관점의 문학관과 몸, 사랑, 모성 등의 여성적 키워드를 통해서 여성문학의 본질적 가치를 드러내려는 작업이 중심이 됩니다. 그래서 민족문학비평의 거두인 백낙청조차 분단체제의 본질적 성격은 변하지 않았지만 전지구적 자본주의라는 개념을 도입해서 자본주의의 근본 폐해인 인간 소외에 관해 관심을 가졌습니다. 이전의 민족문학비평에서는 민족·민중운동과 노동운동 소재 등이 민족문학의 내용이었다면 1990년대의 민족문학의 영역 안에 사소설을 포함시킨 것입니다. 이렇듯 90년대의 다원주의 시대에 민족문학 비평은 방향키를 잃어버리게 됩니다.

> 90년대의 비평 논쟁은 예전처럼 활발하게 전개되지도 않았지만 감정에 치우쳐 인신공격조로 전개되는 경우가 많았다. 아무튼 신세대 문학·문화 논쟁, 비평의 기능에 대한 논쟁, 근대성에 관한 논의, 문학권력에 대한 논쟁 등이 90년대 비평계를 수놓게 된다. 그런 와중에 맞이하게 된 2000년대—지금 우리 평단과 시단에서는 어떤 논의가 이루어지고 있는가· 어떤 논쟁이 전개되고 있는가· 눈을 씻고 봐도 없다.
>
> —이승하, 「적막강산이 너무 싫다」, 《리토피아》(2005. 가을)

2000년대가 몇 년 전개된 지금 이 시점에서 비평계를 보면 허전한 느낌을 지울 수 없습니다. 이승하의 이런 우려를 불식시키자면 문학적 이슈가 많이 제기되어야 할 것입니다. 또한 창조적 논쟁과 창의적 현장비평, 아카데믹한 원론비평이 고루 전개되어야 할 것입니다. 오늘날 문단에서 행해지고 있는 비평작업은 작품 해설의 수준에 머무는 것이 많습니다. 비평의 자리매김이 확실해져야만 한국문학의 발전이 이루어질 것입니다.

인명 찾아보기

인명 찾아보기

1. 소설

① 이인직 (1862~1916)

경기도 이천 출생이며 호는 국초(菊初)이다. 일본 도쿄정치학교를 수학했으며, 1906년에 〈만세보〉의 주필이 되면서 신소설 「혈의 누」를 연재하였다. 극장 원각사를 세워 자신의 소설인 「은세계」를 상연하는 등 신극운동도 폈다. 정치적으로는 이완용을 돕는 등 친일활동을 하기도 했다. 「혈의 누」 외에 「귀(鬼)의 성(聲)」 「치악산」 「모란봉」 등이 있다.

② 이해조 (1869~1927)

경기도 포천 출생인 이해조는 〈제국신문〉과 〈매일신보〉 등에 소설을 발표하였다. 대표작 「자유종」은 인물들의 토론 형식을 빌어 정치 이념을 나타낸 소설이다. 「화의 혈」은 갑오농민전쟁을 배경으로 한 소설로, 부패한 관리들의 부정을 폭로하였다.

③ 이광수 (1892~1950)

호는 춘원, 평북 정주 출생이다. 어려서 부모를 잃고 고아가 된 후 동학에 들어가 서기가 되었다가 친일단체 일진회의 추천을 받아 일본으로 건너갔다. 메이지학원에서 공부하면서 소년회를 조직하고 《소년》을 발행했다. 메이지를 거쳐 와세다대학 철학과에서 공부했다. 1919년에는 도쿄 유학생의 2·8 독립선언서를 기초한 후 상하이로 망명해서 독립신문사 사장을 역임했다. 〈동아일보〉 편집국장, 〈조선일보〉 부사장 등을 거친다. 1939년에는 친일어용단체인 조선문인협회 회장이 되었고 창씨개명을 했다. 가야마 미쓰로[香山光郎]가 이광수의 이름이었다. 「무정」「마의태자」「단종애사」「흙」「이차돈의 사(死)」「사랑」「원효대사」「유정」 등의 소설과 논문이 있다.

④ 김동인 (1900~1951)
1919년 한국 최초의 문예동인지인 《창조》를 도쿄에서 간행했는데 그 지면에 「약한 자의 슬픔」을 발표하면서 소설가가 되었다. 「발가락이 닮았다」「배따라기」「감자」「김연실전」「광화사」「광염소나타」「붉은 산」, 역사소설 「젊은 그들」「대수양」 등의 작품이 있다. 1955년 《사상계》에서 그의 작품을 기려 '동인문학상'을 제정했으며 1979년부터는 조선일보사에서 시상하고 있다.

⑤ 전영택 (1894~1968)
호는 늘봄, 소설가이자 목사이다. 평양 출생으로 평양 대성학교와 일본 아오야마[青山] 학원 문학부와 신학부를 졸업했다. 1919년 《창조》 동인으로 문단 활동을 시작했다. 「천치(天痴)냐? 천재(天才)냐?」로 데뷔했으며, 1930년에 미국 태평양 신학교를 수료했다. 작품집으로 『생명의 봄』『하늘을 바라보는 여인』 등이 있다.

⑥ 염상섭 (1897~1963)
서울 출생으로 호는 횡보(橫步)다. 보성전문학교, 일본 교토 부립중학을 거쳐 게이오대학 사학과에서 공부했다. 1921년 《개벽》지에 단편 「표본실의 청개구리」를 발표하여 문학적 지위를 굳혔다. 주요 작품으로는 중편 「만세전(萬歲前)」과 장편 「삼대(三代)」가 있다.

⑦ 현진건 (1900~1943)
대구 출생으로 호는 빙허(憑虛)다. 일본 도쿄 세이조중학을 중퇴하고 중국 후장대학에서 공부했다. 1920년 「희생화(犧牲花)」를 《개벽》에 발표하면서 소설가가 되었다. 《백조》 창간

동인으로도 활동했다. 1936년 동아일보 사회부장으로 재직하면서 일장기말소사건으로 1년 동안 감옥에 복역하기도 했다. 작품으로 「빈처」「술 권하는 사회」「타락자」「운수 좋은 날」「불」「고향」「B사감과 러브레터」 등이 있으며, 장편으로 「무영탑」이 있다.

⑧ 주요섭 (1902~1972)

평양 출생으로 시인 주요한의 동생이다. 상하이 후장대학 교육학과를 졸업하고 미국 스탠퍼드대학원에서 교육심리학을 공부했다. 《신동아》 주간을 맡기도 했고 베이징 푸런[輔仁]대학에서 교수도 했다. 1921년 《개벽》에 「추운 밤」을 발표하면서 소설가가 되었다. 「사랑 손님과 어머니」「아네모네 마담」「여대생과 밍크코트」 등의 작품이 있다.

⑨ 나도향 (1902~1926)

본명은 경손(慶孫)이며 필명은 빈(彬)이다. 서울 출생으로 1919년 배재고보를 졸업했다. 1921년 4월 〈배재학보〉에 「출학(黜學)」을 처음 발표했다. 1922년 동인지 《백조》를 박종화·홍사용·박영희 등과 함께 발간했다. 《백조》에 「젊은이의 시절」「환희」 등의 작품을 발표하면서 소설 쓰기를 시작했다. 그러나 26살에 급성 폐렴으로 요절했다. 주요 작품으로는 「물레방아」「뽕」「벙어리 삼룡이」 등이 있다.

⑩ 최서해 (1901~1932)

본명은 학송(鶴松)이다. 함경북도 성진에서 출생하였고 가정형편이 어려워서 품팔이·나무장수·두부장수 등을 했는데 이러한 경험이 문학적 자산이 되었다. 1924년 단편 「고국」이 《조선문단》지에 추천되어 소설가가 되었다. 작품으로는 「탈출기」「기아와 살육」「박돌의 죽음」「큰물 진 뒤」「폭군」「홍염」「혈흔」 등이 있다.

⑪ 이효석 (1907~1942)
강원도 평창 출생으로 경성제일고등보통학교와 경성제국대학 영문학과를 마쳤다. 1925년 〈매일신보〉 신춘문예에 시 「봄」이 뽑혔으며, 1928년 《조선지광》에 「도시와 유령」을 발표하면서 소설가가 되었다. 「노령근해」 「북국사신」 「수탉」 「분녀」 「화분」 「장미 병들다」 등이 있다.

⑫ 김명순 (1896~1951)
평양 출생으로 호는 탄실(彈實)이다. 1911년 진명여학교를 졸업하고 1917년 《청춘》지의 현상문예에 단편 「의문의 소녀」가 당선되어 등단하였다. 「칠면조」 「돌아볼 때」 「탄실이와 주영이」 「꿈 묻는 날 밤」 등의 소설과 여러 편의 시가 있다. 김동인의 소설 「김연실전」의 모델로 알려진 개화기의 신여성이다.

⑬ 나혜석 (1896~1949)
경기 수원 출생으로 1918년 일본 도쿄여자미술학교 유화과를 졸업했다. 조선미술전람회에서 제1회부터 제5회까지 입선했고 1921년 3월 한국 여성화가 최초로 개인전을 가졌다. 1918년에는 「경희」 「정순」 등의 단편소설을 발표하여 소설가로도 활약하였다.

⑭ 채만식 (1902~1950)
전북 옥구 출생으로 중앙고보와 일본 와세다대학 영문과를 다니다가 귀국 후에는 〈동아일보〉와 〈조선일보〉 기자를 역임했다. 1925년 단편 「세 길로」가 《조선문단》에 추천되어 소설가가 되었다. 『채만식단편집』 『레디메이드 인생』 『탁류』 『천하태평춘』 등의 작품집을 남겼다.

⑮ 이태준 (1904~?)
강원도 철원 출생으로 호는 상허(尙虛)다. 휘문고보를 나와 일본 조치[上智]대학에서 공부했다. 〈시대일보〉에 「오몽녀」를 게재하면서 소설가가 되었다. 이화여전 강사와 〈조선중앙일보〉 학예부장을 역임하였고, 《문장》지를 주관하다가 광복

후 월북하였다. 「가마귀」 「달밤」 「복덕방」 등이 대표작이며, 문장론의 표본이 된 『문장강화』가 있다.

⑯ 박태원 (1909~1987)

서울 출생으로 경성제일고보, 도쿄 호세이대학 등에서 공부했다. 1926년 《조선문단》에 시 「누님」이, 1930년 《신생》에 단편 「수염」이 당선되어 문단에 데뷔했다. 구인회에 가담했다가 8·15광복 후에는 조선문학가동맹에 가담했고 6·25전쟁 중에 월북했다. 남한에서의 대표작은 「소설가 구보씨의 一日」 「천변풍경」 등이 있으며, 북한에서는 역사소설 「갑오농민전쟁」을 썼다.

⑰ 김유정 (1908~1937)

강원도 춘천 출생으로 휘문고보를 거쳐 연희전문학교 문과를 중퇴했다. 춘천에 금병의숙을 세워 문맹퇴치운동을 벌이고, 금광 사업을 하기도 했다. 1935년 〈조선일보〉와 〈중앙일보〉 신춘문예에 「소낙비」와 「노다지」가 당선되어 소설가가 되었다. 구인회에서 김문집, 이상 등과 함께 활동했다. 2년 남짓 작가생활 후 29세에 죽었다. 대표작으로는 「동백꽃」 「봄봄」 「노다지」 「금 따는 콩밭」 「따라지」 「산골」 「만무방」 「산골나그네」 「땡볕」 등이 있다.

⑱ 김동리 (1913~1995)

본명은 시종(始鍾), 경북 경주 출생이다. 1934년 〈조선일보〉 신춘문예에 시 「백로」가, 1935년 〈조선중앙일보〉 신춘문예에 소설 「화랑의 후예」, 1936년 〈동아일보〉 신춘문예에 소설 「산화」가 당선되면서 소설가로 입지를 굳혔다. 순수문학과 신인간주의의 문학사상을 내세워 우익측의 민족문학론을 옹호한 대표적 소설가이다. 「순수문학의 진의」 「순수문학과 제3세계관」 「민족문학론」 등의 평론이 있다. 소설로는 「무녀도」 「역마」 「황토기」 「실존무」 「사반의 십자가」 「등신불」 등이 있다.

⑲ 황순원 (1915~2000)

평안남도 대동 출생으로 숭실중학과 일본 와세다대학 영문과를 졸업하였다. 1931년 중학교 재학시에 《동광》에 시 「나의 꿈」 「아들아 무서워 마라」를 발표했다. 《삼사문학》 동인으로 활동하다 월남하였다. 「별」 「소나기」 「독 짓는 늙은이」 「곡예사」 「학」 「별과 같이 살다」 「인간접목」 「카인의 후예」 「나무들 비탈에 서다」 「일월」 「움직이는 성(城)」 「신들의 주사위」 등의 작품이 있다.

⑳ 박화성 (1904~1988)

목포에서 나 1926년 숙명여고 졸업하고 1929년 일본여자대학 문학부를 수료했다. 「백화(白花)」 「사랑」 「고개를 넘으면」 등의 장편소설과 「햇볕 내리는 뜰」 「홍수전후」 등의 중·단편이 있다.

㉑ 강경애 (1907~1943)

황해도 송화 출생으로 평양 숭의여학교를 다니다 동맹휴학 일로 퇴학당했다. 1931년 〈조선일보〉에 단편소설 「파금(破琴)」, 잡지 《혜성》에 장편소설 「어머니와 딸」을 발표하면서 소설가가 되었다. 1920년대와 1930년대의 최하층 여성들의 비극적 생애와 극단적 가난의 비극성을 그려낸 여성 소설가이다. 대표작으로 「지하촌」과 「인간문제」가 있다.

㉒ 김남천 (1911~1953)

평남 성천 출생으로 평양고보를 졸업하고 도쿄 호세이대학 재학 중 조선프롤레타리아예술가동맹에 가입했다. 《무산자(無産者)》 동인으로 참여했으며, 1931년과 1934년 카프 1, 2차 검거 때 체포되어 복역하기도 했다. 1947년 말 월북하여 남조선노동당의 대남 공작활동을 주도했지만, 1953년에 숙청된 것으로 알려졌다. 장편 「대하」, 중편 「맥」 「경영」 등의 작품이 있다.

2. 시

① 최남선 (1890~1957)

서울 태생. 최초의 신체시를 발표한 시인으로 민속학자, 역사학자, 수필가로도 활동했다. 출판사 '신문관'을 설립했으며, 신문학 운동의 선구자로 잡지 《소년》《샛별》《청춘》 등을 간행하여 대중을 계몽하고 새로운 문물을 소개했다. 3·1운동 때 독립선언문을 기초하고 민족대표의 한 사람으로 투옥되기도 한 그는 민족문학 부활운동인 '시조부흥운동'에도 앞장섰다. 일제 말기에는 총독부에 협조해 침략 전쟁에 조선 청년의 참여를 선동하여 후에 친일파라는 오점을 남겼다.

② 김억 (1893~?)

평북 정주 출생으로 1918년, 순문학잡지 《태서문예신보》를 창간하였다. 1921년에는 최초의 번역시집 『오뇌의 무도』를, 1923년에는 최초의 개인 창작시집 『해파리의 노래』를 출간하였다. 김소월을 발굴하고 키운 스승이다.

③ 김소월 (1902~1934)

평북 곽산 출생으로 본명은 정식(廷湜)이다. 배재고보를 졸업했으며 1922년 스승 김억의 추천으로 《개벽》에 「금잔디」「먼 후일」「진달래꽃」 등의 시를 발표했다. 시집으로 『진달래꽃』(1925), 『소월시초』(1939)가 있다.

④ 서정주 (1915~2000)

전북 고창 출생으로 중앙불교전문학교에서 수학하고 서라벌예대(중앙대)와 동국대 교수를 지냈다. 1936년 〈동아일보〉 신춘문예에 「벽」이 당선되어 등단하였다. 시집으로 『화사집』(1938), 『귀촉도』(1946), 『신라초』(1960), 『동천』(1968), 『질마재신화』(1975), 『떠돌이의 시』(1976), 『서으로 가는 달처럼』(1980), 『학이 울고 간 날들의 시』(1982), 『팔할이 바람』

(1988), 『산시』(1991) 등이 있다.

⑤ 이상 (1910~1937)

시인이며 소설가이며 수필가로 본명은 김해경(金海卿)이다. 서울 출생으로 경성고등공업학교 건축과를 졸업했다. 1931년 총독부 내무국 건축과에 근무하던 중 《조선과 건축》에 「이상한 가역반응」을 발표하면서 등장하였다. 소설 「날개」 「童孩」 「失花」 「지주회시」 「봉별기」 「종생기」 외에 수필 「산촌여정」 「권태」 등이 있다.

⑥ 유치환 (1908~1967)

경남 통영 출생으로 호는 청마(靑馬)다. 통영보통학교를 졸업하고 일본으로 건너가 도요야마[豊山]중학에서 4년간 공부하고 귀국하여 동래고보를 졸업, 연희전문 문과에 입학하였으나 1년 만에 중퇴했다. 1931년 《문예월간》에 시 「정적」을 발표함으로써 시단에 데뷔. 시집 『청마시초』 『생명의 서』 『울릉도』 『뜨거운 노래는 땅에 묻는다』 등을 냈다.

⑦ 이육사 (1904~1944)

경북 안동 출생으로 조선군관학교를 졸업하고 베이징대학 사회학과를 다녔다. 항일운동을 한 독립운동가로 수 차례 투옥되었다가 1944년, 북경 감옥에서 옥사하였다. 1933년 《신조선》에 「황혼」으로 등단한 육사는 시집으로 사후에 발간된 『육사시집』(1946)이 있다.

⑧ 김기림 (1908~)

함북 학성군 출생으로 서울 보성고보, 일본 니혼[日本]대학을 거쳐 도호쿠[東北]제국대학 영문과를 졸업했다. 〈조선일보〉 기자로 있으면서 문단에 나왔으며, 특히 시 창작과 비평에 관심을 기울였다. 그의 문학 활동은 구인회에 가담한 1933년 경부터 본격화되어, I.A. 리처즈의 주지주의 문학론에 근거한 모더니즘의 새로운 경향을 소개하고, 그러한 경향에 맞추어 창작에 임하기도 했다. 첫 시집 『기상도(氣象圖)』(1936)는 현대시의 본질이라고 할 수 있는 주지적인 성격, 회화적 이미지, 문명비판적 의식 등을 포함한 장시로서의 가능성을 보여주었다. 두 번째 시집 『태양의 풍속』(1939)에서는 이미지즘이 더욱 분명한 경향으로 자리잡고 있다. 8·15광복 후 월남했으며, 조선문학가동맹에 가담하여 이념 편향의 시를 주장했고, 서울대학교·연세대학교·중앙대학교 등에서 문학을 강의하다가 6·25전쟁 때 납북되었다. 시집에 『바다와 나비』(1946), 『새노래』(1948)가 있고, 저서에 『문학개론』(1946) 『시론』(1947) 『시의 이해』(1949) 등이 있으며, 1988년에 『김기림전집』이 간행되었다.

⑨ 정지용 (1903~1950)

충북 옥천에서 출생으로 서울 휘문고등보통학교를 거쳐, 일본 도시샤[同志社]대학 영문과를 졸업했다. 귀국 후 휘문고교의 교사, 8·15광복 후 이화여자전문 교수와 경향신문사 편집국장을 지냈다. 독실한 카톨릭 신자로 순수시인이었으나 광복 후 좌익 문학단체에 관계하다가 전향, 보도연맹에 가입했으며, 6·25전쟁 때 납북된 후 사망했다.

⑩ 조지훈 (1920~1968)

경북 영양 출생으로 엄격한 가풍 속에서 한학을 배우고 독학으로 혜화전문을 졸업했다. 1939년 「고풍의상」과 「승무」, 1940년 「봉황수」로 《문장》지의 추천을 받아 시단에 나왔다. 고전적 풍물을 소재로 하여 우아하고 섬세하게 민족정서를 노래한 시풍으로 기대를 모았고, 박두진·박목월과 함께 1946년 시집 『청록집』을 간행하여 '청록파' 라 불리게 되었다.

⑪ 오장환 (1918~1951)

충북 보은군 출생으로 안성보통학교를 거쳐 휘문고보에서 수학했으며, '낭만' '시인부락' '자오선' 동인으로 활약했다. 《조선문학》에 「목욕간」을 발표하여 등단한 이래 『성벽』 『헌사(獻詞)』『병든 서울』『나 사는 곳』 등 4권의 시집을 차례로 냈다.

⑫ 이용악 (1914~1971) 함북 경성군 출생으로 일본 도쿄 조치[上智]대학 신문학과를 졸업했으며, 재학 중 《신인문학》에 시 「패배자의 소원」을 발표, 등단했다. 김종한과 함께 동인지 《이인(二人)》을 발간했고, 《인문평론》지의 기자로 근무하기도 했다.

⑬ 임화 (1908~1953) 서울 출생으로 보성중학을 중퇴한 뒤 잡지 《학예사》의 주간을 거쳐 1926년 카프에 가입, 조직활동에서 줄곧 중추적 역할을 했다. 1932년 김남천 등과 함께 카프의 제2차 방향전환을 주도한 후 서기장이 되었으며, 1935년에는 카프 해소파의 주류를 형성, 카프 해산을 관철시키기도 했다. 시인으로서 두각을 나타내기 시작한 것은 1929년 무렵부터로, 이때 그는 「우리 오빠와 화로」「우산 받은 요코하마의 부두」「네거리의 순이」와 같은 단편서사시 계열의 시를 발표, 경향시가 지향할 수 있는 하나의 가능성을 제시했다.

⑭ 김춘수 (1922~2004) 경남 통영 출생으로 경기고등학교를 졸업하고 일본으로 건너가 1943년 니혼대학 예술학과 3학년에 재학중 중퇴했다. 통영중학교와 마산고등학교 교사를 거쳐 1965년 경북대학교 교수, 1978년 영남대학교 문리대 학장을 역임하였다. 시집 『구름과 장미』『늪』『기』『인인(隣人)』『꽃의 소묘』『부다페스트에서의 소녀의 죽음』 등이 있다.

⑮ 조병화 (1921~2003) 경기도 안성 출생으로 경성사범학교와 도쿄고등사범학교를 나왔다. 경희대 문리대학장과 인하대 대학원장을 지냈으며 한국시인협회장과 문인협회 이사장 및 예술원 회장을 역임했다. 시집 『버리고 싶은 유산』 외에 『하루만의 위안』 등이 있다.

⑯박재삼 (1933~1997)	일본 도쿄에서 태어나 삼천포에서 자랐다. 삼천포고등학교를 졸업하고 고려대학교 국문학과에 입학해 수료했다. 1953년 《문예》에 시조 「강가에서」로 추천받은 뒤에 1955년 《현대문학》에 시 「섭리」 「정적」 등이 추천되어 등단했다.
⑰ 김수영 (1921~1968)	서울 출생으로 선린상고를 거쳐 도일, 1941년 도쿄상대에 입학했으나 학병 징집을 피해 귀국하여 만주로 이주, 8·15광복과 함께 귀국하여 시작 활동을 했다. 김경린·박인환 등과 함께 합동시집 『새로운 도시와 시민들의 합창』을 간행하여 모더니스트로서 주목을 끌었다. 시집 『달나라의 장난』 『거대한 뿌리』와 산문집 『시여 침을 뱉어라』 등이 있다.
⑱신동엽 (1930~1969)	충남 부여 출생으로 단국대학교 사학과를 거쳐 건국대학교 대학원을 수료했다. 1959년 〈조선일보〉 신춘문예에 장시 「이야기하는 쟁기꾼의 대지」가 당선되어 등단했다. 시집 『껍데기는 가라』와 장시 「금강」이 있다.
⑲ 김종삼 (1921~1984)	황해도 은율 출생으로 평양 광성보통학교 졸업 후 일본 도요시마[豊島]상업학교를 졸업했다. 6·25전쟁 때 대구에서 시 「원정(園丁)」 「돌각담」 등을 발표하여 등단하였다. 1957년 전봉건·김광림 등과 3인 시집 『전쟁과 음악과 희망과』를, 1968년 문덕수·김광림과 3인 시집 『본적지』를 냈다. 시집 『원정』 『십이음계』 『시인학교』 『북치는 소년』 『누군가 나에게 물었다』 등이 있다.
⑳ 미셸 푸코 (1826~1984)	포스트구조주의의 대표자로 파리대학교 반센 분교 철학교수를 거쳐 1970년 이래 콜레주 드 프랑스 교수를 지냈다. 대학에서 철학을 전공한 후 정신의학에 흥미를 가지고 그 이론과 임상을 연구하는 한편, 정신의학의 역사를 연구하여 『광기와

비이성—고전시대에서의 광기의 역사』(1961)와 『임상의학의 탄생』(1963) 등을 썼다. 그 과정에서 각 시대의 앎의 기저에는 무의식적 문화의 체계가 있다는 사상에 도달하였다. 『언어와 사물』(1966)과 『앎의 고고학』(1969)에서는 무의식적인 심적 구조와 사회구조, 그리고 언어구조가 일체를 결정하며, 주체로서의 인간이라든가 자아라고 하는 관념은 허망하다고 하는 반인간주의적 사상을 전개했는데 이것이 구조주의 유행의 계기가 되었다.

㉑ 장 보드리야르(1929~)

보드리야르는 독창적인 이론인 '시뮬라시옹(Simualtion)'을 통해 포스트모던 사회의 본질을 꿰뚫어보았다. 실재가 실재 아닌 파생실재로 전환되는 작업이 시뮬라시옹이고 모든 실재의 인위적인 대체물을 '시뮬라크르(Simulacra)' 라고 부른다. 그에 의하면, 우리가 살아가고 있는 이곳은 가상실재, 즉 시뮬라크르의 미혹 속인 것이다. 현대인의 일상을 소비로 해부한 그는 현대인이 물건의 기능을 따지는 것이 아니라 상품을 통해 얻을 수 있는 위세와 권위, 즉 기호를 소비한다고 주장했다. 또 현대사회는 모사된 이미지가 현실을 대체하는 복제의 시대라는 그의 이론은 철학뿐 아니라 미디어와 예술 분야에 큰 영향을 미치고 있다.

3. 수필

① 민태원 (1894~1935)	충남 서산에서 태어나 일본 와세다대학 정치경제학과를 졸업했다. 신문학 초창기에 소설가이자 언론인으로 큰 업적을 남겼다.
② 김소운 (1980~1981)	부산에서 출생하여 다음해 부친의 타계과 모친과의 생이별로 진해와 부산에 있는 친척집을 전전하다가 12살 때 종형과 함께 일본으로 밀항했다. 그 후 일본에서 성장하여 한국과 일본문학의 교류에 큰 역할을 하였고, 한국 수필계에 큰 업적을 남겼다.
③ 이양하 (1904~1963)	시인이자 수필가로 일본 동경제국대학 영문과를 졸업했다. 1930년대 《시문학》 동인으로 활동한 바 있으며, 현대 수필문학의 개척자이다. 저서로는 시집 『마음의 풍경』(1962)과 수필집 『이양하 수필집』(1947), 『나무』(1964) 등이 있다.
④ 이희승 (1896~1989)	경기도 개풍에서 출생했다. 호는 일석(一石)으로, 경성제국대학을 졸업하고 '조선어학회' 에서 본격적으로 국어연구에 주력하기 시작했다. 이후 서울대학교 교수로 재직하면서 본격적으로 국어학을 연구하여 많은 저술을 남겼다. 『박꽃』과 『심장의 파편』 같은 시집을 발간하는 한편 『딸깍발이』와 『오척단구』 같은 수필집을 남겼다.
⑤ 김진섭 (1903~?)	전남 목포에서 태어나 양정고보를 졸업하고 일본 법정대학에서 독문학을 전공했다. 그는 1926년 '해외문학 연구회' 를 조직하여 동인지 『해외문학』에 관여했다. 해방 후에는 서울대학교와 성균관대학교에서 교수를 역임했다. 1947년 발간한 첫 수필집 『인생예찬』과 『생활인의 철학』을 통해 한국수필의

기틀을 마련하였으나 6·25전쟁 때 납북되었다.

⑥ 전혜린 (1934~1965)

평안남도 순천에서 출생했다. 경기여중·고를 졸업하고 서울대 법과대학 재학 중 독일로 유학했다. 독일 뮌헨대 독문과 졸업 후 귀국하여 서울대·이화여대·성균관대 등에서 강의를 하다가 1965년 1월 자살로 생을 마감했다. 유고집 『그리고 아무 말도 하지 않았다』와 많은 번역서가 있다.

⑦ 윤오영 (1907~1976)

호는 치옹(痴翁). 양정 고보를 졸업하고 줄곧 교직에 종사하였다. 한학에 조예가 깊어 그의 수필에는 수많은 고사와 명구들이 인용되고 있으며 동양적 세계관과 인생관이 담겨 있는 것이 특징이다. 저서에 『수필 문학 입문』과 수필집 『고독의 반추』가 있다.

지은이소개

▶최유희

중앙대 대학원 문예창작학과 졸업(문학박사)
평론집 『토지의 문화지형학』(공저), 『문학과 현실의 삶』(공저)
경주대 동북아연구소 연구원, 연세대 인문과학연구소 연구원 역임
현재 중앙대, 협성대 강사

▶민병인

중앙대 대학원 문예창작학과 졸업(문학박사)
평론집 『기억의 시학을 위하여』
현재 중앙대 강사

▶김병덕

중앙대 대학원 문예창작학과 졸업(문학박사)
현재 중앙대, 경기대 강사

▶정복여

중앙대 대학원 문예창작학과 박사과정 수료
1993년 《문학정신》《동서문학》 신인상 당선
시집 『먼지는 무슨 힘으로 뭉쳐지나』
현재 중앙대학교, 일산 호수문화대학 강사

▶송승환

중앙대 대학원 문예창작학과 박사과정 수료
2003년 《문학동네》 신인상(시)으로 등단
2005년 《현대문학》 평론 당선
시론집 『새로운 시론』(공저)
현재 문예진흥위원회 재직

▶신경범

중앙대 대학원 문예창작학과 박사과정 재학